P9-ASK-992

Karin Eger

Nachklang

Roman

www.tredition.de

© 2017 Karin Eger

Verlag: tredition GmbH, Hamburg

ISBN
Paperback: 978-3-7345-7019-3
Hardcover: 978-3-7345-7020-9
e-Book: 978-3-7345-7021-6

Printed in Germany

Das Werk, einschließlich seiner Teile, ist urheberrechtlich geschützt. Jede Verwertung ist ohne Zustimmung des Verlages und des Autors unzulässig. Dies gilt insbesondere für die elektronische oder sonstige Vervielfältigung, Übersetzung, Verbreitung und öffentliche Zugänglichmachung.

Titelfoto und Gestaltung © 2017 Michael Eger

Für Andy †

Freedom is a road
not an exit.

Teil 1

Spanien, Dezember 2011

Inselnacht

Sanft setzen wir auf der nassen Landebahn auf. Die Bremsen quietschen und einige nimmermüde Urlauber klatschen und jubeln, beschwingt von ihren Piccolos. Wir sind in eine spanische Nacht gesunken. Links funkelt das Flughafengebäude weihnachtlich durch den Nieselregen. Der Moment des Eintreffens auf der Insel sollte mir vertraut sein, doch ich fühle mich wie ein Eindringling. Das dunkle Land, das sich jenseits der Scheinwerfer ausbreitet, hat mich diesmal nicht eingeladen.

Es ist der zweite Dezember. Meine drei Kinder haben keine Adventskalender bekommen, aber sie haben sich nicht beschwert, nicht einmal die Kleine. Sie haben mich nicht gefragt, wann ich wiederkomme. Sie vertrauen darauf, dass ihre Tante Charlotte ihnen in ihrem vorsichtigen Erklärton alle Fragen beantworten wird, die sie auszusprechen wagen.

Ob ich mich nicht fürchte ganz alleine, war das Einzige, was mein Großer noch wissen wollte, bevor er wieder seinem Basketball hinterherlief. Nein, Darius. Meine Angst ist ausgestanden. Wovor soll ich mich noch fürchten? Alles, was mich eben noch bedrohte, ist einfach geschehen.

Die Kabinenbeleuchtung und eine fröhliche Musik springen an. Sobald ich aus dem Flugzeug raus bin, spurte ich los, als würde mich draußen in der Ankunftshalle jemand sehnsüchtig erwarten. Jemand, der sich mit aufflackerndem Herzen schon vorstellt, wie ich ihm gleich um den Hals fallen werde. Ich renne mit meiner schweren Tasche durch die endlosen Gänge des Flughafens, vorbei an den Laufbändern, wo träge ältere Herrschaften ein Durchkommen verhindern. In wilden Schlenkern weiche ich erwartungsfrohen Familien aus, laufe den Vätern und Müttern, die ihre Kleinen fest an den Händchen halten, vor die Füße, sodass sie erschrocken ihre hopsenden Kinder zu sich heranziehen, damit ich sie nicht umschubse. Ich schaue mich nicht mal um. Heute gehöre ich zu den Kinderlosen, denen das Gewusel der Winzlinge im Weg ist.

Wie oft haben Theo und ich mit Engelsgeduld unsere Kinder hier durchgeschleust? Sie immer wieder angetrieben und gelockt mit den Aussichten auf unser Haus, die Schaukeln, die Orangenbäume, den Pool. Nur nicht ausrasten, wir sind ja im Urlaub. Endlich mal ein paar Tage Zeit haben für unser fabelhaftes Trio.

Wenn wir schließlich am Gepäckband standen, mussten wir immer wieder die beiden Jungs einfangen, die entweder mit dem Gepäckwagen Formel Eins spielten oder sich aufs Band setzten, um mitzufahren. Nie ging ihnen der Blödsinn aus. Und immer ließen sie eine unglückliche kleine Schwester zurück, die nicht mitmachen konnte, weil ich sie nicht alleine laufen ließ, keine Minute. Sie war mir zu zart.

Nach Theos Vorbild reise ich heute nur mit Handgepäck, schleppe meine Sachen selbst, um Zeit zu sparen. Zeit, die ich nicht brauche, denn ich habe nichts damit vor. Irgendwann im Laufe der Nacht werde ich ankommen in unserem vereinsamten Haus, auf unserer Insel der Einigkeit, wo wir sie immer gesucht haben, die Zeit, um dem Wesen unserer Kinder auf die Spur zu kommen. Doch sie schwirrte über unsere Köpfe hinweg wie die großen schwarzen Käfer, die den Luftraum um unser Haus bevölkerten. Kaum hörte man sie anschwirren waren sie schon eine Ecke weiter.

Statt am Band warte ich diesmal in der Schlange bei der Autovermietung. Ich habe Friedrich, unserem Nachbarn, nicht Bescheid gesagt, dass er mich mit unserem klapprigen Renault abholen soll. Ich möchte erst mal niemanden sehen. Außerdem wüsste ich wahrlich nicht, was ich tun sollte, wenn der Renault seine Macken kriegt. Es ist niemand mehr da, der gerne unter seiner Motorhaube Puzzlespiele spielt.

Friedrich und seine Frau Sylvie besuchten uns eines Abends, als wir letzten Sommer hier waren. Sie wunderten sich, dass die Kinder nicht dabei waren, fragten aber nicht weiter nach. Theo und ich bewirteten unsere Freunde, stellten eine Flasche Rioja auf den Tisch, rührten aber selbst nichts davon an.

Diesmal ließ sich die Zeit in ihrer ganzen Schwere auf uns nieder und fühlte sich an, als wäre sie nicht mehr vom Fleck zu bewegen. Doch wir ahnten, dass dies nur ihre dramatische Art war, sich zu verabschieden.

„Die ersten Wochen nach dem Tod eines Ehepartners sind nicht so schlimm. Man steckt in einer Ausnahmesituation, in der man zu stark gefordert ist, um in ein Loch zu fallen. Die Angst vor dem Zusammenbruch hält dich am Rotieren…"

Dieses Wissen teilten nach Theos Beerdigung Außenstehende mit mir, die Ähnliches noch nicht erlebt hatten. Schlimm sei es erst, wenn der Alltag zurückkehre, man jede einzelne Gewohnheit neu einschleifen müsse.

Sie hatten keine Ahnung.

Etwas so Luxuriöses wie Gewohnheiten hatte es in meinem Leben schon lange vor Theos Tod nicht mehr gegeben.

Vor drei Wochen standen dann all diese Verwandten, Bekannten, Mitarbeiter und Weggefährten vor der Aufgabe, mir und meinen Kindern ihr Beileid auszudrücken. Als ich vor dem Berg von Kondolenzkarten stand, widerstand ich nur schwer dem Reflex, sie ungelesen dem Kamin im Wohnzimmer zu übergeben. Stattdessen stapelte ich die Karten und band sie mit bunten Geschenkbändern zusammen. Sie sollen nicht anonym im Feuer schmoren. Ich will vorher prüfen, ob ihr jeweiliger Absender diese Vollstreckung tatsächlich verdient. Daher habe ich sie jetzt dabei.

Nachdem sich in ansteigenden Passagen immer wieder das nahende Bergland angedeutet hat, mündet die vierspurige Straße in eine ganze Serie von Kreisverkehren. Der dritte Kreis ist unserer. Hier verlässt man die Hauptader und fädelt sich ins dunkle Hinterland ein. Die hier verstreuten Häuser sind unbeleuchtet, denn die Bauern schlafen und die urigen kleinen Restaurants, die in den Reiseführern als „Geheimtipp" gehandelt werden, haben geschlossen. Selbst die meisten Finca-Besitzer sind zu

Hause in Deutschland, Österreich oder England. Das stürmische Wetter weist sie ab. Es gibt ein paar Aussteiger in dieser Gegend, die in ihrem Ruhestand aus den ungemütlichen Ländern komplett übergesiedelt sind. Doch auch sie rühren sich selten aus ihren Refugien und ernähren sich von Eingelagertem. Es sind meist ehemalige Erfolgsmenschen wie Friedrich und Sylvie, die sich ihre Genießerseele bewahrt oder sie spät entdeckt haben. Sie brauchen keinen sozialen Spuk mehr. Ihre tiefe Zufriedenheit mit ihrem zurückgezogenen Leben, das sich nur um diesen einen gemeinsamen Fluchtpunkt dreht, hat mich immer fasziniert.

Ich weiß, dass auch Theo gerne hier seine alten Tage verbracht hätte. Aber es war klar, dass es keinen gemeinsamen Lebensabend geben würde: schulpflichtige Kinder, die Firma, eine Frau, die noch mindestens zwei Jahrzehnte lang mitten im Leben stehen würde - es hat nie ein Konzept gegeben für die Zeit, wenn Theo alt sein würde.

Doch manchmal verriet Theo, dass er sich Gedanken machte: „Oh je, Ellie. Jetzt ist es nur die Brille, die ich ständig verlege. Irgendwann kommt das Gebiss dazu. Wenn es mal so weit ist, hast du die Erlaubnis, mich in einen Rollstuhl zu setzen und die nächste Klippe hinunter zu kippen."

„Schreib das gleich auf und gib mir den Zettel, sonst vergisst du es wieder", scherzte ich. Theo war allerdings kein bisschen vergesslicher oder zerstreuter als ich. „Du wirst nicht alt, Theo. Nicht für mich", beruhigte ich ihn.

Er wurde nicht alt.

Das einsame Haus rückt näher. Fast hätte ich die Abzweigung verpasst. Mir ist, als wäre ich nicht wirklich hier. Als Kind glaubte ich, dass all das, was niemand bezeugen kann, gar nicht wirklich passiert. Wenn ich allein war, hatte ich das Gefühl, nicht wahrhaftig zu existieren. Ich befand mich in einer Schutzzone unterhalb der Wirklichkeit, in der Träume das wahre Leben sind, in der man vermintes Neuland betreten kann, schwebend wie ein Geist, ohne in die Luft zu fliegen. Deshalb wagte ich es mit zwölf Jahren, meinem älteren Bruder eine Schachtel Zigaretten zu klauen und mich damit auf den Speicher zu verziehen. Später folgten ein paar klebrige Porno-Hefte, die ich unter seinem Bett hervorgezogen hatte. Eines Nachts war es eine Flasche Wein aus dem Keller, die ich in meinem Kleiderschrank trank. Jeden Abend ein paar Schluck. Alles verboten. Nichts, was der braven Elisabeth ähnlich sah.

Die Zigaretten wurden nie angesprochen. Wahrscheinlich hat mein Bruder gedacht, meine Mutter habe sie beim Putzen gefunden und weggeworfen. Die Hefte legte ich noch in der selben Nacht zurück. Meine Rauschzustände schlief ich aus und die leere Flasche brachte ich zu all den vielen anderen, die mein Vater in einem großen Sack in der Garage sammelte. Meist brachte er den Sack selbst zum Container, damit meine Mutter die Flaschen nicht zählen konnte. Er trank alleine.

Ich genieße das vertraute Geräusch der Räder auf dem feinen Schotter der breiten Auffahrt, als ich zum Haus rolle. Es klingt für mich immer wie sanftes Trommeln, das ein großes Hallo einleitet. Genau hier habe ich sie immer kommen gespürt, die Freude. Beim Aussteigen sogen wir den friedlichen Duft der Pinien und Mittelmeerkräuter ein. Endlich konnte nichts mehr kommen zwischen uns und ein paar lange, idyllische Tage.

Ich betrachte das Haus, das sich stolz und wie immer völlig unberührt gegen den Nachthimmel erhebt. Es verzieht keine Miene, als ich ohne Theo aus dem Auto steige und die verklemmte Doppeltüre aufsperre, deren Flügel man immer exakt zueinander ausrichten muss, da sonst der Riegel nicht zu bewegen ist. Es lässt mich eintreten in seine kühle, abgestandene Raumluft. Immer riecht es hier ein bisschen nach feuchten Wänden. Erleichtert stelle ich fest, dass mir das alte Gemäuer die Versöhnlichkeit einer Heimat nicht verweigert.

Klappkarten

Das feuchte Holz scheint sich über mich zu amüsieren. Ich muss fast zwei vollständige, dicke Wochenzeitungen aus dem letzten Sommer zu fünfzig Papierbällen zerknüllen und anzünden, bis es endlich heiß genug ist, um eine kleine Flamme zu übernehmen. Im Haus ist es deutlich kühler als draußen. Die klamme Kälte kriecht aus den Wänden.

Theo liebte und beherrschte die Kunst des Feuermachens, daher gibt es auch keine Anfeuerhilfen außer alten Zeitungen. Tagsüber wurde Reisig und dünnes Holz im Wald gesammelt. Das war immer die Aufgabe unserer Söhne Darius und Kilian. Abends musste einer von beiden unter Anleitung von Theo das Feuer in Gang setzen. Darius hörte zu, vollzog die einzelnen Schritte präzise und geduldig, notfalls drei Mal hintereinander, wenn sein Vater feststellte: „Da muss mehr Raum unter den Scheiten sein, damit die Luft reinziehen kann." – „Das dünne Holz muss nach unten, Darius." – „Nicht so hinstellen – sonst fällt es um und purzelt raus. Das muss schon stabil stehen! Oder willst du, dass der Teppich brennt?"

Kilian hörte sich all das an und wusste, dass er am nächsten Tag dran wäre. Und wir alle wussten, dass der Spaß dann keiner mehr sein würde, denn unser jüngerer Sohn verdrehte bei Anweisungen seines Vaters grundsätzlich die Augen und tat, was er selbst für richtig hielt. Bevor das Feuer schließlich brannte, musste ich mehrfach einschreiten: „Es ist doch egal, wie er es macht, Theo. Hauptsache das Ergebnis stimmt!" Es dauerte Jahre, bis mein Mann einsah, dass dieser rituelle Kampf es nicht wert war, unser gemütliches Zusammensein in Gezeter auflodern zu lassen.

Endlich habe ich das Holz zum Brennen gebracht. Im CD-Player liegt noch die Musik der Sommerwochen. Ich schalte sie ein. Debussy. Mir fällt ein, was Theo über das Stück und seinen Komponisten gesagt hat: „Er möchte mir den Tod als Heil verkaufen." Ich frage mich, was für einen Tod er sich dabei vorgestellt hat, denn die plätschernden Klänge scheinen mir eher das fließende Leben und Werden zu beschreiben. Ich sehe einen rieselnden Bach, in dem die Sonne glitzert, das weiche, blütenbestückte Gras an seinem Ufer. Eine Schönheit, eine Ewigkeit, wie sie nicht lebensnäher sein könnte. Vielleicht steckt die Gewissheit vom Tod genau hier, in den kleinen, fast schon gleichgültigen Lebendigkeiten.

„In der Frucht seiner Liebe und seiner Arbeit wird er weiterleben", hat meine Schwägerin Iris auf die linke Innenseite der Klappkarte geschrieben. Ein alter Baum spreizt sinnlos seine kahlen Äste im Nebel. Er weiß nicht mehr, warum er immer noch stehen muss, vermutlich bis ans Ende aller Tage, wo er doch so müde ist und die Welt so unscharf. Unter ihm steht: *In stiller Anteilnahme.*

> *Liebe Ellie, lieber Darius, lieber Kilian, liebe Nell,*
>
> *von ganzem Herzen senden wir Euch unsere Gedanken und unser Beileid. Leider ist geteiltes Leid nicht halbes Leid, und wir können euch den Verlust Eures lieben Ehemanns und Vaters nicht erleichtern, auch wenn wir das gerne tun würden. Doch Ihr solltet wissen, dass auch wir unendlich trauern um unseren Bruder und Schwager.*
>
> *Wir sind dankbar, dass ein so außergewöhnlicher Mensch wie Theodor Schmidt Teil unseres Lebens war. Er hat so viel geleistet. Doch sein größter Wunsch war, dass ihr glücklich werdet. Wir hoffen, ihr werdet ihm diesen Wunsch erfüllen.*
>
> *In Liebe*
>
> *Lothar und Iris*

Wie immer scheint Iris' mahnender Zeigefinger über ihren Sätzen zu schweben. „Leisten" – das ist ihr Wort! Was hat er nicht alles geleistet. Ohne ihn wärst du ein Nichts, liebe Ellie. Jetzt erfüll ihm den letzten Wunsch und werde glücklich! Und sorge vor allem dafür, dass seine Nachkommen glücklich werden. Dann hast du wenigstens etwas Sinnvolles für ihn getan.

Als ich Theo kennenlernte, hatte er mit seinem Zwillingsbruder und dessen Frau Iris seit fast zehn Jahren kein Wort mehr gewechselt. Den Draht nahm er erst wieder auf, als es offiziell war, dass ich ein Kind von ihm erwartete. „Lothar hat ein Recht zu erfahren, dass ein weiterer Familienerbe unterwegs ist", erklärte er mir.

Er fuhr nach Heilbronn. Ich wusste, dass nicht alle Brücken zwischen den Brüdern abgebrochen waren: Es gab die jüngere Schwester, Charlotte, die mit beiden Kontakt hielt, und die Firma, die allen drei Geschwistern gehörte, die Theo aber nur noch samstagvormittags betrat, wenn er sich mit dem Geschäftsführer traf.

So richtig verstehen konnte ich die Beziehung zwischen den Geschwistern ohnehin nicht. Charlotte hatte mir schon bei unserer ersten Begegnung sogar noch von einem dritten Bruder erzählt, den Theo mir bis dahin verschwiegen hatte. „Warum hast du eigentlich Matthias noch nie erwähnt?", fragte ich Theo, weil es mich reizte, die mysteriösen Verwicklungen der Familie ans Licht zu holen.

„Da gibt es wenig zu erwähnen, ich kenne ihn kaum. Er kam auf die Welt, als ich schon ausgezogen war. Vor fünfzehn Jahren hat er sich verabschiedet." Mehr erfuhr ich nicht von ihm.

Von seinem Besuch bei Lothar und Iris kam Theo erstaunlich entspannt zurück, ganz anders als er aufgebrochen war. Offenbar hatten sie ihm sogar zugeredet, sich wieder persönlich im gemeinsamen Unternehmen zu engagieren.

„Und was sagen sie zum Erben?"

„Es kam natürlich die Frage, ob ich auch sicher der Vater bin. Wir werden es doch schriftlich brauchen."

„Kein Problem. Das kriegen sie schriftlich", versicherte ich ihm, woraufhin er mir die Prozedur eines Vaterschaftstests beschrieb, über die er sich offenbar schon im Detail schlaugemacht hatte. Heute wundere ich mich darüber, dass mich das damals nicht berührte. Aber ich war jung, verliebt und wollte nur uns beide und unser Wunderkind.

Jahrelang haben Lothar und Iris zu viel Platz in unserem Leben negativ besetzt. Unsere Energie verschwand im Sog des aufreibenden Verhältnisses zu ihnen wie in einem großen schwarzen Loch. Der Umgang miteinander in der Firma, wo Lothar einer von zwei Geschäftsführern war und Iris die Key-Account-Managerin, war so angespannt, dass keiner großartig Lust hatte auf private Zusammenkünfte. Erst als Theo offen über seine Krankheit sprach, kehrte ein verzweifelter Frieden ein.

„Sie haben es offenbar begriffen", sagte ich zu Theo. „Wofür haben euer Vater und Großvater so hart gearbeitet? Doch allein dafür, dass es allen in der Familie gut geht. Nicht dafür, dass ihr euch gegenseitig ins Grab bringt mit eurer Missgunst."

Theo nahm meine Hand und wiederholte zum hundertsten Mal: „Versprich mir, dass du dich weiterhin um unseren Teil der Firma kümmern wirst." Dabei überwand er stimmlich sogar die Leblosigkeit, die ihm in sein fahles Gesicht geschrieben war. Ich weiß heute, wie man den Krebs von der Haut ablesen kann. Ich erinnere mich genau an das erste Mal, als ich ihn anblickte und diese Farbleere wahrnahm. Etwas ist anders, dachte ich mir da. Etwas ist nicht gut.

„Tu es für unsere Kinder. Lass nicht locker. Du musst sehr stark sein, wenn ich nicht mehr kann, Ellie", bedrängte er mich weiter.

Doch die Zeiten waren hart, und ich war nicht stark. Ich fürchtete um ihn, ich litt mit ihm, ich trauerte um unsere Familie und hatte keine Ahnung, wie ich angesichts all dieses Entsetzens meinen Teil dazu beitragen sollte, ein Unternehmen mit achthundert Mitarbeitern durch eine epochale Krise zu führen.

„Ich verspreche es", sagte ich.

Wenn er morgens nicht aufstehen konnte und ich bei ihm bleiben wollte, zwang er mich zu gehen.

„Du musst jetzt leben für uns beide, Ellie", sagte er dann. „Mach weiter, gib nicht auf."

Nachts träumte ich, dass ich im treibenden Sand vor einer riesigen schwarzen Welle davonzulaufen versuchte, die in rasendem Tempo hinter mir her jagte. Immer wieder der gleiche Traum. Ich rannte und schrie, rannte und schrie, und kam nicht vorwärts. Meine Beine versanken bleischwer, meine Lunge nahm keine Luft mehr auf.

Die Flammen lassen die graue Karte mit dem kahlen Baum im Nebel golden schimmern. Doch ihr Anblick lässt mich kalt. Lothar und Iris haben nicht mal eine leise Ahnung von dem, was Theo und ich durchgestanden haben. Mit zwei schnellen Handbewegungen landet ihre Beileidsbekundung im Feuer.

Draußen in der tiefen Dunkelheit der verlassenen Insel singt ein Vogel wunderschön einsam. Während seine Sequenz erklingt, gehört ihm die Nacht. Singt er, um einen Dynastieplan vorwärtszubringen? Oder tut er, was er tut, nur um die Nacht zu bereichern?

Ich sehe die Wüste, die vor mir liegt. Alles, was ich darin tun werde, um sie bewohnbar zu machen, werde ich für jemanden tun, der nicht mehr da ist. Während die Hitze des Feuers auf meine rechte Körperseite brennt wie die Wüstensonne, höre ich Theo, als säße er neben mir. „Schlaf nicht ein!", sagt er. „Einer von uns muss funktionieren."

Auf der nächsten Karte ist eine mit wenigen Kohle-Strichen gezeichnete, langstielige Rose zu sehen. Liegt sie oder steht sie? Sie krümmt sich ohne Lebensmut und sieht dabei bezaubernd aus. Im rechten unteren Eck steht in Schreibschrift geschrieben: Es ist schwierig, Worte zu finden.

Die Karte klappt nach oben auf.

Daniel Schweizer muss lange überlegt haben, das sieht man an den Wortabständen, die sehr weit gehalten sind. In Konferenzen ist er ein wahrer Formulierungskünstler, doch den Trost auf diesem kleinen Raum in Worte zu fassen, hatte sich offenbar schwierig gestaltet.

Liebe Ellie,

in diesen Tagen muss ich ohne Unterbrechung an Dich und Theo denken. Ich denke an Eure Anfänge. Um ein Haar hättet Ihr Euer Glück verpasst, wäre ich Deinem Geheimnis damals nicht auf die Spur gekommen. Sei mir nicht böse, wenn ich ein bisschen stolz darauf bin.

Leerraum. Denkpause.

Liebe Ellie, meine Gedanken sind bei Dir und Euren Kindern. Es kommt eine schwere Zeit auf Dich zu. Lass mich wissen, wenn ich Dir helfen kann.

Dein Daniel

Seit wann war ich mit meinem früheren Chef per Du? Seit wann war er Daniel für mich? Mein Mann hatte ihn mit Vornamen angesprochen, doch nur wenn sie sich auf neutralem Grund befanden. Auf der Beerdigung hatte Daniel Schweizer mich lange umarmt. Über die Geschichte von Ellie Becker und Theo Schmidt wusste er mehr als alle anderen Trauernden und es gab eine Art verschworene Intimität zwischen uns. Seine Frau Stefanie stand neben ihm, ergriff herzlich meine Hände und blickte mir in die Augen mit einer Sie-schaffen-das-Botschaft im Blick.

Daniel gehört zu den wenigen Leuten, für die ich schon Bedeutung hatte, bevor ich Frau Becker-Schmidt wurde, die Frau mit dem stillen Minus im Namen.

Beckers blinder Fleck

Damals saß ich mit feuchten Händen in seinem engen Büro zwischen kahlen, hellgrauen Wänden, wo wir häufig gemeinsam gesessen hatten, um die Zukunft unseres Arbeitgebers schön bunt zu malen. Ich wusste nicht, wie ich herausrücken sollte mit den Tatsachen, die ich nicht mehr ändern konnte. Wie immer fiel mein Blick zuerst auf das Foto im Aluminiumrahmen, das an der linken Wand auf einem Sideboard stand. Es zeigte eine strahlende, dunkelblonde Frau, die jeden ihrer beiden Arme um ein süßes goldgelocktes Mädchen geschlungen hatte, Schweizers Töchter. Konnte diese mit so bezaubernden Geschöpfen gesegnete Mutter überhaupt jemals einen schlechten Tag haben? Ob ich auch mal so ein reizendes Püppchen haben würde?

Daniel Schweizer hatte an mich geglaubt. Er hatte mir ein Projekt anvertraut, mit dem sein eigener Status stand und fiel: den Aufbau der ersten bereichsübergreifenden Internetseite des Unternehmens, in dem wir beide unsere Karriere verfolgten. Er hatte auf mich gesetzt, darauf, dass ich alles geben würde, dass ich nicht krankmachen, nicht abspringen und nicht anfangen würde zu pokern für die nächsten zwei bis drei Jahre. Er hatte sich dabei immer so partnerschaftlich verhalten, nur selten den Chef gegeben, sich gesorgt um mein Schlafquantum, wenn ich Abend für Abend im Büro blieb, um weiter zu tüfteln. Er brachte mir Cola und Snacks. Er rief mich abends um elf von zu Hause aus an und sagte: „Jetzt ist aber gut, Frau Becker."

Nur wenige Wochen später würde er unsere Arbeit vor dem Vorstand präsentieren müssen. Das ganze Team befand sich zu diesem Zeitpunkt in einem Wechselbad der Gefühle zwischen Euphorie und Erschöpfung. Einmal fühlten wir uns wie Internet-Pioniere, dann wieder mussten wir zusehen, wie ein Konkurrenzunternehmen einen Auftritt präsentierte, der richtig gut durchdacht war - vor uns! Wir waren Versager. Der Vorstand würde uns alle entlassen und die wahren Cracks anheuern. Es war ein Dauerlauf ohne Atempause.

Ich wusste, dass die drei Schönheiten auf dem Foto zu Hause auf ihn warteten. Seit einiger Zeit hatten sie Namen: Stefanie, Julia, Johanna. Ich hatte eine Hemmschwelle überschritten und ihn danach gefragt. Seither waren wir ein kleines bisschen privater im Umgang.

Ich hatte ihn schon am Morgen angerufen: „Herr Schweizer, ich müsste heute mal mit Ihnen sprechen." Zwar hätte ich ihm noch nicht mitteilen müssen, was mit mir geschehen war, ich hätte noch Zeit gehabt. Aber ich konnte ihm nicht mehr in die Augen sehen, ohne das Gefühl zu haben, er könnte aus mir herauslesen, dass ich nicht mehr dieselbe war wie noch vor wenigen Tagen.

„Worum geht es?" Er war im Stress. Er musste Prioritäten setzen. Alles, was nicht kriegsentscheidend war, wurde verschoben auf danach.

„Es ist persönlich. Es ist wichtig. Nur ein paar Minuten", bat ich.

„Okay, ich sag Ihnen Bescheid, wenn ich Zeit habe."

Der Rückruf kam um viertel vor sieben Uhr abends: „Kommen Sie in zehn Minuten zu mir ins Büro."

Da saß ich nun und wünschte mich an meinen Schreibtisch zurück, zu meinen Aufgaben. Sie waren geradezu paradiesisch gegen das hier.

„Wo drückt der Schuh, Frau Becker? Sie brauchen Urlaub, ich weiß. Falsches Timing ..."

Er setzte sich mir gegenüber in seinen Bürosessel und ließ mit jeder Bewegung durchblicken, dass er es eilig hatte, wieder aufzustehen.

„Mir ist was passiert", rückte ich heraus, „völlig ungeplant. Ich bin schwanger." Pause. Er starrte mich an. „Es tut mir leid", beendete ich meine Offenbarung schnellstmöglich. Als ich mir selbst nachhörte, schossen mir Tränen in die Augen.

„Ich wusste gar nicht, dass Sie einen Freund haben", rettete er mich aus der grausamen Stille.

„Habe ich nicht. Das war ein Fehltritt. Nur eine Nacht – und peng. Der Mann hat mir glaubhaft versichert, dass er zeugungsunfähig sei."

„Ach!! Das gibt's ja wohl nicht. Hat der denn gar keine Skrupel?" Witzigerweise fiel er jetzt in seinen schwäbischen Akzent, den er sonst so sauber ausbügelte. Er atmete tief durch.

„Weiß er davon, der Vater?", fragte er.

„Noch nicht."

„Und was ist Ihr Plan?"

„Ich habe einen Termin für einen Eingriff."

„Frau Becker, wenn das wirklich Ihr Plan wäre, würden Sie jetzt nicht hier sitzen." Er sank tiefer in seinen Stuhl und deutete damit an, dass er jetzt plötzlich mehr Zeit hatte.

„Ich wollte wissen, ob ich Alternativen habe. Ich wollte mit jemandem sprechen."

„Sie haben mit niemandem gesprochen bisher?" Ein Anflug von Stolz flimmerte in seinen Augen.

„Nur mit einem alten Freund, doch der weiß auch keinen Rat."

„Es gibt da Beratungsstellen."

„Die Beratungsstellen können mir nicht sagen, ob ich meinen Job verliere."

„In Ihrem Zustand sind Sie unkündbar, Frau Becker."

„Ich weiß. Aber ich möchte genau diesen Job behalten und nicht zur Teilzeitkraft werden. Ich möchte an meinen Projekten dranbleiben. Mich hat noch nie etwas so ausgefüllt in meinem Leben. Warum muss mir das ausgerechnet jetzt passieren?"

„Das Leben, Frau Becker ..."

„Das Leben! Einmal und schon ist alles aus! Das ist ein Sch...leben. Entschuldigung."

Er lehnte sich über den Schreibtisch und blickte mir ins Gesicht.

„Es geht weiter", impfte er mir ein. „Wir finden eine Lösung. Bleiben Sie mir nur fit für die nächsten drei Wochen!"

„Ich bin fit, so fit wie nie. Glauben Sie mir!"

„Das ist jetzt erst mal das Wichtigste. Haben Sie noch Zeit mit der Entscheidung, ob Sie das Kind bekommen wollen?"

„Ja. Mein Termin ist in etwa zwei Wochen. Ich sehe keinen Ausweg, ich habe keine familiäre Unterstützung, keine finanziellen Reserven, nichts."

„Tut mir leid, Frau Becker, aber ich kann als Mann wenig dazu sagen. Nur dass ich das Verhalten dieses Typen verabscheue …"

„Bitte sagen Sie niemandem was davon. Offiziell melden müsste ich es erst in vier Wochen."

„Ist doch klar, Frau Becker. Aber Sie müssen mir eines versprechen: Sie reden mit dem Vater! Und zwar umgehend. Ist das klar?"

„Klar."

„Und wenn er keine Verantwortung übernehmen will, dann werde ich ihn mir persönlich vorknöpfen. Klar?"

„Klar."

Ich verließ sein Büro und ging wieder an die Arbeit. Es gelang mir, die immer wiederkehrende Ausweglosigkeit in meinem Leben zu vergessen, indem ich mich in den Mikrowelten meiner Arbeit versenkte. Was Daniel damals nicht wusste: Ich konnte nicht mit dem Vater meines Kindes sprechen. Und er auch nicht. Unmöglich.

Zum ersten Mal, seit ich hier in unserem Ferienhaus bin, laufe ich in die Küche und schaue mich dort um. Durch alle Schränke hindurch mache ich mir ein Bild von der Versorgungslage. Theo und ich haben nicht nachgefüllt letzten Sommer.

Ein paar Nudeln, ein paar Salzstangen, zwei Gläser Oliven sind da. Ein paar Flaschen Rotwein in Theos Weinregal. Alter Malbec und junger Rioja. Mein Appetit ist verschwunden seit Theos Tod. Wenn ich ans Essen denke, kommt ein Verdruss über mich, der meinen Geist sofort von allem Körperlichen trennt. Fast als sollte der Körper vor der Krankheit des Geistes geschützt werden.

Ich trage Daniels Karte im Kreis herum, nehme Salzstangen und Oliven aus dem Schrank und stehe lange vor dem Weinregal.

Einen guten Rotwein in einem bauchigen Glas schwenken, in ein paar Kissen am Feuer sinken, still sitzen und den Grillen lauschen - diese Vorstellung war es, die mich all die Jahre in meiner heimischen Tretmühle in Gang gehalten hat. Leichten Sinnes abreisen, drei fröhliche Kinder im Schlepptau. Jeden Morgen ein Stück freies Leben vor uns, jeden Abend eine Flasche Wein. Jeder in seinem Sessel saßen wir dann da und blickten in die Flammen. In unseren Köpfen drehten sich Szenen und Gedanken, die hier nichts verloren hatten. Doch wir sprachen viele nicht aus, um die Balance nicht zu stören. Ein paar Gesprächsfelder waren völlig ungefährlich: unser älterer Sohn und unsere Tochter, den Zweitältesten ließen wir besser aus, Theos Schwester Charlotte und ihre drei Töchter, ihren Mann ließen wir aus, unsere ersten gemeinsamen Jahre, einige spätere ließen wir aus.

Ich stelle mir vor, wie ich jetzt alleine da drüben am Feuer sitze, Salzstangen esse und Wein trinke und greife schon mit der Hand, in der ich noch immer die Karte halte, nach einem der Flaschenhälse. Dann senke ich sie wieder. Seit Theo und ich vor etwa neun Monaten von seinem tödlichen Krebs erfuhren, habe ich keinen Schluck Wein mehr getrunken.

Strandfest

Ich wache auf in Theos Betthälfte und weiß nicht, wie ich dorthin geraten bin. Ganz sicher bin ich auf meiner Seite eingeschlafen. Jetzt liege ich hier in seiner typischen Schlafhaltung, flach auf dem Rücken, den Kopf nach links gedreht. Ich sehe ihn vor mir, wie er langsam den Kopf wendet und den Blick zu mir wandern lässt, kurz bevor er mich in die Arme nimmt.

Wie ein Eisregen kommt es auf mich herunter: Ich bin allein. In dem ganzen großen Haus kein Mann, keine Kinder. Nie wieder werden wir hier alle fünf umhergeistern, uns am Morgen auf dem Gang vorm Bad begegnen, wettlaufen, wer zuerst drin ist und die Türe hinter sich abschließt, damit der Verlierer die kalte Steintreppe hinunterlaufen muss ins untere Badezimmer. Nie wieder werden Theo und ich hier liegen und uns angrinsen, wenn unsere Kinder laut debattierend in aller Frühe um den Esstisch herum die erste Mensch-Ärgere-Dich-Nicht-Partie spielten. Nie wieder wird Nell zu uns hereinschleichen, weil die Jungs sie geschickt haben, um zu fragen, wann denn mal jemand Frühstück macht.

Ich sehe sie vor mir: Sie haben ihr das bunte Sommerkleidchen verkehrt herum über den Kopf gezogen, die Nähte nach außen. Auf bloßen Füßchen tänzelt sie zu mir ans Bett, kraxelt nach oben, kriecht unter die Decke und krabbelt mit ihren kalten Zehen zwischen meine Knie. Nur den dunklen, ungekämmten Wuschelschopf lässt sie hervorschauen und mich an der Nase kitzeln. Dann manövriert sie ihren runden, weichen Puppenkörper rüber zu ihrem Vater und fängt an ihn zu kneifen. Theo kneift zurück und Nell quietscht ohrenbetäubend.

Jetzt im Rückblick erkenne ich es: Das war Glück.

Doch damals hingen Schatten über unseren Seelen. Sie reisten immer mit, auch dorthin, wo sie nichts verloren hatten.

Die Sonne mogelt ihre Strahlen durch die Läden des kleinen Fensters, das tief in der Mauer steckt, und lässt mich wissen, dass sie draußen bereits Licht und Wärme verbreitet. Meine Haut sehnt sich nach ihrem Streicheln, aber ich finde noch nicht die Energie, um aufzustehen.

Das leere Haus wartet nicht darauf, dass ich es bewohne. Ich will ohnehin nur drei Tage bleiben, soll ich für diese kurze Zeit tatsächlich so tun, als wäre ich hier angekommen? Einkaufen, putzen, verwittertes Holz streichen, den Pool reinigen, Betten auslüften. Warum und für wen?

Nein, ich werde mir einen verlassenen Strand suchen und dort den ganzen Tag lesen und schlafen. So habe ich mir das ausgemalt, als ich vor ein paar Tagen den Flug gebucht habe, um mich davonzustehlen aus dem allgegenwärtigen „Das Leben geht weiter". Um den Blicken von Lothar und Iris zu entgehen, die ständig aufkreuzen, um mich zu beobachten. Ich stelle mir vor, was sie hinter meinem Rücken reden: Was tut Ellie jetzt? Sie muss sich doch überlegt haben, wie es weitergeht ... Sie hatte ja genug Zeit ...

Die Testamentsverlesung hatte ich verschoben. Als der Termin anstand, war Theo noch keine zwei Wochen unter der Erde. Auch jetzt stand er noch jeden Morgen auf und textete mir ins Gewissen. Ich musste uns Zeit geben, uns voneinander zu verabschieden, damit er und ich Ruhe finden würden.

Mit meinem Beileidskartenstapel, einer Tasse schwarzem Kaffee und dem Rest Salzstangen vom Vortrag sitze ich schließlich am Pool auf einem der staubigen Plastikstühle. Das Schwimmbecken lasse ich abgedeckt, die bunten Sitzkissen erst mal im Schuppen bei der artenreichen Armada von aufblasbaren Gummitieren. Die Sonne ist Komfort genug, mehr als angebracht scheint.

Ich kann mich nicht erinnern, wann ich das schöne alte Gemäuer aus warmem Naturstein das letzte Mal so ausgiebig betrachtet habe, die hübschen steinernen Bögen mit den Kletterpflanzen, den Hof mit den gemauerten Bänkchen, die im Wind klappernden Palmen über mir, die piniengesäumte, geschwungene Auffahrt und die auf dem umliegenden Land weit verteilte

Baumvielfalt: Oliven, Mandeln, Orangen, Zitronen, Feigen. Wenn alles untergeht - die Firma, die Wirtschaft und die ganze totorganisierte Welt -, könnte ich mit den Kindern hier herkommen und wir würden von dem leben, was hier wächst. Eigentlich kann uns nichts passieren.

Mitten in diesen tröstlichen Gedanken platzt die Erinnerung an einen Tag im letzten September, an dem Theo, Charlotte und ich nach Zürich fuhren, um „Papierkram zu erledigen", wie mein Mann sich ausdrückte. Niemand wusste, wie lange Theo noch zu leben hatte - einen Monat oder zwei? Ich war zu keinem klaren Gedanken fähig. Mein Kopf war ein Schlachtfeld, auf dem der Tod die Szene beherrschte. Ich blickte zurück und sah die unausgegorenen Zeiten, in denen ich nicht der Mensch gewesen war, der ich gerne gewesen wäre. Ich blickte nach vorne und sah keine Chance mehr, etwas besser zu machen.

Wir suchten einen Notar auf. Ein Mann, der zu jung wirkte für sein Amt, las mir einen Stapel Papiere vor. Es ging um monatliche Zahlungen, um die Ausbildung der Kinder, um meine Stellung in der Firma, die sicher sein sollte, um den Verzicht auf irgendwas, was ich sowieso nur zur Hälfte bekommen würde. Die andere Hälfte bekäme der deutsche Staat.

Mein Mann erklärte mir: Ich möchte alles so regeln, dass es keinen Streit gibt, und dass du nicht so viel Steuern zahlen musst. Niemand ist mir so wichtig wie unsere Kinder. Ihnen soll einmal alles offen stehen. Vertrau mir. Unterschreib hier.

Theo liebte mich und ich liebte ihn. Er würde bald gehen und mich zurücklassen. Alles, was ich noch für ihn tun konnte, war ihm die Gewissheit geben, dass danach alles so weiterginge, wie er sich das wünschte.

Gleich nach den Bäumen und Blumen ist Wasser das beliebteste Motiv auf den Beileidskarten. Eine Meeresbrandung umspült eine mächtige Felsformation. Eine gewaltige Kraft spült aus dem Ozean, verbreitet sich und trifft auf Widerstand. Im Inneren der Karte stehen drei Zeilen in einer bauchigen Frauenschrift:

Liebe Ellie,

schau nach vorne. Dein Leben wartet schon zu lange auf Dich.

Christina

Auf meinem Weg durchs Wohnzimmer zum Auto werfe ich die Karte in die kalte Asche, um sie am Abend zu verbrennen. Meine Freundin Christina aus Studentenzeiten hat mich mit ihrer Idee von Freiheit nie überzeugt. Wie frei ist man, wenn man von den Alimenten seiner Exmänner abhängig ist? Christina ihrerseits hat mich nie verstanden: Warum lässt ausgerechnet du dich so einsperren? Damit stocherte sie immer wieder in meinen Alltagskonstruktionen. Damals, bevor Theo krank wurde, als noch eine Möglichkeit bestanden hätte, mein Eigenleben wieder zu erfinden.

Auf der Fahrt zum Strand zieht die malerische Insel wie in einer Diashow an mir vorbei. Etwas hält mich nach wie vor davon ab, zu landen.

Der Sand ist warm wie im September. Die Sonne lässt die zaghaften Wellen an ihren schaumigen Spitzen tiefgolden glitzern. Unser Lieblingsstrand fernab der Hotelanlagen ist fast völlig verlassen. In einer kleinen Felsbucht hat sich eine spanische Großfamilie um ein paar Klapptische herum niedergelassen. Die Kinder planschen kreischend im seichten Wasser. Die Erwachsenen lachen, schnattern, debattieren und ernähren sich aus Körben von Weißbrot, fettiger Wurst und Rotwein. Ich liege etwa zwanzig Meter entfernt und habe mich bäuchlings so ausgerichtet, dass ich sie unter meinem Arm hindurch heimlich beobachten kann. Ich sehe eine Großmutter, zwei Pärchen, die ihre Söhne, Töchter oder Schwiegerkinder sein müssten, einen männlichen Single Anfang zwanzig, umwerfend charmant, und sieben Kinder aller Altersstufen. Alle plappern durcheinander und aufeinander ein. Die Frauen tanzen sporadisch, hüftschwingend und busenzappelnd, zu fröhlicher Musik, die aus einem billigen

Rekorder von einem Klapptisch scheppert. Die kleinen Mädchen imitieren ihre Bewegungen. Die Männer und Jungs steigen manchmal mit Angeln bewaffnet auf einen etwas weiter entfernten Felsen und werfen mit der Eleganz eingefleischter Insulaner ihre Schnüre übers Wasser. Hier und da fliegt ein Ball durch die Luft. Die kleineren Kinder wetzen ihm nach, erwischen ihn aber nie, denn die Großen sind geschickter und schnappen ihn weg. Immer wieder brechen alle gleichzeitig in ausgelassenes Gelächter aus, völlig gleichgültig, ob sie sich gerade an der Unterhaltung beteiligt oder mit den Kindern beschäftigt haben. Auch die Großmutter, die im Klappstuhl sitzt, viel grinst und viel plappert, lacht bebenden Bauches mit.

Diese Familiendynamik, die in alle Richtungen ausbrechen kann, sich aber immer wieder wie ein Vogelschwarm sammelt, könnte ich stundenlang beobachten. Ob es da unterschwellige, unüberwindbare Abgründe gibt, über die einfach hinweggefeiert wird? Zwei, die sich nicht ausstehen können, sich irgendetwas niemals verzeihen werden und dennoch hier am Strand miteinander Rotwein trinken?

Während die Inselfamilie, die ich Gonzales getauft habe, ihr Strandpicknick feiert, fällt mein eigenes Leben wieder in diese schummrige Nicht-Existenz, wie ein alter Film, an den man sich nur dunkel erinnert anhand einzelner Szenen, die keinerlei Gegenwartsbezug haben. Erst nach gefühlten Stunden, in denen der Film irgendwo jenseits von mir flackerte, wage ich es dann doch, in meine Tasche zu greifen und eine der Karten herauszufischen, die ich beim Verlassen des Hauses eilig hineingestopft habe. Die Sonne steht jetzt rötlich über der Wasseroberfläche. Familie Gonzales hat inzwischen ein kleines Feuerchen gemacht. Kinder wie Erwachsene laufen mit auf langen Stöcken aufgespießten Würstchen durch die Gegend.

Die solide Haptik der Karte holt mich in meinen Körper zurück. Sollte sie vernichtet werden müssen, werde ich hinüberlaufen und fragen, ob ich etwas Brennstoff zum Bratwurstfest beisteuern dürfe.

Ellie, meine Liebste,

grade habe ich im Newsletter der Firma Schmidt die tragische Meldung gelesen und konnte es gar nicht glauben. All der Schmerz, den Du aushalten musst. Ich hoffe, Du bist jetzt stärker denn je.

Verzeih mir, dass ich dein Leben noch schwieriger gemacht habe. Jetzt fällt mir auf, wie wenig ich wusste. Doch es gibt Dinge, die sind einfach größer als man selbst.

Ich bin da, wenn du mich brauchst. Ich vermiss Dich jeden Tag.

(Herzchen)

Henry

Die Art, wie ich die Karte in den Händen drehe, ist ein Versuch, sie so objektiv zu betrachten wie all die anderen. Doch das ist unmöglich. Es ist die erste selbst gestaltete Karte, sie ist von Hand genutet und gefaltet. Außen ist ein Schwarz-Weiß-Foto aufgeklebt.

Künstlerisch ausgeleuchtet breitet sich auf einer Spiegeloberfläche ein Teich aus schwarzer Flüssigkeit aus. Links außen liegt ein zartes, nicht mehr ganz frisches Gänseblümchen, dessen Kopf aus dem Teich herausragt. Interessant ist, dass man die Schönheit der Blüte nur in der Spiegelung sieht. Rechts positioniert sich duster eine Mini-Darth-Vader-Figur. Ihre Kanten sind hart ausgeleuchtet. Der Star-Wars-Krieger steht knöcheltief im schwarzen Etwas. Rechts daneben liegt eine offene Tube Wimperntusche, darüber die Bürste. Aus der Tube fließt die dunkle Soße. Das Foto ist präzise im Querformat auf die Karte geklebt. Rundherum bleibt ein etwa zentimeterbreiter weißer Rand. Darin steht unten rechts in Versalien geschrieben:

HENRY THIES · DEC 2011

Wie bitte?

Er hat doch tatsächlich den Pakt gebrochen! Keinerlei Kontakt mehr, lautete der Schwur. Offenbar geht es ihm immer noch nicht gut. Doch hat das sein müssen?

In meiner restlichen Zeit auf der Insel werde ich also dazu verdammt sein, mit meiner abgespaltenen dunklen Seite zu hadern. Mit dem schwarzen Teich. Ich versuche, keine Geräusche zu machen, mein Gesicht tief in meinen Armen zu vergraben, aber es gibt bald ein Problem. Ich muss ein Taschentuch aus der Strandtasche hervorkramen, finde keines, muss stattdessen ein Handtuch nehmen, um die Sturzbäche trockenzulegen, die aus mir herausströmen.

Als ich aus dem Handtuch hervorblicke, sehe ich zwei milchkaffeefarbene, wohlgeformte männliche Beine. Ein Typ geht vor mir in die Hocke und streckt mir einen Pappbecher hin. Er duckt sich etwas, um in mein verheultes Gesicht zu schauen, und lächelt mich schüchtern an. Es ist der junge Mann, der in den letzten Stunden drüben in der kleinen Felsbucht Kinder und Erwachsene mit seiner betörend guten Laune angesteckt hat. Ich wische mir das Gesicht ab und setze mich auf.

„Have some wine", versucht er sich gebrochen an der englischen Sprache. „Make you better." Offensichtlich war ihm auf den ersten Blick klar, dass ich Deutsche bin und kein Wort Spanisch spreche.

Als ich den Kopf schüttle und „No, thank you" antworte, bleibt er trotzdem in der Hocke sitzen und hört nicht auf, mir in die Augen zu blicken.

„Come", drängt er. „Be happy. No worry."

Das bringt mich so zum Lachen, dass die Tränen wieder fließen.

„Come with me." Er erkennt seinen Durchbruch und lässt nicht locker.

Da stecke ich Henrys Karte in meine Tasche, schnappe mir den Becher und komme auf die Füße.

„I'm coming."

Freudig nimmt mich mein Retter an der Hand und schleift mich durch den Sand in die Felsbucht.

„¡Hola!“, rufen sie alle, die großen und kleinen Gonzales, als ich in ihren Kreis trete. Sie scheuchen eins der Kinder aus einem Klappstuhl, entsanden ihn für mich und rücken ihn näher ans Feuer.

„¡Salud! ¡Salud!“, rufen sie und schwenken ihre Becher in der Luft, bis wir alle gleichzeitig trinken. Spanischer Landwein ist mein Wein! Er schmeckt, als würde meine Seele darin schwimmen. Er stiehlt die versunkene Sonne aus dem Meer und übergibt sie an meine Geschmacksnerven.

Als einer der älteren Männer alle Namen der Feiernden für mich aufgesagt hat, auch die der Kinder, klopfe ich mir auf die Brust und sage:

„Ellie.“

„Ella“, macht er kurzerhand daraus, mit gefühlten drei L. So heiße ich für den Rest des Abends.

Raphael, der junge Mann, der mich geholt hat, sitzt neben mir im Sand. Als alle sich wieder in Unterhaltungen verlieren, dreht er sich zu mir und erzählt mir aus seinem Leben. Er arbeite in einem Elektrizitätswerk und spare auf eine Reise nach Kanada. Dort würde er in die Wildnis ziehen wollen, Lachs fischen und Bären jagen. Wenn er zurückkomme, möchte er heiraten und Kinder haben.

„Will your girlfriend come with you to Canada?“

„I have no girlfriend. I will find her when it is time to marry.“

Es gibt keinen Zweifel daran, dass er eine große Auswahl haben wird.

Unausweichlich kommt irgendwann die Frage, warum ich so traurig bin.

„My husband died three weeks ago.“

Da steht er spontan auf und umarmt mich. Dann dreht er sich um und erzählt den anderen in dem mir völlig unverständlichen Inseldialekt, was ich gesagt habe. Die Frauen schlagen sich mit der Hand vor den Mund und nuscheln ehrfürchtig ein paar Gebete. Die Männer verstummen eine Weile. Irgendwann hebt der Älteste, der mir als Pablo vorgestellt wurde, wieder seinen Becher und sagt: „Bella Ella …", den Rest übersetzt mir Raphael so: „You are so beautiful. When it is time you will find new man and be happy again."

Ich lasse mir zum dritten Mal den Becher von ihm füllen und trinke darauf.

Teil 2

Mosbach,
Mai 1999

Theos Welt

Die Ruhe hier in diesem Städtchen ist mir so fremd, dass ich mir nicht erklären kann, wie sie mich gefunden hat. Theo hat den Flügel überholen lassen. Ich spiele jeden Tag. „Spiel für deinen Frieden", sagt Theo.

Wenn ich unseren Nachbarn vor dem Haus treffe, den alten Herrn Seibold, dann sagt er: „Schön haben Sie heute Morgen gespielt, Frau Schmidt, war das wieder Chopin?"

„Ja, das war Chopin. Ich hoffe, ich habe Sie nicht gestört, Herr Seibold." Ich muss ein bisschen zu laut sprechen mit ihm. Aber eigentlich ist es ein Glück, dass er schwer hört und ihm die zahlreichen Baustellen in meinem Spiel entgehen.

„Aber nein, Frau Schmidt! Ich freue mich über jedes Konzert!"

Frau Binger in dem kleinen Buchladen ums Eck bestellt Ratgeber für mich, nach denen ich nicht gefragt habe. „Schauen Sie, Frau Becker, das hier wird viel gelesen." Damit drückt sie mir ein neues Werk in die Hand über die pränatale Förderung oder die Säuglingsmassage. Ich habe ihr mal erzählt, wie unvorbereitet ich bin. Wie viele Mosbacher Bekannte, die Theo interessiert beobachtet haben, seit er hier hergezogen ist, ahnt sie wohl, wie ich zu meiner Rolle in seinem Leben gekommen bin. Im Gegensatz zu Herrn Seibold schlussfolgert sie auch, dass wir nicht verheiratet sind.

Manchmal sitze ich in unserem Wohnzimmer wie in einem mittelalterlichen Gemälde mit einem schweren, trägen Buch aus Theos Sammlung in der Hand und entdecke den Luxus der Langeweile. Ich staune über die Weite in meinem Kopf, gegen die das Stück Literatur, das ich zu studieren versuche, regelrecht eingezwängt ist, von festen Deckeln vor dem Ausbruch bewahrt.

Mein Kind hat noch kein Gesicht, kein Geschlecht, nimmt keine Zeit in Anspruch, keinen Raum, außer den in mir, und hat noch keinen Willen. Ich kann zwar seine Gliedmaßen ertasten, seinen Kopf streicheln und manchmal sogar seine Launen erraten, doch es ist noch ein Traum, eine große vage Sammlung von Wünschen und Geheimnissen. Theo wollte mit mir eine Erstausstattung kaufen gehen. Doch ich musste ihm sagen, dass mir das unmöglich sei, solange ich nicht mit eigenen Augen gesehen hätte, dass es wahrhaftig ein Baby sei, was mich da unter dem Herzen so ganz und gar ausfülle. Wie soll ich wissen, dass es wirklich ein Fuß ist oder ein Ellenbogen oder der Po, der manchmal eine Beule auf meiner Bauchdecke formt, ich sehe ja nur die Beule. Ich weiß nur eins: Dies zu spüren, ist das unglaublichste Gefühl der Welt.

Vor sieben Monaten brachte mich Theo zum ersten Mal hierher, nachdem wir uns in seinem Auto auf dem nächtlichen Parkplatz einer Autobahnraststätte geküsst hatten. Wir kannten uns kaum, doch uns verband ein winziger, ungeborener Mensch, der vor einigen Wochen seine kleine, ungeahnte Chance auf Leben ergriffen hatte. In dieser Nacht war ich Theos Einladung nicht gefolgt, weil die Sehnsucht nach sexueller Erfüllung stärker war als die Vernunft, oder weil ich Angst hatte vor meiner Einsamkeit. Ich war um Mitternacht mit ihm nach Hause gefahren, weil wir beide wussten, dass unsere Schicksale für immer untrennbar miteinander verbunden sein würden.

Aus Fragmenten hatte ich mir ein Bild von ihm zusammengesetzt: das fette Auto, die grau kostümierte Freundin, sein elitäres Auftreten, die Art, wie er einen Raum einnahm schon allein mit seiner Stimme. Designervilla oder viktorianisch inspiriertes Herrschaftsgebäude, eins von beiden hätte dazu gepasst. Stattdessen besaß er ein altes, krummes Fachwerkhäuschen mitten in Mosbach, das unter Denkmalschutz stand.

Als wir noch im Auto saßen im Schein der Raststätte hatte er gesagt: „Komm mit mir heim, Ellie. Ich wohne nur zwanzig Minuten von hier." Und die vollen zwanzig Minuten lang hielt er meine Hand. Nur wenn er schalten musste, nahm er sie weg. Ich war so müde und rätselhaft glücklich, ich ließ alles geschehen.

„Du wohnst hier mittendrin?“, fragte ich, als er mich an der Hand über das Kopfsteinpflaster führte. Da steckte er schon einen Schlüssel in eine dunkle, alte, von Balken gesäumte Holztür. Dahinter stiegen wir enge Treppen hinauf und standen plötzlich in einem winkligen Raum, der sich auf der einen Seite um alte Stiegen wand, auf der anderen auf die Straße hinaus beulte und auf der nächsten der benachbarten Küche auswich, in die ein kleines Kiosk-Fenster mit Theke gezimmert war. Über einem Specksteinofen mit offenem Feuer wölbte sich ein Kaminschacht. Statt Wänden gab es Bücherregale, übervoll mit gebundenen Werken. Theo beobachtete mich, während ich staunte.

„Ich zeige dir alles morgen“, sagte er. „Du musst erst mal schlafen.“ Es war schon weit nach Mitternacht. Als die Frage kam, ob ich mein eigenes Bett haben wolle, war ich schon viel zu müde, um zu pokern: „Ich will bei dir sein“, sagte ich.

Vier Monate später hatten wir unseren ersten großen Streit. Ich war von Karlsruhe auf dem Weg zu meiner Wohnung in Frankfurt. Es ging mir nicht gut. Es war Sonntag Nacht, die Autobahn hektisch bevölkert, mein Fahrstil nervös und zu riskant angesichts meiner fortgeschrittenen Schwangerschaft. Theo war am Samstag auf einem Kongress gewesen. Ich hatte ihm am Vormittag eine Nachricht auf seiner Mobilbox hinterlassen, dass ich meinen Vater besuchen würde. Theo rief mich in jener Zeit jeden Abend an, so zwischen acht und neun. Es war inzwischen halb elf und er hatte mich seit gestern Abend weder erreichen können noch eine Nachricht von mir erhalten. Ich hatte einfach Abstand gebraucht, Zeit, um zu reflektieren, wo sich mein Leben hin bewegte. Wie hätte ich ihm das erklären sollen?

In meinem Kopf rasten Untergangsszenarien auf und ab. Am Darmstädter Kreuz verpasste ich meine Ausfahrt und verlor mich anschließend in den zahllosen Schleifen und konfusen Beschilderungen der Frankfurter Stadtautobahn. Als ich irgendwann gar nicht mehr wusste, wie ich jetzt nach Hause finden sollte, und ob ich im Westen oder Osten Frankfurts wohnte, fuhr ich auf einen Parkplatz und schrie meine Wut auf die wirre Welt laut hinaus. Ich heulte und fluchte, bis ich im Rückspiegel einen Mann auf mein Auto zukommen sah. Er winkte mir verzweifelt mit einem Heft. Eine Straßenkarte? Ich war doch selbst verloren! Hysterisch drehte ich den Zündschlüssel herum und drückte den Fuß aufs Gas.

Ich hörte nicht auf zu heulen, aber ich kannte mich plötzlich aus. Ich fuhr einfach mitten in die Innenstadt, von dort aus war mir der Weg geläufig. Ich bemühte mich wieder gleichmäßig zu atmen, versuchte, optimistisch zu sein und mich auf mein Bett zu freuen, einen heißen Tee, Musik.

Ich parkte vor meinem Block in der Homburger Landstraße, nahm hastig meine Tasche aus dem Kofferraum und schleifte sie zum Eingang. Als ich gerade den Schlüssel in die Haustür stecken wollte, hörte ich laut eine Autotüre knallen und sah eine Gestalt mit wehendem Mantel auf mich zu rennen. Vor Schreck zuckte ich so zusammen, dass mir der Schlüssel aus der Hand fiel. Theo baute sich frontal vor mir auf und packte mich am Arm.

„Da bist du ja!“, fauchte er mich an.

„Wo kommst du denn her, Theo?“

Wortlos hob er den Schlüssel vom Boden auf, schloss die Tür auf und schob mich hindurch. Er nahm mir die Tasche ab und stieg stumm vor mir her in den dritten Stock.

Kaum in meiner Wohnung wurde er laut: „Meinst du, dass du das mit mir machen kannst?“

Seine Augen schnitten mit einer solch stahlkalten Schärfe durch mein Gesicht, dass ich sicher war, er würde sich jetzt als Nächstes umdrehen, aus der Tür gehen und nie wiederkommen. Ich zitterte am ganzen Leib und konnte nur stammeln: „Ich hab dir doch gesagt, dass ich meinen Vater besuche. Ich bin über Nacht geblieben. Es war sehr anstrengend. Ich hatte überhaupt keine Ruhe, um zu telefonieren.“

„Erzähl mir keine Geschichten, Ellie. Ich war ganz krank vor Sorge. Vielleicht erinnerst du dich ab und zu mal daran, dass das auch mein Kind ist, das du mit dir rumträgst. Zumindest ist es das, was ich glaube."

„Ach so. Es geht nur um das Kind, nicht etwa um mich?"

„Nein, es geht nicht um dich. Denn um eine Frau, die mir Märchen auftischt, will ich mir keine Sorgen machen. Die muss selbst schauen, wo sie bleibt. Du gehörst offenbar zu der Sorte, die nur nehmen und nicht geben kann, die von ihrem Partner ein Commitment einfordert, das sie selbst nicht eingehen kann. Du kannst keine Beziehung führen, wenn du nicht bereit bist, ein paar Freiheiten aufzugeben. Zum Beispiel die, tagelang zu verschwinden und nicht zu sagen, was du tust. Wenn du das als dein Recht empfindest, dann bist du bei mir falsch. Ich hasse Unzuverlässigkeit. Sie passt nicht in mein Leben!"

Starr vor Entsetzen ließ ich mich auf einen Sessel fallen und gewann nur langsam meine Fassung wieder. „Was glaubst du denn, wo ich war, Theo? Was genau unterstellst du mir?"

„Ich weiß nur eines, Ellie", er atmete zu schnell und es standen ihm Schweißperlen auf der Stirn. „Wenn du über Nacht bei deinem Vater gewesen wärst, dann hättest du mich angerufen. Dann hätte es keinen Grund gegeben, das nicht zu tun. Dann wäre da kein Geheimnis. Und so weit waren wir doch schon mit unserem Verhältnis, oder? Dass man keine Geheimnisse voreinander hat."

„Du nennst es Verhältnis, das sagt ja alles! Und weil ich dein Verhältnis bin, das du im Untergrund hältst, damit es ja niemand sieht, habe ich auch kein schlechtes Gewissen, dich im Dunkeln gelassen zu haben."

„Du weißt, dass du Unfug redest. Gib nicht die eingeschnappte Geliebte. Und nur fürs Protokoll: Ich hätte dich meiner Schwester nicht vorgestellt, wenn ich mit dir nur ein Verhältnis hätte."

„Und ihr eingebläut, sie soll nichts rumerzählen?"

„Vergiss nicht, wie mich die Tatsachen überrollt haben", er bemühte sich, ruhig zu sprechen. „Ich kann nicht alles auf den

Kopf stellen für dich. Du hast keine Vorstellung von dem Risiko, das damit verbunden ist."

Ungläubig starrte ich ihn an und spürte, wie in mir die gleiche Abscheu aufstieg, die ich jetzt in seinen Zügen las. Die Abscheu vor der Realität, die sich aus dem Nebel schält, wenn irgendwo ein kaltes Licht aufgeht. Ohne mich zu zügeln, spuckte ich aus, was lange durch den Nebel geschlichen war.

„Vergiss nicht, wie *mich* die Tatsachen überrollt haben, Theo. Du hast eine Wahl, ich habe keine. Das Risiko, von dem du redest, ist geradezu lächerlich. Ich kann dir ja mal schildern, was ich vor Augen habe: Ich habe keinen Job mehr, kann meinen Vater nicht mehr unterstützen, er steigt zum obdachlosen Gesindel ab. Alle werden mich fallen lassen, denn das ist es, was passiert, wenn du einmal zu scheitern anfängst. Aber woher sollst du das wissen? Alles, wovor du Angst haben musst, ist ein kleiner Schmutzfleck auf deiner weißen Weste. Und nicht mal das. Wer in deiner elitären Gesellschaft regt sich schon darüber auf, wenn ein mächtiger Mann mal eine Affäre hat? Das ist doch wohl eher die Regel als die Ausnahme."

„Du weißt gar nichts, Ellie", versuchte er mich zu unterbrechen. Doch ich war noch nicht fertig.

„Weißt du was, Theo? Bevor ich als heimliche Geliebte dein Kind gebäre und dann anschließend ein Schattendasein führe, stelle ich mich dem Kampf lieber alleine. Ich habe mir meine Würde hart erarbeitet und so leicht gebe ich sie nicht wieder auf. Wenn du dein Kind willst, dann musst du deine feine Welt auch mit mir konfrontieren. Die Entscheidung liegt bei dir."

In der anschließenden Stille zog eine lähmende Müdigkeit um mich auf. Ich war es müde zu sprechen, müde ihn anzusehen, müde an das Kind zu denken. Ich wollte nur noch schlafen und in einer tiefen, leeren, schmerzfreien Dunkelheit versinken. Ich wollte nur noch in Ruhe gelassen werden. Ich wusste, dass Theo Schmidt unerpressbar war, und ich wusste, dass er jetzt gehen musste, wenn er seinen Prinzipien treu bleiben wollte.

Ohne ihn noch ein Mal anzusehen, wie er steif und kalt auf meinem Couchtisch saß, die Ellenbogen auf die schmalen Oberschenkel gestützt, die langen Hände gefaltet zwischen den spitzen Knien, seinen ewig alles abwertenden Blick auf mich gerichtet, stand ich auf, zog mit steifen Bewegungen Jacke und Schuhe aus, lief rüber in mein Schlafzimmer und legte mich ins Bett. Ich hörte nicht mehr, wie Theo mir nachging. Doch es dauerte nicht lange, da saß er auf meinem Bett und blickte mich wieder an. Ich schaute so weit von ihm weg wie möglich, auch als er anfing, mir Hose und Pulli auszuziehen. Theo zog auch sich selbst aus, legte sich neben mich und hielt mich fest. So fest, dass mir die Luft wegblieb. Ich weinte die halbe Nacht. Theo blieb hellwach und ließ nicht nach in der Stabilität seiner Umarmung, nicht einen Millimeter. Wir wechselten kein Wort mehr. Irgendwann weinte ich nicht mehr um den Vater, den ich nicht mehr lieben konnte, und um die selbstbewusste Mutter, die ich nie würde sein können, oder um das Bild von mir in Theos Kopf, das zerbrochen war, sondern nur noch wegen dem, was er da tat.

Ich weiß seither, dass es etwas gibt im Inneren unserer Liebe, das wirklicher ist als die rohe Wirklichkeit unserer beider Einzelleben.

Am nächsten Morgen ging mein Radiowecker um viertel nach sechs an, wie üblich. Als ich aufstand, um mich anzuziehen, zog Theo mich wieder zurück.

„Bleib liegen, Ellie. Schlaf mal aus."

Dann rief er meinen Chef an, Daniel Schweizer. Ich hörte ihn sagen, dass es mir nicht gut gehe und er mich einen Tag lang beobachten wolle, bevor er mich wieder zur Arbeit lasse. Als Nächstes rief er seine Sekretärin an und sagte ihr, dass er heute eine private Angelegenheit regeln müsse, dass sie alle Termine verschieben solle und dass er seine E-Mails erst am Nachmittag abrufen würde. Noch während er ihr weitere Anweisungen durchgab, schlief ich wieder ein.

Als ich aufwachte hatte ich wieder den Theo vor mir, in den ich so hoffnungslos verliebt war. Der Theo, der mir Frühstück ans Bett brachte, mir aus Rücksicht auf meine Schwangerschaft statt Kaffee belebenden Kräutertee servierte und meine Vitaminzufuhr überwachte. Er musste nicht sagen, dass es ihm leidtat. Er zeigte es mit jeder seiner Zärtlichkeiten. Er wollte sogar wissen, wie es meinem Vater gehe.

„Du darfst ihn nicht aufgeben, Ellie. Er hat dir so wunderschöne Dinge beigebracht wie das Klavierspielen. Er muss ein wirklich tiefgründiger Mensch sein. Vielleicht kommt er einfach nicht zurecht mit dieser Welt."

„Es gibt keine Entschuldigung dafür, dass er nicht mal versuchen will, weniger Last zu sein. Er muss doch sehen, dass ich jetzt andere Sorgen habe, als mich um ihn zu kümmern."

„Sein Zustand ist eine Krankheit, Ellie, eine heilbare Krankheit. Es ist nichts verloren."

Theo war wieder auf Augenhöhe mit mir. Wenn es Dinge gibt, die ich ihm nicht erzählen kann, dann nicht weil ich etwas zu verbergen habe, sondern weil er ein Idealist ist, der versucht das Chaos der Welt zu ordnen. Ich weiß wie vergebens das ist. Er nicht.

Ich konnte ihm nicht erzählen, dass der Einzige, der sich vor Ort um meinen Vater kümmert, mein Exfreund ist. Er hätte gefragt, ob ich ihn bei meinem Vater getroffen hätte, und ich hätte sagen müssen, dass es so war. Dann hätte Theo mich der Untreue verdächtigt, wie Theo immer alle verdächtigt, triebhaft und gewissenlos zu handeln. Er hätte weiter gefragt, warum Joachim sich immer noch um meinen Vater kümmere, obwohl er nicht mehr mit mir zusammen ist, und ich hätte erzählen müssen, dass er im selben Haus wohnt, zwei Etagen über meinem Vater, weil wir das damals so arrangiert hatten, um den alkoholkranken Mann in unserer Nähe zu haben. Theo hätte dann auch gefragt, wo ich schliefe, wenn ich bei meinem Vater bin. Die Wahrheit ist, dass ich im Kinderzimmer in Joachims Wohnung schlafe, wenn sein Sohn nicht da ist. Nach wie vor fühlt sich

Joachims Gegenwart tröstlich für mich an. Er ist der Mensch, der mich überall auflesen würde, ungeachtet meines unsteten Wesens, unter dem er schon so leiden musste. Er ist Vater und Bruder, die ich nicht mehr habe.

Joachim hatte mir letzte Nacht ins Gewissen geredet, stundenlang: „Ellie, du bist zu schade, um so zu enden. Als Geliebte von so einem Konzern-Hai!" Obwohl er ihn nur aus meinen Erzählungen kannte, hielt Joachim gar nichts von Theo Schmidt. Die Tatsache, dass ich mich in diesen Mann verliebt hatte, hielt er für das Ende meines selbstbestimmten Lebens und meiner mir vom Universum zugedachten Chancen auf Glück und Erfüllung.

Wüsste Theo von all dem, würde er mir kein Wort mehr abnehmen, bis der Vaterschaftstest vorlag.

Als am Nachmittag die Sonne herauskam, fuhren wir in die Frankfurter Altstadt und zogen Arm in Arm an den Schaufenstern vorbei.

„Brauchst du was?", fragte Theo vor jeder zweiten Boutique, sogar vor den Dessous.

„Schau mich an, Theo, ich pass doch da niemals rein!"

Als wir schließlich vor einem Geschäft mit Umstandsmode standen, schob er mich durch die Ladentür. Es war ein kleiner, sorgfältig gestalteter Verkaufsraum mit französisch anmutender Mode, reizenden Sommerkleidchen, die den Bauch stolz präsentierten, anstatt ihn zu überspielen. Die junge, zierliche Verkäuferin umschwirrte uns unaufhörlich und schleifte die tollsten Kreationen heran. Schließlich fand ich ein kurzes Trägerkleid mit viel federleichtem Stoff über dem Bauch, genau mein dunkles Rot. Anstandshalber unternahm ich einen Versuch zu bezahlen, machte es Theo aber nicht allzu schwer, mich davon abzuhalten. Ich hatte wieder fünfhundert Mark bei meinem Vater liegen lassen und hätte die verrückten zweihundert für das Kleid niemals ausgegeben.

Wir promenierten weiter, am Main-Kai entlang und über die alte Brücke.

Heute weiß ich, dass es nur sehr wenige Menschen gibt, die Theo so kennen: abgeschirmt von dem Druck seiner immensen Verantwortung, für wertvolle Stunden mit sich und der Menschheit im Reinen. Nicht eine einzige Laus sitzt ihm im Pelz. Schon sehr früh in unserer Beziehung hatte ich gelernt, diese Gelegenheiten tief einzuatmen und anschließend möglichst die herrliche Luft anzuhalten, denn es kommt der Punkt, wo sich die Läuse nacheinander wieder einnisten und Theo auf Treibjagd geht. Denn wer soll die großen Aufgaben angehen, wenn nicht er?

„Was du mit meinem Bruder anstellst, ist magisch, Ellie", sagte neulich seine Schwester Charlotte zu mir. „Gott, ist der lieb und fröhlich und bemüht um dich. Der lebt ja regelrecht."

Auf einer Parkbank am Ufer lag ein Obdachloser in einem hellroten Daunenanorak, die Beine zugedeckt mit Pappkartons, den Kopf auf einen alten Armee-Rucksack gebettet. Seine Arme verdeckten sein Gesicht. Ich sah nur einen kleinen Ausschnitt seiner alten, ledrigen Gesichtshaut. Unter der Bank lag die Flasche. Die Grenze zwischen unserer und seiner Stadt ist für die meisten Einwohner blickdicht. Doch Leute wie ich wissen, dass es eine schmale Linie ist, und empfinden die kalte Frühlingsbrise einen kurzen Moment lang wie einen gnadenlosen Sturm, gegen den selbst die fortschrittliche Daunenschicht machtlos ist. Unter den Kartons und anderen Schutzschichten sehen wir manchmal einen Menschen liegen, der noch vor ein paar Jahren mutig mitten im Leben unterwegs war.

Wir entdeckten ein kleines spanisches Restaurant am Mainufer, und da es früh am Montagabend war, bekamen wir problemlos einen Platz, weit genug von der Bar und anderen besetzten Tischen entfernt, damit mich der Rauch nicht erreichte. Theo bestellte Rioja und ließ mich von seinem Glas nippen.

„Möchtest du tatsächlich in Frankfurt bleiben mit dem Kind?", fragte er mich, während wir uns an der Vielfalt und Kreativität vieler kleiner Tapas-Tellerchen erfreuten.

„Natürlich, ich will ja nach sechs Monaten wieder arbeiten gehen."

Da ließ er sein übliches Alleswisser-Lächeln spielen. Mir fiel ein, was mir Charlotte erzählt hatte: „Die Männer in unserer Familie glauben alle, sie könnten über die Frauen verfügen, und weisen ihnen Positionen und Lebensaufgaben zu."

Nein, ich musste unabhängig bleiben. Meine Karriere war mein Weg in die Freiheit und die Freiheit war das Ziel. Ein Ziel zu haben, hatte mich vor zwei Jahren zu einem neuen Menschen gemacht. Gerade in den letzten Wochen waren meine Projekte noch bedeutsamer geworden und wurden im Unternehmen diskutiert. Das war harte Arbeit gewesen und ich hatte viele Tiefschläge einstecken müssen.

„Es gibt hier gute Tagesstätten, Theo. Du weißt, dass ich keine Wahl habe. Ich darf meinen Job nicht aufgeben."

„Aber du könntest zumindest näher zu mir ziehen. Ich will ja helfen, wo ich kann."

Vielleicht aufgrund meines geschwächten Energiehaushalts nach dem turbulenten Wochenende spürte ich schon, wie mein Widerstand abnahm. Theo wollte mir das Leben angenehmer machen, warum sollte ich für ein angenehmes Leben so gar nicht infrage kommen?

Und dann gab es ja noch das Kind. Sollte es dazu verdammt sein, seiner Mutter, die sich zum Kampf berufen fühlte, zur Seite zu stehen, anstatt in Sicherheit und Geborgenheit aufzuwachsen?

„Erinnerst du dich noch, was du gestern gesagt hast?", wollte Theo plötzlich wissen. „Ich solle entweder mit dir und dem Kind oder ohne euch leben. Ich wüsste gerne, was genau du damit gemeint hast."

„Entweder du stehst zu mir, zu uns ...", formulierte ich vorsichtig, „... oder du vergisst uns am besten. Wir kommen schon klar."

„Was lässt dich glauben, dass ich nicht zu euch stehe? Dass ich mir Sorgen mache, wenn ich nichts von dir höre, ist doch ein Zeichen, dass ich Angst habe, dich und das Kind zu verlieren."

„Du hast schon öfter mehr als deutlich gemacht, dass wir nicht zusammenleben können", erinnerte ich ihn.

„War das nicht unsere gemeinsame Entscheidung?", fragte er da. „Damit man mir nicht vorwerfen kann, ich würde dich im Betrieb übervorteilen, und dir, dass du dich nach oben geschlafen hast?"

„Ja, aber die Frage ist: Müssen wir wirklich für immer Versteck spielen?"

„Solange dir dein Job so wichtig ist …"

„Dann müssen wir also nur meinetwegen und wegen meiner beruflichen Pläne auf immer und ewig so tun, als ob nichts wäre?"

„Es kommt darauf an, wie wir unsere Familie gestalten wollen. Da müssen wir uns langsam Gedanken machen. Ich gebe ja zu, auch ich habe ein bisschen Zeit gebraucht. Aus dem Nichts war da plötzlich eine schwangere Freundin in meinem Leben …"

„Aus dem Nichts!", rief ich aus. „Als wäre es nichts gewesen. Männer tun, als wär's das Heil der Welt, wenn sie Befriedigung brauchen, und kaum sind sie bedient, war es nichts …"

Irgendwie materialisierte sich in diesem Moment eine kleine Schmuckschachtel in seinen Händen, die er öffnete und zwischen uns auf den Tisch legte. Dann nahm er meine rechte Hand und streichelte jeden einzelnen Finger. Durch meinen Tränenschleier konnte ich den feinen silbernen Ring kaum erkennen, der plötzlich an meiner Hand funkelte.

„Heirate mich, Ellie."

Fallen

Lange bevor wir uns kennenlernten, war Theo mir immer wieder aufgefallen. Einmal hatte ich sogar Gelegenheit, ihn etwas länger zu beobachten. Während vier Messetagen in Köln bewegte er sich im Kreis der unantastbaren Vorstandsmitglieder, die sich meist nur in den Besprechungskabinen aufhielten. Wer sich mit ihnen unterhalten durfte, lief anschließend mit der Aura besonderer Wichtigkeit durch die Gegend. Die anderen Vorstände waren völlig farblos. Sie hoben sich kaum von den Kabinenwänden ab, sondern lösten sich vor dem cremig weißen Hintergrund quasi optisch auf. Doch nicht er. Über ihn wurde getratscht, jeder wusste ein bisschen was.

„Dr. Th. Schmidt" stand auf seinem Namensschild. In seiner agilen, aufgerichteten Haltung ragte er überall heraus. Er lachte mehr als die andern seines Ranges, laut und tief, seine Augen tanzten wild umher, wenn er mit jemandem sprach. Wenn er zuhörte, nahm er erst mal eine skeptische Position ein, die Arme verschränkt, den Oberkörper zurückgelehnt, die Augen zu zwei Schlitzen verzogen. „Erzähl du mir erst mal was, was ich noch nicht weiß ...", schien er zu sagen. Doch die meisten seiner Gesprächspartner ernteten im Laufe des Gesprächs mindestens ein gnädiges Strahlen. Aus der Ferne hätte er nicht vertrauenerweckender wirken können, aber mein Kollege Thorsten wusste, dass der Schmidt knallhart durchgriff, wenn einer seiner Untergebenen Schwächen zeigte. Mit seiner einladenden Fassade lockte er seine Opfer aus ihrer Schutzzone, damit er sie mit seinem messerscharfen Verstand blitzschnell zerlegen konnte.

Thorsten wusste von einem ehemaligen Produktmanager in der Stuttgarter Zentrale, der mit all seinem Fachwissen von der Konkurrenz herübergewechselt war. Doch dann war er dummerweise zu spät dran gewesen mit der Markteinführung der kompakten Akku-Motorsäge. Sein früherer Arbeitgeber hatte ihn irgendwo unterwegs unbemerkt überholt.

„Der Schmidt soll gesagt haben: Wer zu spät kommt, den bestrafen die Götter“, zitierte Thorsten nicht ohne Häme. „Der Arme war noch in der Probezeit. Inzwischen arbeitet er in der Zahntechnik. Da wird er es nie wieder rausschaffen.“

Thorsten war einer der großen Vermeider, ein typischer Konzern-Charakter. Er bewegte sich so gut wie gar nicht, um keine Fehler zu machen. Thorsten sollte in die Zahntechnik gehen, dachte ich. Dort brauchen sie Füllstoff, der möglichst wenig arbeitet.

Auf Theo Schmidt konnte ich mir so recht keinen Reim machen, weil er zwar Machtbewusstsein ausstrahlte und als äußerst geradlinig bekannt war, dabei aber durchaus menschenfreundlich und verbindlich wirkte. Ich träumte davon, dass er auf meine Arbeit aufmerksam werden würde, dass jemand über mich sagen würde, ich sei brillant auf meinem Gebiet. Ich träumte davon, dass ich ein Gespräch mit ihm führen würde, in dem ich ihm so kluge Antworten gäbe, dass er ganz fasziniert wäre von meinem Potenzial.

Dr. Schmidt hatte im Laufe des Messetages seinen Aktionsradius erweitert und stand erstaunlich weit von den Kabinen weg, sodass ich ihn von meinem Platz am Empfang aus beobachten konnte. Er hatte leicht gewellte Haare, denen man ansah, dass sie einmal dunkelblond gewesen waren. Jetzt überwog ein dunkles Grau. Sie waren so gekämmt, dass sie die Geheimratsecken völlig freilegten und um die Ohren herum fielen. Im Nacken waren sie akkurat getrimmt. Er trug eine randlose Brille und sein aufmerksamer Blick dahinter verriet, dass ihm wenig entging. Doch wenn er sein Götterlachen lachte, wurden die Augen für Sekunden von den Lidern verschluckt. Seine Lippen hatten etwas verschmitzt Melancholisches, Paul-Newman-artiges.

Ich ging gerade unseren fiktiven Dialog durch, da drehte er sich spontan in meine Richtung. Mein Blick flitzte rechtzeitig nach unten zu meinen Papieren, bevor er seinem begegnete.

Für mich war es ein großes Glück gewesen, nach meinem Hochschulabschluss eine Stelle als Projektleiterin im Marketing in der Stromer-Gruppe zu finden. Der führende Garten- und Forstgerätehersteller war seit Jahren auf Wachstumskurs und versprach Aufstiegschancen. Ich saß im Frankfurter Werk, der Vorstand residierte in der Zentrale in Stuttgart. Mein Platz war in der Abteilung „Corporate Communications“, wo sich Daniel Schweizer und sein Team um den internationalen Markenaufbau kümmerten. Unsere jüngste Aufgabe war die Einführung der Marke Radicula, einer Billiglinie im Bereich des Heimgärtnerbedarfs. Der Ideengeber für Radicula - das war allgemein bekannt - war Theo Schmidt.

Der Vorstand ließ uns zunächst freie Hand bei der Strategie, und wir hatten uns entschieden, an einem modernen Internetauftritt für Radicula zu arbeiten. Wir wollten diese junge Marke mit der ganzen Dynamik neuer Möglichkeiten im breiten Markt der Gartenliebhaber etablieren.

Von Joachim, meinem Exfreund, wusste ich mehr als die meisten im Team über flexible Inhaltsgestaltung im Internet und wurde ganz nach vorn ins Feld geschickt. Acht Wochen lang war ich von einem Teil meiner anderen Planungsaufgaben freigestellt, damit ich eine Gruppe aus Kreativen und Programmierern anleiten konnte, ein Content Management System aufzubauen.

Wir waren in einem alten Werksgebäude untergebracht, das kostensparend zu einem Bürotrakt umfunktioniert worden war: grauer Industrieteppich, schmuddelig weiße Wandplatten, Schreibtische aus den Siebzigern. Doch ich bemerkte das schäbige Umfeld, über das es so viel Unmut gab, gar nicht. Alles was ich sah, waren mein Bildschirm und die Welt, die sich darin entwickelte. Eine schöne neue Welt mit blitzblanken Markenprodukten, sauberen, bedienfreundlichen Strukturen, modernen Farben und zufrieden unter der Sonne werkelnden Menschen. Wir wollten nicht nur unter den Heimgärtnern für Radicula werben, sondern die Menschen, die damit bisher noch nichts am Hut hatten, allgemein fürs Gärtnern begeistern. Radicula sollte zum Synonym für Gartengeräte werden. Wir hatten uns hohe Ziele gesteckt.

In der Endphase, einen Monat vor dem geplanten Online-Gang, sollte Daniel Schweizer unser Projekt dem Vorstand in Stuttgart präsentieren. Ich war allerbester Dinge und sah Herrn Schweizer schon mit stolz geschwellter Brust vor uns stehen und uns von der Begeisterung der Obersten in Stuttgart berichten.

Doch als er am Tag nach dem Vorstandstermin ins Büro kam, ging er grußlos an unserer offenen Bürotür vorbei mit schnurgeradem Blick. Die ganze billige Schachtelbauweise der realen Welt fiel über mir zusammen und riss meine schönen Projektionen ein.

Krampfartig fuhr es mir in die Magengegend, das Wissen um vergebliche Kämpfe, um die Gnadenlosigkeit der Wirtschaftsgesetze und um den Verlust allen Glaubens an Zukunft. Ich sah meinen Vater in seinem besenrein geräumten Fotoladen vor mir, wie er auf seinem letzten Stuhl saß vor seinen Müllsäcken und eigentlich nur noch aufstehen, den Müll raustragen und abschließen musste, um all die Jahre und seinen großen Traum zu begraben. Meine Mutter war nicht mehr da, um ihn wieder aufzurichten. Mein Bruder und ich fanden ihn zwischen vier leeren Weinflaschen um vier Uhr morgens.

Schweizer rief mich telefonisch in sein Büro. Als ich mich auf den Weg machte, blickten mir alle nur stumm nach, keiner fühlte sich inspiriert zu einem Spruch. Es kam nicht mal ein „Hab ich's doch geahnt" von Thorsten. Fabian, der Programmierer, nickte wissend und flüchtete sich dann wieder in sein Back-End. Katrin, die Texterin, schlug die Hände vor der Brust zusammen und ließ ihre großen Augen zur Tür wandern, durch die ich gleich gehen musste.

Schweizer hinter seinem Schreibtisch studierte seine Papiere und sprach, ohne mich anzusehen: „Unser Projekt ist erst mal gestoppt. Man wirft mir vor, ich hätte mich über die Konzernregeln hinweggesetzt und ein eigenes Süppchen gekocht."

„Wie bitte? Wir hatten doch einen Auftrag!"

„Das stimmt. Und hätten wir einfach nur eine Anzeigen- und Radio-Kampagne gestartet, hätten wir uns nicht die Finger verbrannt. Unser Fehler war, dass wir ein Internetkonzept gemacht haben. Es bleibt dem Head Office in Stuttgart vorbehalten, über das Internet zu entscheiden. Und wenn schon CMS, dann soll es eine Gruppenlösung geben und keinen Alleingang. Das war die Ansage."

Ich war völlig sprachlos. „Selbst zu denken und zu handeln, das sind wohl die größten Verbrechen in diesem Laden."

„Das hab ich jetzt nicht gehört, Frau Becker. Was sagen wir dem Team?"

Ich überlegte nicht lange: „Dass sie an der Gruppenlösung arbeiten sollen. Wenn das jemand kann, dann wir. Der ganze restliche Konzern ist zu verschlafen."

„Keine Chance. Wenn die große, einheitliche Weblandschaft irgendwo entstehen wird, dann sicher nicht hier in Frankfurt."

„Das heißt, wir müssen jetzt Radio-Jingles machen? Oder sind wir alle gefeuert?"

„Noch nicht."

Minutenlang saßen wir uns stumm und geschlagen gegenüber.

Daniel Schweizer hatte seine Maske auf, die ihn unberührbar machte. Er war ein hübscher Mann, ein bisschen zu zierlich. Sein blonder Haarschopf, der in frechen kleinen Löckchen vom Kopf abstand, wenn er nicht grade frisch geschnitten war, erinnerte mich immer an den Tim aus „Tim & Struppi". Wenn er einen guten Tag hatte, war er unser Meister im Rumspinnen. Doch wenn die Konzernführung ihm gegenüber die Muskeln spielen ließ, wollte er so schnell wie möglich in die Aufgeräumtheit seiner Marketing-Matrix zurück. Dann brachte er tagelang jeden Vorgang auf quadratisches Format und sortierte ihn ein, sicher gehalten von Koordinaten.

Wir riefen das Team zusammen und gaben die Anweisung aus, an Printkampagne und Messekonzept weiterzuarbeiten, die Internetseite liege auf Eis. Doch der Tag war gelaufen. Wieder einmal war unser Einsatz nicht einmal ansatzweise honoriert worden. Ich erzählte den anderen in unserem Großraumbüro, dass unsere Arbeit sogar als konzernfeindlich bezeichnet worden sei. Immer wenn unsere Bürotüre aufging, verstummten unsere Flüche, aber sobald die Luft wieder rein war, stachelten wir uns gegenseitig auf. Schweizer telefonierte stundenlang. Wir wussten das, weil auf unseren Telefonen seine Durchwahlnummer rot leuchtete. Jeder hatte die gleichen Gedanken: Er sucht neue Leute, um seinen eigenen Kopf zu retten.

Sechs Wochen später stellte Radicula auf der Heimwerker-Messe in München aus. Unsere Abteilung war für das Standdesign zuständig. Thorsten und ich waren beim Aufbau vor Ort. Ich hatte mich freiwillig gemeldet, um das Standpersonal zu verstärken, weil ich die Zielgruppe kennenlernen, Marktatmosphäre spüren, und natürlich auch Argumente sammeln wollte für unser abgewürgtes Projekt. Um mehr über das Medienverhalten der Endkunden zu erfahren, hatte ich einen Fragebogen vorbereitet. Der Vorstand, am Stand anwesend in Form von Dr. Theo Schmidt, hatte die Aktion abgenickt.

Der aktive Kundenkontakt war ganz mein Ding und spätestens nach der ruhigeren Mittagszeit war ich so richtig in Fahrt. Besonders die Frauen wollten unbedingt das Gartenlämpchen, das ich ihnen versprach, wenn sie mir nur ein paar kleine Fragen beantworteten. Freizügig gaben sie mir über ihr Lese- und Internetverhalten Auskunft, ihre Wahrnehmung der Marke Radicula, ihre Einschätzung unserer Produkte und ihre Sympathie für das Unternehmen. Anschließend verwickelte ich sie in Gespräche über ihr glückliches Familienleben im Garten, den trauten Rückzugsort, der so viel Schönes und Essbares hervorbrachte. Die Paare schwärmten von ihrem kleinen, behüteten Paradies, und mir wurde klar, dass der eigene Garten viel mehr für sie war als nur das Grün ums Eigenheim. Er war die Rettung vor einer viel zu komplizierten, unkontrollierbaren Außenwelt. Kirschbäume,

Orchideenzucht und Rosenlauben verwurzelten sie im Boden ihres schlichten Menschseins.

Gegen Abend sah ich Schmidt aus der kleinen Besprechungskabine auftauchen. Sogleich stürzten sich ein paar Wichtigtuer aus der zweiten Managementebene auf ihn und verwickelten ihn in Gespräche. Ich kannte sie schon, seine zurückgelehnte Haltung, in der er seinen Blick umherschweifen ließ. So stand er lange, während ich ein paar Meter entfernt meine Live-Studien betrieb. Irgendwann merkte ich mit pochendem Herzen, dass er mich beobachtete. In einer meiner Gesprächspausen stand er plötzlich vor mir.

„Wie laufen die Interviews? Offensichtlich machen die Leute das gerne." Er streckte mir eine Hand hin. „Theo Schmidt", stellte er sich vor.

„Elisabeth Becker", antwortete ich und drückte ordentlich zu. „Sie haben recht. Unsere Kundschaft liebt es, über ihre Gartenleidenschaft ausgefragt zu werden."

„Und wie ist Ihre Erkenntnislage hinsichtlich unserer Position als Marke?" Er klang wie ein Professor, der einem Doktoranden auf den Zahn fühlt.

„Gefühlsmäßig würde ich sagen, wir sind noch nicht gelandet in der Welt unserer Zielgruppe. Sie nehmen uns noch nicht als Partner wahr, der ihre Bedürfnisse kennt."

„Aha, interessant. Was meinen Sie, wie wir dahin kommen könnten? So rein gefühlsmäßig?"

„Wir müssen ihre Träume abbilden. Und wir müssen regelmäßig dort auftauchen, wo sie unterwegs sind, wenn sie in Gartenstimmung sind."

„Wo sind sie denn dann unterwegs Ihrer Meinung nach?"

„Im Gartencenter und Zuhause. Viele lesen Magazine, schauen Ratgebersendungen und sind auch immer häufiger im Internet."

Mir rauschte das Blut im Kopf. Hier war meine Gelegenheit, meine großen Erfolgsszenarien vor der höchsten Führung darzulegen. Doch Theo Schmidt verbreitete eine so unerreichbar intellektuelle Vibration um sich, dass ich dagegen nur unscheinbar und uninteressant dastehen konnte.

„Wenn Sie Ihre Auswertung machen, Frau Becker, bekommen wir dann konkrete Lösungsvorschläge von Ihnen?", fragte er. „Sie arbeiten im Team von Herrn Schweizer, soviel ich weiß. Ich kenne ihn als sehr strukturierten Planer. Da wird wenig gefühlsmäßig entschieden." Theo Schmidt zwinkerte zynisch, er machte sich wohl über mich lustig.

„Sie können davon ausgehen, dass unsere Vorschläge fundiert sein werden. Nach dem ersten Tag kann ich die Sache eben nur nach Gefühl beurteilen", ließ ich mich in die Defensive treiben.

„Ich mag Ihren Vornamen. Meine Mutter hieß Elisabeth", wurde er schlagartig privat.

Ich wusste nicht, wie ich damit umgehen sollte, und hatte zu meinem Ärger das Gefühl, dass ich rot anlief wie ein Schulmädchen. Zum Glück wurde seine herumwandernde Aufmerksamkeit in diesem Moment von einer Gestalt im dunklen Anzug eingenommen, die den Stand betrat und theatralisch auf ihn zu marschierte. „Theo, ich freue mich!"

Die beiden verfielen in Schulterklopfen, Geplauder und lautes Lachen. Ich stand noch eine Weile am Rande ihrer Wahrnehmung herum und schlich mich dann davon.

Die halbe Nacht spielte ich in meinem Hotelbett das Gespräch weiter durch. Ich war sicher, dass es eine Fortsetzung geben würde, die Messe ging noch zwei Tage. Doch am Samstag tauchte er so gut wie gar nicht auf und verabschiedete sich am frühen Nachmittag von seinen Kollegen.

Am Abend ging ich mit der gesamten Stand-Truppe zum Italiener, ließ den Rotwein fließen und hatte meinen Spaß mit dem bunt zusammengewürfelten Haufen aus Stuttgart und Frankfurt. Uns verband das Schicksal, Mitarbeiter eines erzkonservativen deutschen Großbetriebs zu sein, jeder hatte seine Anekdoten vom angestaubten Regelwerk, seine Freude daran, ein paar daheimgebliebene Kollegen durch den Kakao zu ziehen und seine Gründe, die Zurechnungsfähigkeit unserer Vorstände anzuzweifeln.

Mit mehreren Taxis fuhren wir zurück ins Hotel. Ich saß mit zwei Vertriebstypen und ihrer Assistentin Alexandra im letzten. Die Konstellation war ideal für einen Absacker an der Hotelbar, dort schleiften uns die beiden Männer dann auch hin. Alexandra und ich waren vollkommen mit den Geschichten über die Kollegen beschäftigt, die wir uns erzählten, während wir hinter unseren Begleitern her in die Bar liefen.

Erst mit einem Gin Tonic in der Hand erweiterte sich mein Horizont wieder und ich ließ den Blick am Tresen entlang zu den anderen Gästen schweifen. Ein paar Meter weiter prostete mir ein Herr mit einem Glas Bier zu. Der Mann war tatsächlich Theo Schmidt, und er zwinkerte mich schon wieder so belustigt an. Sein Jackett hatte er ausgezogen, darunter trug er nur ein weißes Hemd mit hochgekrempelten Ärmeln. Er sah überwältigend gut aus und ich spürte, wie mein Blutdruck in die Höhe ging. Doch ich hielt mich tapfer, lächelte cool und prostete ihm ebenfalls zu. Jetzt bemerkte auch einer unserer Begleiter die hochrangige Männergesellschaft und rief lauthals hinüber: „Prost, die Herren!", dann zu uns gewandt: „Das ist der Vorstand Doktor Schmidt mit zwei Großkunden."

Es dauerte nicht lange, da boten die Herren uns an, doch zu ihnen herüberzukommen, und freuten sich bierselig über die Anwesenheit von uns „hübschen Damen".

„Elisabeth!", begrüßte mich Theo Schmidt erfreut. „Ihren Nachnamen habe ich leider vergessen."

„Macht nichts, Herr Doktor Schmidt. Dafür weiß ich Ihren Vornamen nicht mehr", schwindelte ich.

„Theo. Aber nur heute Abend", bot er mir an.

„Becker. Ellie. Aber nur heute Abend", zwinkerte ich zurück.

Wir ließen unsere Gläser klirren.

Als jeder jedem vorgestellt war, begannen die Herren sich über die Messetage auszutauschen, die Wettbewerber und natürlich die Überlegenheit von Stromer im gesamten Konkurrenzumfeld. Jeder andere Aussteller hatte irgendeinen dummen Fehler gemacht, ein Produkt nicht durchdacht oder eine Vertriebsstrategie verplant und lag deshalb weit hinter der Stromerschen Anhäufung von Intelligenz zurück, die sich hier um mich gruppierte.

Die lockere Stimmung schien vorbei zu sein und ich stahl mich davon auf die Toilette. Ich musste mein Äußeres prüfen, denn ich wollte Schmidt so selbstbewusst wie nur möglich gegenüberstehen. Der Blick in den Spiegel erstaunte mich. Lag es an meiner alkoholisierten Wahrnehmung oder einem Hormonüberschuss? Ich war in meiner hübschesten Verfassung und brauchte eigentlich keine Korrektur. Meine langen dunkelbraunen Haare, die ich tagsüber hochgesteckt getragen hatte, fielen jetzt in Wellen über meine Schultern. Meine dunklen, schräg nach oben verlaufenden Augen hatten zwar ihren Lidstrich verloren, waren aber noch perfekt getuscht und strahlten miteinander um die Wette. Ich testete mein Lächeln und durch meine kindlichen Grübchen versprühte es genau den verschmitzten Charme, den ich jetzt gebrauchen konnte. Ich trug noch mein Messeoutfit, ein dunkelrotes Samtjackett, hatte aber die unbequeme Bluse darunter vor dem Abendessen ausgezogen und das Jackett zugeknöpft, sodass mein weißes Spitzenunterhemd tief im Ausschnitt herausblitzte. Schnell zog ich meine Lippen in transparentem Dunkelrot nach und lief wieder an die Bar. Schmidt sah mich kommen und musterte mich ungeniert von oben bis unten. Aha. So einer bist du, dachte ich.

„Wir sind auf Champagner umgestiegen!“, rief er mir entgegen und drückte mir ein neues Glas in die Hand.

Anschließend verwickelte er mich in ein Gespräch über meine neuesten Erkenntnisse aus der Messebefragung. Und ich wusste: Jetzt ist mein Moment. Ein paar Schluck Champagner genügten und ich war nicht mehr zu bremsen. Die anderen Herren schauten belustigt zu uns rüber. Alexandra schüttelte langsam und entsetzt den Kopf in meine Richtung. „Hör bloß auf!“, funkte sie vergebens.

Es entging mir nicht, dass Schmidt sich in der gewohnten Art zurücklehnte, seinen nur im Ansatz beteiligten Blick aufsetzte und ihn mit diesem furchtbar selbstgefälligen Lächeln kombinierte, das offenbar zu seinem Corporate Design gehörte. Doch sein Blick wanderte diesmal nicht im Raum herum. Theo Schmidt ließ mich reden, ohne mich zu unterbrechen. Dies gab meinem von allen Ängsten und Unterwürfigkeiten, von jeder Analysesorgfalt und Planungsstrenge befreiten Vortrag noch mehr Fahrt. Ich wetterte über die längst fällige Modernisierung der Kommunikationsstrategien bei Stromer, die fehlende Reaktionsschnelligkeit und damit zusammenhängende Zukunftsunfähigkeit, das Totreglementieren von Ideen und Vorwärtsdenken und feuerte zum Schluss noch ein paar Fragen ab:

„Können Sie mir sagen, warum ein Vorstand gegen die Schlagkraft eines seiner Geschäftszweige entscheidet, der so viel Potenzial hat? Warum sich plötzlich Gesetze auftun, von denen vorher noch niemand was gehört hat, zum Beispiel, dass eine Sparte keinen eigenen Webauftritt haben darf, nur um zu verhindern, dass eine Gruppe motivierter junger Leute, die mal außerhalb der üblichen Kiste denkt, womöglich Erfolg damit hat?“

„Ellie“, nahm er mir sorgfältig das Wort ab. „Jetzt mal langsam. Ich weiß nicht, was Schweizer euch erzählt hat, aber die Radicula-Internetseite ist immer noch auf dem Plan. Sie muss nur warten, bis wir wissen, was mit dem restlichen Auftritt von Stromer passiert. Wir können doch den Satelliten nicht ohne Bodenkontakt ins All schießen!“

Er wirkte zwar amüsiert, während er sprach, nahm mich aber offensichtlich ernst und erinnerte sich noch an die Koseform meines Vornamens.

„Glauben Sie mir: Es gibt für alles eine Lösung, und es gibt mit Sicherheit eine Zukunft. Ihr motivierten jungen Leute vergesst nur gerne, dass diejenigen, die das unternehmerische Risiko tragen, ihre Entscheidungen nicht aus Jux und Tollerei treffen. Oder nur um euch zu ärgern. Lassen Sie uns dieses Gespräch in

Frankfurt fortsetzen. Ich komme demnächst mal vorbei. Ich finde, Schweizer hat ein Recht auf Mitsprache."

Das klang jetzt eher väterlich, so als ob er die Bemühungen eines Ziehkindes guthieß.

„Okay, okay", sagte ich versöhnlich. „Es tut mir leid. Ich wollte Ihnen nicht nach Feierabend auf die Nerven gehen." Meine plötzliche Bescheidenheit war sauber kalkuliert.

„Nein, das war gut. Das war wirklich gut. Ich bin Ihnen dankbar. Aber jetzt müssen Sie mit mir tanzen. Sie haben mich lange genug beschimpft."

Jetzt erst bemerkte ich, dass sich auch Alexandra inzwischen von wechselnder Männerhand wiegend durch den Raum manövrieren ließ. Jemand hatte die Musik aufgedreht. Theo Schmidt nahm mich erst an der Hand, dann in den Arm und rang mir die ersten Tanzschritte ab, bis ich mich schließlich seinem Bewegungsapparat unterordnete. Wir tanzten viel zu eng, und es war viel zu schön. Doch immer wenn ich ihn anblickte, weil sein Blick auf mir lag, lachte er auf die übliche distanzierte Weise. Er spielt mit mir, dachte ich, und genoss dennoch seinen warmen Körper, bewunderte den sichtbaren Teil seiner Brust und stellte mir vor, wie es unter dem Hemd weiterging.

„Sie haben eine unglaubliche Hitze am Körper, Ellie", sagte er leise, als er mich an der Hand zurück zur Bar führte.

Alexandra blickte auf die Uhr und sagte: „Es ist halb zwei. Wenn wir morgen alle frisch sein wollen, sollten wir schlafen gehen."

Theo und ich schafften es, den Aufzug zu verpassen, in dem die anderen nach oben fuhren, und fanden uns schließlich in unserem eigenen verspiegelten Kämmerchen wieder. Theo drückte auf die Neun und fragte mich nicht nach meiner Zimmernummer. Als es aufwärts ging, fing ich an zu schwanken.

„Oh, Gott - ich vertrag doch keinen Champagner."

Ich lehnte mich an den Spiegel hinter mir und schloss die Augen. Dann spürte ich, wie er mir immer näher kam, hielt aber die Augen geschlossen. Schließlich fing er mich auf, als ich gegen ihn fiel, küsste mich erst vorsichtig und verlor dann schnell seine Zurückhaltung. Als ich willig reagierte, landete er mit seinen Lippen auf meinem Hals, knöpfte mein Jackett auf und erschloss mit seinen Händen das ganze Ausmaß der Hitze an meinem Körper. Schlagartig riss er sich von mir los, als sich die Fahrstuhltüre öffnete und blickte in den leeren Gang des neunten Stockwerks.

Ich lachte. „Ich hoffe, Sie wissen, Herr Schmidt, dass Sie hier das unternehmerische Risiko tragen …"

„Psst." Er legte einen Zeigefinger auf seine schönen Lippen und spielte Verschwörung, indem er sich in den Gang hinauslehnte und nach rechts und links blickte. Dann drehte er sich um und flüsterte: „Neun zwo vier. Wir sehen uns …"

Als sich die Fahrstuhltüre langsam wieder zuschob, drückte ich die drei und sank in mich zusammen. Beschämt verdeckte ich meine Augen mit den Händen und sagte laut vor mich hin: „Das kannst du nicht machen, Ellie. Das kannst du echt nicht machen …"

In meinem Zimmer musste ich erst mal aufs Klo. Dann blickte ich lange in den Spiegel. Plötzlich wusste ich nicht mehr, wie mir geschah, meine Hände waren Theos Hände und fassten mich überall an. In einem unerträglichen Flash fuhr mir die Angst vor der Einsamkeit in die Knochen und ich hatte das Gefühl, dass ich die Nacht nicht überleben würde ohne ihn …

Es dauerte eine Weile nach meinem leisen Pochen, bis seine Tür im neunten Stock aufging. Er fasste mich am Arm und zog mich hinein bis in die Mitte des Zimmers und in seine Arme.

„Wo warst du nur so lange?", murmelte er, knöpfte mein Jackett auf und ließ es hinter uns auf den Boden fallen.

„Sorry, ich hab an mindestens zehn Türen geklopft. Zahlen sind nicht meins." Ich lachte nervös.

„Wie bitte?" Er packte mich unsanft an den Schultern und starrte mich an.

Da lachte ich noch lauter und er presste mir eine Hand auf den Mund. Erst genoss ich den Druck, dann gab ich ihm nach, sank rückwärts in sein Bett und ließ ihn über mich herfallen.

Sinn und Suche

Wenn ich mir jemals vorgestellt hatte, eine heiße Nummer mit einem Fremden zu wagen, dann sicher anders. Morgens um sechs Uhr lag ich hellwach in seinen Armen und versuchte zu rekonstruieren, was passiert war.

Theo hatte die Designrichtlinien für seinen Auftritt abgelegt, als wir beide auf dem Bett gelandet waren. Mit einem neuen, selbstvergessenen Ausdruck in den Augen hatte er einen Regen aus zärtlichen Worten und Vertrautheiten auf mich strömen lassen, während er teilweise etwas ungeschickt immer mehr von meiner Haut freilegte. Ich half ihm, wo er nicht weiterkam.

„Du hast mich völlig verzaubert, Ellie. Wie hast du das gemacht?“, flüsterte er. „Was ist dein Trick? Du bist so ganz und gar unwiderstehlich ...“

Das war kein Überfall mehr, das war eine bewusste Genussaktion, so wie der Champagner, das Zuhören und der Tanz.

Er steuerte mich sogar aus der promille-inspirierten Realitätsflucht, für die ich so anfällig war, mit der Frage: „Hast du einen Freund?“

„Nein. Was ist mit dir? Du bist verheiratet, stimmt's?“

„Ich bin geschieden. Kinderlos. Frei.“

Kurz bevor es ernst wurde, fragte ich nach einem Kondom.

„Das brauchen wir nicht. Ich bin zeugungsunfähig. Du musst gar keine Angst haben.“

„Oh, was ein Luxus ...“

„Schön, dass du das so siehst. Ich finde das eher schade“, gab er zu.

Zeit und Raum verschmolzen zu einem Universum, das nur uns gehörte. Als wir einschliefen, waren wir beide glücklich. Das war das Erste, was ich sicher wusste, als ich wieder aufwachte. Auch Theo war plötzlich wieder voll da, als ich mich regte, und setzte seine Liebesbezeugungen fort, auf jede nur erlebbare Art und Weise.

Doch als die grellgrüne Digitalanzeige des Weckers 6.56 Uhr anzeigte, wurde er plötzlich unruhig.

„Die ersten Stromer-Leute gehen gleich zum Frühstück. Es tut mir leid, aber du musst gehen, Ellie, sonst sieht dich noch jemand."

Als ich fertig angezogen noch einen Abschiedskuss einforderte, zog er mich an sich, hielt mich kurz fest, fragte mich nach meiner Zimmernummer und zeigte wieder auf die Uhr.

„Dreihundertsieben", sagte ich und huschte davon, über den Gang und in den Aufzug.

Ungesehen kam ich in meinem Bett an, zog mich wieder ganz aus und träumte von den Stunden mit ihm. Todmüde raffte ich mich schließlich auf und stellte mich unter die Dusche. Als ich gerade aus dem Bad kam, klingelte das Telefon.

„Hier ist Theo. Ich wollte nur wissen, ob dich jemand gesehen hat." Er klang nervös und sachlich.

„Nein. Niemand."

„Bist du sicher?"

„Ich bin sicher, Theo. Beruhige dich."

„Du weißt, was es für uns beide bedeutet, wenn jemand von unserem Intermezzo erfährt?"

„Wie soll das denn jemand erfahren?", fragte ich verständnislos.

„Durch mich sicher nicht." Das kam deutlich unterkühlt.

Da wurde mir klar, dass er mich warnen wollte.

Mir zog es das Herz zusammen.

„Sehen wir uns wieder?", fragte ich.

„Mit Sicherheit. Ich halte mein Versprechen und komme nach Frankfurt wegen der Internetgeschichte. Was uns beide angeht ... bitte erwarte nicht zu viel. Ich hatte eine unvergessliche Nacht, aber ... ich würde dir keinen Gefallen tun, wenn ich dir Hoffnungen mache ... mein Leben ist momentan eine Großbaustelle, ich lösche zu viele Brände auf zu vielen Schauplätzen, du machst dir kein Bild ... du bist zu jung, um immer auf mich zu warten, Ellie. Genieß dein Leben ..."

Hatte er in der letzten Stunde an dieser Rede gearbeitet? Oder war das seine Standardvorlage für den Morgen danach?

„Verstehe."

Er sprach weiter, aber ich legte auf.

Im Robotermodus zog ich mich an, schminkte mich, föhnte die Haare und steckte sie hoch, stopfte dann in Höchstgeschwindigkeit meine Sachen in meinen Koffer und raste nach unten, um das Sammeltaxi nicht zu verpassen.

Mein Messetag verlief meiner Verfassung entsprechend zäh, vor allem die Zeit zwischen meinen Gesprächen, wenn ich nicht davon lassen konnte, die Kabinentüre zu beobachten. Er saß da drin. Wie konnte es sein, dass er seine Meetings hatte wie immer, wichtige Entscheidungen traf und währenddessen nicht an das dachte, was wir erlebt hatten? Erst als ich ihn dann auch am Abend nicht aus der Kabine herauskommen sah, wurde mir klar, dass er den ganzen Tag nicht drin gewesen war.

Nach Messeschluss traf ich mich noch mit den Messebauern, besprach Standabbau und Einlagerung mit ihnen und brach dann auf, um den letzten Zug nach Frankfurt zu erwischen. Jeder meiner Schritte war geladen von der sich immer wieder erneuernden Erwartung, dass Theo mich irgendwo abpassen würde – auf dem Messeparkplatz, am Bahnhof in München, am Bahnhof in Frankfurt, auf dem Parkplatz davor, und schließlich vor meiner Tür. Das mühlradartige Auf und Nieder in meinem Kopf war nicht zu stoppen: Er wird mich finden, heute Nacht noch, er wird an meiner Tür klingeln, er wird es nicht aushalten ohne mich. Was bilde ich mir nur ein? Er ist doch schon bei der nächsten Frau, erfrischt sich für den nächsten Großbrand und reist dann weiter. Er hat mich vergessen wie ein gutes Wellness-Programm im Hotel: Man genießt es, man vergisst es. Aber er kommt sicher bald nach Frankfurt, dort wird er mich wiedersehen, dann wird er nach meiner Telefonnummer fragen und mich anrufen. Ich werde bestimmt nicht auf ihn warten, dazu bin ich ja selbst viel zu beschäftigt. Wenn er mich nur ab und zu mal sehen will, bin ich vollkommen glücklich. Wie war das doch? „Ich hatte eine unvergessliche Nacht.“

In klaren Momenten stand das Mühlrad plötzlich still. Dann blickte ich von oben auf die Belagerung meiner Gedankenwelt durch einen dieser arroganten Snobs, über die ich sonst so gerne lästerte. Es konnte ja wohl nicht sein, dass ich die trunkene Gefühlsverwirrung von gestern Nacht nicht einfach abstellen konnte. Ich gab der Sache ein paar Tage, dann würde ich nichts mehr davon spüren.

Die Sehnsucht nach Bewunderung war in meinem Leben immer schon Freund und Feind, Antrieb und Falle, Elixier und Gift gleichzeitig gewesen. Mein Vater brachte mir das Klavierspielen bei, als ich fünf Jahre alt war. Er war begeistert von meiner Lernfähigkeit. Ihn zu begeistern, war meine ganze Motivation. Bevor ich überhaupt wusste, warum ich all das tun sollte, was er mir auftrug, tat ich es für ihn. Noten lesen und schreiben, Tonleiter üben, große und kleine Terzen benennen, Moll- und Dur-Dreiklänge lernen, Dissonanzen auflösen, Töne erhören, ohne hinzuschauen - all das machte ihn glücklich. Er verbrachte seine Zeit mit mir, sehr viel Zeit. Mehr als er es jemals mit meinem Bruder tat.

Mein Vater war Orchestergeiger und er liebte Musik. In meiner Kindheit gab es viele Hauskonzerte in unserem Wohnzimmer. Endlich dem Orchestergraben entstiegen, beeindruckte mein Vater dann als Solist. Ich kann nicht sagen, ob es der Sog der Musik war, der ihn antrieb, sein Geigenspiel zu perfektionieren, oder die Genugtuung, endlich in Lebensgröße gesehen und bestaunt zu werden. Wo immer er auf einer Party Zuhörer fand, spielte er sich mit Bach und Ravel in Rage.

Je besser ich mein Instrument beherrschte, desto tiefer verstrickte auch ich mich in der lebensverliebten Logik der Musik. Das stundenlange Üben meiner Stücke wurde zu meiner sichersten Taktik, um andere Dinge nicht lösen zu müssen. Meine Mutter ließ mich mit ihrer anhaltenden Kritik so lange in Ruhe, wie ich mit meinen Notenblättern an den Tasten saß. Mein Vater setzte sich irgendwo still und friedlich auf einen Stuhl und hörte mir zu. Dabei vergaß er sein eigenes Unheil.

Mit zehn Jahren verliebte ich mich in Chopin und Debussy. Sie waren die ersten Manifestationen männlicher Schönheit, die ich erfahren, mir sogar erspielen durfte. Ich drang in ihre Gefühlslandschaften ein und tröstete sie mit meinem Verständnis für ihre seelischen Ungereimtheiten. Gleichzeitig sog ich für meine unterkühlte Welt eine Portion Wärme und Melancholie aus ihrer Musik. All das verwandelte ich in eine Leistung, die registriert wurde und mir über meine reine Anwesenheit hinaus Bedeutung gab.

Ich spielte meinen ersten Wettbewerb und landete auf dem zweiten Platz. Da hörte ich zum ersten Mal den späteren Standardspruch meines Vaters: „Ellie und ich spielen immer die zweite Geige. Wir sind genauso wichtig wie die erste Geige, denn es gäbe sie nicht ohne uns."

Er schien zufrieden zu sein. Doch ich fragte mich, was er wohl tun würde, wenn ich mal die Höchstpunktzahl erreichen würde. Wäre er dann geheilt von seinen tiefen Selbstzweifeln, die offenbar der Grund waren, warum er nicht versuchte, vor großem Publikum aus dem Graben herauszukommen? Vielleicht hatte er es aber auch schon versucht und war gescheitert, so wie ich vor der Jury gescheitert war.

Bis heute sind ein paar verborgene, schmerzende Fasern von mir überzeugt davon, dass mein Bruder und meine Mutter bei uns geblieben wären, wenn ich wenigstens ab und zu mal unschlagbar gewesen wäre. Das Bewusstsein, dem Schicksal die Stirn bieten zu können, gemeinsam etwas erreichen zu können – ich hätte es dieser Familie geben können. Aber es war wie programmiert: Immer wenn es darauf ankam, wenn ich kurz vorm höchsten Ziel stand, war ein begabteres Kind besser als ich.

Nach einer solchen Niederlage konnte ich wochenlang keine Taste anrühren. Doch irgendwann spielte ich weiter. Ich spielte nicht für den nächsten zweiten Platz, sondern für eine vorübergehende Seelenruhe, und um dem undurchsichtigen Geflecht an Erwartungen zu entkommen, die meine Eltern an mich stellten.

Mit zwölf übergab mich mein Vater endlich dem Konservatorium, denn er konnte mich nicht mehr selbst unterrichten. Meine Mutter wurde Opfer des Personalabbaus der großen Kaufhauskette, in der sie als Verkäuferin beschäftigt war. Sie war arbeitslos, bis sie in einer Kinderboutique eine Anstellung fand, die leider sehr viel schlechter bezahlt war. Mit dem Gehalt, das mein Vater vom badischen Staatsorchester bezog, war die Hypothek auf unser Reihenhaus nicht zu finanzieren. Mein Vater fand einige Schüler für den privaten Klavier- und Geigenunterricht, doch es blieb knapp. Meine Klavierstunden zahlte schließlich der Förderverein. Wir mussten das Haus verkaufen und zogen in eine 4-Zimmer-Wohnung in der Karlsruher Nordweststadt. Mein Vater brauchte ein Unterrichtszimmer, also musste sich mein älterer Bruder Claudius mit mir ein Zimmer teilen.

Einige Jahre zuvor hatte Claudius angefangen, mich zu hassen. Er gab mir zu verstehen, dass wir von unterschiedlichen Planeten kamen. Mit siebzehn verschwand er. Die Polizei fand ihn in einem besetzten Haus unter anderen Zivilisationsverweigerern. Er wollte nicht heimkommen, und man ließ ihn dort. Es begann eine Zeit, in der meine Mutter meine Existenz auszublenden schien, so als wäre jede mütterliche Geste mir gegenüber eine Sünde an ihrem Sohn. Wir gingen in der Wohnung aus und ein, doch sie hatte mir nichts mehr zu sagen, und ich ging ihr aus dem Weg. Spät abends hörte ich sie mit so erschütternder Härte auf meinen Vater einreden, dass ich entsetzliche Angst hatte vor jeder Begegnung mit ihr.

Als Claudius volljährig war und wieder sporadisch bei uns auftauchte, besserte sich das Verhältnis zwischen mir und meiner Mutter wieder. Wir begannen uns wie Frauen zu unterhalten. Sie hielt mir Vorträge über die richtigen und die falschen Männer. Die falschen hatten immer Züge meines Vaters.

Als mich mein neuer Klavierlehrer, Herr Hummel, schon eine Weile unterrichtet hatte, nutzte er öfter unsere Zeit zu zweit, um sich mit mir zu unterhalten. Ich erzählte ihm von der Enttäuschung meines Vaters und von der Stimme in meinem Kopf, die mir einflüsterte, dass es mir nicht gebühre, ganz oben anzukommen.

„Weißt du, Ellie, was dich von den wirklich brillanten Musikern unterscheidet?“, fragte Hummel. „Es ist dein Motiv. Musik will keine Arbeit sein, auch kein Trost und keine Antwort auf unsere täglichen Probleme. Musik will nur Musik sein. Natürlich kann sie heilen und manchmal auch Antworten geben. Aber derjenige, der sie interpretiert, muss ihr in sich vollendetes Wesen begreifen. Nur dann können die, die zuhören, die Faszination für sich erschließen. Ich habe ein paar von den Ausnahmetalenten kennengelernt. Sie stehen unter einem inneren Druck, die Musik zu ihrem wahren Ausdruck zu bringen. Du bist eine wunderbare Pianistin, Ellie, aber von diesem Phänomen bist du leider weit entfernt.“

Ich dachte an die fleißigen kleinen Asiaten, die ich auf den Wettbewerben gesehen hatte, die durch Drill und eiserne Disziplin Spitzenplätze erreichten. Doch ihr Spiel hatte mich nie wirklich berührt.

„Auch sie gehören nicht zu den wahren Wunderkindern“, sagte mein Lehrer. „Nur dann, wenn sich ihr Fleiß mit einer Leidenschaft verbindet, die sich völlig selbst genügt.“

Selbstgenügsamkeit. Unabhängigkeit von der Anerkennung anderer, und damit Unabhängigkeit schlechthin: Nach diesem Gespräch hatte ich eine neue Vision von mir selbst in meinem zukünftigen Dasein.

Die Begegnung mit Theo Schmidt hatte mich auf meinem Weg zum in sich geschlossenen Wesen der Leidenschaft auf null zurückgeschleudert. Doch ich wusste eines: Meine Einsamkeit hatte mir bisher keine alles überblendende Schönheit offenbart. Ich sehnte mich nach Zweisamkeit. Wie tief diese Sehnsucht war, das hatte die Nacht mit Theo ans Licht gebracht.

Nach der Hektik der Messe genossen meine Kollegen und ich die vergleichsweise ruhigen Tage, an denen wir unsere Projekte wieder in normalem Tempo eins nach dem andern erledigen konnten. Alle waren froh, dass sie wieder pünktlich aus dem Büro kamen. Alle - außer mir, denn ich arbeitete an meiner Auswertung. Sie sollte dem Vorstand vorgelegt werden und war die einzig verbleibende Verbindung zu Theo. In den hellen Phasen, wenn das Mühlrad aus dem dusteren Wasser auftauchte, glaubte ich, dass er mich nicht vergessen konnte, so sehr er es auch versuchte.

Daniel Schweizer bemerkte meine Erschöpfung und bot mir an, den Freitag freizunehmen: „Ich denke, Sie können ein langes Wochenende gebrauchen“, sagte er zu mir. Doch damit wäre mir nicht gedient gewesen. Ohne meine Arbeit, die auf meiner Suche nach einer in sich stimmigen Welt mein Klavierspiel ersetzt hatte, versank ich zu tief in meinem Versagen.

Am Freitagnachmittag, als die meisten meiner Kollegen sich schon freudig ins Wochenende verabschiedet hatten, setzte sich Schweizer plötzlich ans Ende meines Schreibtisches. Um seine Mundwinkel zuckte sein lausbübisches Tim-Lächeln.

„Grade kam ein Anruf aus Stuttgart. Sehr seltsame Sache.“

Er machte es spannend und ließ mich ein bisschen zappeln.

„Wir sollen ein Konzept erarbeiten für eine CMS-basierte Konzernseite. Mit Designvorschlägen, Zeitrahmen, Aufwandsschätzung, Contentstrategie et cetera.“

Das ließ er erst mal bei mir reinsickern.

„Und wenn das passt, sollen wir die Umsetzung übernehmen. Notfalls mehr Leute einstellen. Vorwärts machen.“

„Wer hat angerufen?“, fragte ich ungläubig.

„Doktor Schmidt. Er kommt am sechzehnten Oktober. Bis dahin sollen wir schon was vorlegen können.“

Ich fiel in meinen Stuhl zurück.

Was für eine schräge Art, sich zu bedanken, dachte ich.

Das Phänomen

Als ich abends nach Hause fuhr, ließ ich das Radio aus und störte mich nicht an den vielen roten Ampeln. Zeit und Stille waren wertvolle Helfer, um mich zu sortieren.

Oft ist es zunächst schwer zu begreifen, was das Leben so komponiert. Es ist, wie vor einem völlig chaotischen Notenblatt zu sitzen und keine Melodie zu erkennen, bis man Takt für Takt gespielt hat, erst die rechte, dann die linke Hand, dann beide. So ergibt sich ein Zusammenhang. Doch vor dem Verstehen, dem Empfinden und der Interpretation kommt die Arbeit.

In den letzten Tagen war in dem Film, der in meinem Kopf ablief, immer der gleiche Hauptdarsteller zu sehen gewesen, es waren immer die gleichen Szenen aufgeführt und immer die gleichen Träume nachgespielt worden. Aber jetzt war etwas anders: Theo Schmidt hatte mich doch nicht vergessen. Er wollte mich in Verpflichtungen verstricken, um mich in der Hand zu haben. Ich hielt das für einen kühl kalkulierten Zug, der ein unschönes Licht auf ihn warf.

Was hatte ich nur an ihm finden können? Wie betrunken war ich eigentlich gewesen? Dieses aufpolierte Elitengehabe, dieses Herablächeln auf alles Weibliche, Junge und Forsche an mir. Er, der sich für den unternehmerischen Heilsbringer hielt. Er war doch viel zu alt, um die rasanten Entwicklungen zu verstehen, die derzeit vor sich gingen. Schmidt war eine jener Figuren, die in den nächsten Jahren reihenweise untergehen würden. Aber sie verstanden es, eine Aura um sich aufzubauen, als würde ohne sie die Welt zugrunde gehen. Und ich hatte mich davon blenden lassen.

Vor einigen Tagen hatte ich im Archiv die letzten Ausgaben der Firmenzeitung durchgesehen. Er war doch da mal auf einer Titelseite abgebildet gewesen mit einer Frau am Arm. Tatsächlich fand ich das Bild. Er hatte einen Innovationspreis entgegengenommen und sich auf den anschließenden Feierlichkeiten mit seiner „Lebensgefährtin Martina Johannsen" geschmückt. Biederer konnte man gar nicht daherkommen als die beiden. Selbst auf dem schlechten Zeitungsdruck war noch zu erkennen, dass sie sich mühsam eine feierliche Laune übergestreift hatten, nachdem sie ihm den Krawattenknoten zurechtgezupft und er ihren Hintern in dem grauen Kostümrock überprüft hatte. Martina Johannsen hatte ihre farblose Haarpracht mit Haarspray zu einem Hillary-Clinton-Look verklebt und trug ein klobiges Vermögen um den Hals. Ich schätzte sie auf Mitte vierzig. Bestimmt war sie geschieden, kinderlos und Controllerin von Beruf, sodass man für ihr zweckgebundenes Lächeln, das einfach nicht fröhlich geraten wollte, Verständnis haben musste.

Das war die rechte Hand. Danach kam die linke Klavierhand mit ihren Tonfarben, die man meist nicht bewusst heraushört, die aber darüber entscheiden, was sich im Inneren bewegt. Jetzt hatte Theo plötzlich romantische Gefühle für Martinas ungewöhnliche Augen und liebte ihre azurfarben schimmernde Weisheit. Bilder stiegen in mir auf, wie Theo mit Martina seinen unvermittelt einsetzenden Hang zur Ekstase zelebriert, völlig demaskiert, alle seine üblichen Gesetze rund um das Stichwort Bodenkontakt ausblendend. So wie ich ihn erlebt hatte. Wie sollte ich das vergessen? Würde ich jemals wieder in Ruhe leben können mit der Vorstellung, dass Theo Schmidt mit anderen Frauen schlief?

Es gab nur einen Weg aus dem Gefühlsdilemma: professionelles Arbeiten. Ich beschloss, Herrn Dr. Schmidt ein nach allen Regeln der Zukunft durchgetaktetes Internetkonzept zu präsentieren. Eines, wofür man ein zigfaches Mehr an Intuition und Zielbewusstsein benötigte als für die Finanzrechnungen einer Martina Johannsen. Bevor ich als einer seiner Ausrutscher in seine Geschichte eingehen würde, sollte er mich kennenlernen.

Am selben Abend hatte ich das Grobkonzept stehen: ein Seitenbaum, der alle Stromer-Bereiche unter ein Dach brachte, mit Einstiegseiten in Produktwelten, mit verschiedenen Subdomains, intuitiv bedienbarer Navigation, die nicht nur führte, sondern auch inspirierte, und einem bereichsübergreifenden

Werkzeugfinder. Jede Produktsparte hatte einen eigenen „Erlebnisgarten" mit Storys und Expertentipps aus der jeweiligen Anwender-Welt. Praxiswert und Markenbildung würden Hand in Hand gehen.

Ich war voll in Fahrt. Für den nächsten Tag plante ich einen Besuch in Karlsruhe bei meinem Vater und bei Joachim. Ich brauchte den fachmännischen Input eines Programmierers.

Dies war die erste Nacht seit der Messe in München, in der ich tief und gut schlief. Ich träumte von Glückszuständen, einer Auflösung aller verknoteten Lebensfasern in mir: Gegen Morgen stand mein Vater in seiner hochgewachsenen, aufrechten Statur neben mir, stabil und geistesgegenwärtig, und bot mir einen Arm. Gemeinsam schritten wir die Seitentreppe einer Bühne hoch. Dort oben sollte mir ein Preis verliehen werden. Kurz hatte ich Angst, mein Vater würde stolpern, aber er stieg selbstsicher einer Jury entgegen, die hinter einem langen Tisch saß. In der Mitte erkannte ich Schmidt. Aus dem Off trat eine Dame in langem Abendkleid hervor und überreichte mir eine geschlossene Schatulle. Doch in dem Moment, in dem der Applaus hätte einsetzen müssen, war es totenstill im Saal. Man erwartete offensichtlich von mir, dass ich die kleine Schachtel öffnete. Doch so sehr ich auch daran herumdokterte, sie ging nicht auf. Mein Vater verschwand und ließ mich allein vor all den Menschen. Dann spürte ich, wie mich jemand von hinten umarmte und festhielt. Ich genoss diesen Moment. Es war Theo Schmidt. Er nahm mir die Schatulle ab und führte mich von der Bühne. Es gab immer noch keinen Applaus, aber das spielte keine Rolle mehr. Mein Vater stand plötzlich vor uns und schüttelte Theo die Hand, als wäre ich nicht mehr da, als wäre ich die verschlossene kleine Kiste in seinem Arm. Da bemerkte ich die Dunkelheit und den Deckel über mir und presste fest dagegen. In dem Moment, als er sich hob, wachte ich auf.

Trotz des kurzen Schreckmoments fühlte ich mich ausgeglichen und erholt. Ich hatte neun Stunden ohne Unterbrechung geschlafen. Das war sehr ungewöhnlich für meinen unruhigen Geist.

Am Nachmittag kam ich in Karlsruhe an, rechtzeitig bevor mein Vater sich ins Delirium trinken würde. Es war spätsommerlich warm und sonnig, als ich in der Südstadt aus dem Auto stieg, eine Straßenecke von dem alten Mietshaus entfernt, in dem ich selbst vier Jahre lang gewohnt hatte. Das stolze Gebäude war seit Jahrzehnten nicht nennenswert renoviert worden, alte Mäuerchen aus rotbraunem Stein säumten den Weg zum Eingang. Die massive, dunkle Holztür brauchte einen kräftigen Schub, um nach innen aufzugehen.

Ich blieb eine Weile im Treppenhaus stehen. Die schwere Luft, das abgegriffene Holzgeländer, das ausgesperrte Tageslicht, das sich dann doch in mageren Strahlen aus dem Innenhof durch die schmalen, schmutzigen Fenster mogelte, die abgetretenen steinernen Treppenstufen, all das trug die Ahnung von Rettung in sich. Die gemeinsame Wohnung mit Joachim, unsere winzige Küche mit Blick in den dürftig begrünten Hof, das Ein-Mensch-Balkönchen mit unserer Küchenkräuterzucht, mein Zimmer - sie waren meine Zuflucht gewesen, mein Stück eigenes Leben, auf das ich laut Joachim ein Recht hatte. Ich war neunzehn gewesen, er achtundzwanzig.

Doch wenn jedes zweite Wochenende Joachims Sohn Lorenz bei uns war, dann war mein Zimmer von ihm bewohnt, und der kleine Kerl wollte seinen Vater am liebsten ganz für sich haben. Ich fand an diesen Tagen mein eigenes Leben an anderen Orten: im Café, im Schwimmbad, in der Bibliothek.

„Wie kann man so unreif sein und vor einem vierjährigen Kind davonlaufen?", fragte Joachim sich und mich.

Doch wenn ich versuchte, mit Lorenz etwas zu unternehmen, mischte er sich sofort ein. Er hatte Angst, ich könnte mit dem Kind nicht umgehen, der Kleine würde anschließend seiner Mutter etwas Unpassendes erzählen, und dann würde der Ärger wieder losgehen.

Nach zwei Jahren unseres Zusammenlebens wurde mein Vater von den Vermietern seiner Wohnung vor die Tür gesetzt. Joachim, der in den vergangenen Jahren häufiger nach meinem Vater geschaut hatte als ich, schlug vor, ihn in unser Haus zu holen. Zwei Stockwerke unter uns stand eine 2-Zimmerwohnung leer. Joachim sprach mit Engelszungen auf den Hausverwalter ein und verbürgte sich, für die Miete aufzukommen, falls mein Vater nicht imstande dazu wäre. Ob er es tatsächlich hin und wieder tat, weil Peter zu viel von seiner schmalen Rente versoff, erfuhr ich nicht. Doch seit ich selbst verdiente, ließ ich immer das Geld da, das ich entbehren konnte.

Mein Vater pflegte seine Gewohnheiten. Wenn ich am Samstagnachmittag zu Besuch kam, wartete er bereits auf mich mit abgestandenem Filterkaffee und einem klebrigen Stück Apfelkuchen aus dem Supermarkt. Jedes Mal, wenn ich mich an seinen mit blumigen Papierservietten geschmückten Tisch setzte, schwor ich mir, eine belanglose Unterhaltung mit ihm zu führen, in der ich seinen Frust nicht an mich heranlassen und mir keine Schuld aufladen lassen würde.

Mein Vater hatte die leeren Flaschen und den Verpackungsmüll weggebracht. Nichts stapelte sich in den Ecken. Der Geigenkoffer lag offen auf dem alten Sofa. Offensichtlich wollte er mir demonstrieren, dass er regelmäßig spielte.

„Ich war heute fünfunddreißig Kilometer mit dem Fahrrad unterwegs. Bin noch ganz schön fit für mein Alter …“ Wie immer begann die Unterhaltung so, wie sie aufhören würde: mit seinen Heldentaten.

Für einen sechzigjährigen Alkoholiker sah mein Vater noch erstaunlich gut aus. Seine sportliche Aktivität, die er anfallartig an den Tag legte, führte dazu, dass er sich noch relativ gerade hielt. Haarausfall war ihm bis heute erspart geblieben und sein Haarschopf war schwarzgrau meliert. Seine mandelförmigen Augen mit den tiefschwarzen Wimpern waren zwar blutunterlaufen, wässrig und trüb, aber sie blickten mich immer noch mit diesem kessen Zwinkern an, das sagen wollte: Schau her, wie nett ich bin, und du vernachlässigst mich so.

Er ließ die üblichen Geschichten über das korrupte System auf mich herunterregnen, über die Versklavung der Bürger und die Vernichtung derer, die ihren eigenen Kopf haben. Ich sei ja inzwischen Teil dieses Apparats. Die Konzerne seien es doch, die das Unternehmertum erstickten. Sie regelten die Wirtschaft und das Land. Sie bräuchten Ameisen und keine eigenständig handelnden Wesen. Menschen der Tat, so wie er, würden zugrunde gerichtet. Er sei damals aus dem Osten geflohen, um hier im Westen etwas aufzubauen, nicht um wieder in Unterdrückung zu enden. Doch man habe keine Chance gegen die ruchlosen Kapitalisten.

Mein Vater war das ewige Opfer und wer immer ihm gegenübersaß, war Teil der Verschwörung gegen ihn.

Im nächsten Stadium verpackte er wie immer konkrete Vorwürfe in Selbstmitleid: „Ich muss eben sehen, wie ich alleine zurechtkomme, habe ja niemanden, der sich mal überlegt, wie es mir geht. Joachim kommt auch nur, wenn ihm das Bier ausgeht."

Schon hatte er eine Flasche aus dem Kühlschrank geholt und war plötzlich versöhnlich: „Meine liebe Tochter. Komm, trink einen Schluck Bier. Oder willst du ein Glas Sekt?"

Ich lehnte ab.

„Du siehst gut aus, Ellie", kam da plötzlich ein völlig unüblicher Kommentar von ihm. „Was ist los, bist du schwanger?"

„Wie bitte? Wie kommst du denn auf so einen Blödsinn!"

„Weiß nicht." Er schien mein Entsetzen über seine Frage zu genießen. „Deiner Mutter hab ich auch angesehen, dass sie schwanger ist, bevor sie es selbst wusste. Frauen haben dann diesen vielsagenden Schimmer und werden irgendwie gefälliger in der Form. Glaub mir, ich kenn mich aus mit Frauen. Ich hab mich gefreut, als sie schwanger war. Nicht wie andere Männer, die dann erst mal Schiss kriegen."

„Ich bin nicht schwanger, Papa."

„Gut. Wäre auch blöd jetzt. Musst ja Geld verdienen."

Jeder andere Vater hätte gefragt, wie eigentlich mein Leben so lief in Frankfurt, ob ich im Job vorankam, ob es mir gut ging. Jeder andere Vater.

Zwei Stunden später saß ich oben bei Joachim. Mein Vater hatte nebenher zwei Flaschen Bier und eine halbe Flasche Wein vernichtet, eine Reihe übler Prophezeiungen die ganze Welt betreffend vor sich hin philosophiert und lag nun auf der Couch vor dem Fernseher. Nichts war mehr übrig von meiner Lebensfreude. Das Konzept, das ich in der Tasche hatte, war eine Farce. Und ich war ein Nichts auf verlorenem Grund. Die Vorstellung, Großes vollbringen zu können, war reiner Selbstbetrug. In Wahrheit hatte ich das Erbe eines Totalversagers übernommen, der mich selbst dann nicht als Mensch wahrnahm, wenn ich direkt vor ihm saß.

„Ich kann dich beruhigen, Ellie. Wenn die Frau von der Suchtberatung hier ist, dann schwärmt er nur so von dir. Was du für eine Wahnsinnskarriere machst, wie ehrgeizig du bist, dass du deine unternehmerische Ader von ihm hast und so weiter", tröstete mich Joachim.

„Das hilft mir nur nichts", warf ich ein. „Der Besuch hier zieht mich jedes Mal so runter, dass ich Tage brauche, um aus dem Loch wieder rauszukommen. Und ich hab so eine harte Zeit in der Firma gerade."

„Bleibst du über Nacht?", flocht Joachim eine Einladung ins Gespräch. Weil Lorenz da war, würde das heißen, dass wir in einem Bett schlafen müssten. Und das wollte ich nicht. Viel zu oft schon hatte ich der Vertrautheit und dem Trost von Joachims körperlicher Nähe nicht widerstehen können. Doch es war nicht fair von mir, ihm Hoffnungen zu machen, dass ich eines Tages zu ihm zurückkommen würde, denn das hatte ich nicht vor. Ich war auf der Suche nach etwas, was ich nur alleine finden konnte.

Joachim war in seinem Beruf unschlagbar, aber sein Ehrgeiz war gebremst. Er arbeitete nur so viel, wie er musste, um gut leben zu können. Und gut leben hieß für ihn, zu bleiben, wo er war. Mein Weg dagegen führte weiter. Wohin, würde sich herausstellen.

Es hatte nicht zur Debatte gestanden, dass Joachim mitkommen würde, als ich mich nach Frankfurt verabschiedet hatte. Beruflich wäre das für ihn zwar kein Problem gewesen, doch er wollte in Lorenz' Nähe bleiben. Er hatte mir versichert, ich müsse mich ihm gegenüber nicht verpflichtet fühlen. Unabhängig von mir habe er für Peter Verantwortung übernommen und werde nach ihm sehen. Bedingungen daran zu knüpfen, war nicht seine Art.

„Nein, ich kann nicht bleiben“, war jetzt meine Antwort auf seine Frage. „Ich habe ein Riesenprojekt am Kochen.“

„Ich bin stolz auf dich, Ellie“, sagte Joachim, während er mich versonnen anblickte.

Wir gingen meine Aufzeichnungen durch. Er gab mir ein paar wertvolle technische Tipps und die dazugehörigen schicken Programmierbegriffe.

„Melde dich jederzeit, wenn du Hilfe brauchst. Weißt ja, mir macht das Spaß!“, gab er mir auf die Treppe mit.

„Danke für alles“, sagte ich und wir umarmten uns.

Der Geruch des Treppenhauses - eine Mischung aus gekochtem Essen, Schimmel und Putzmittel - verstärkte das Gefühl der Vertrautheit seiner stabilen Arme um meine Schultern, seiner langen Hände in meinen Haaren und der Art, wie er mich an seine Brust drückte, kurz bevor er mich ziehen ließ. Tausende Male hatte mir dieser Moment schon Kraft gegeben.

An der Tür meines Vaters lief ich abschiedslos vorbei. Es würde weder ihm noch mir irgendwie helfen, wenn ich noch mal reinschauen würde.

Schon in meiner Kindheit war der Alkohol in unserem Haus omnipräsent gewesen. Mein Vater war zwar damals kein harter Trinker gewesen, aber eine Flasche Wein am Abend hatte einfach dazugehört. Die zweite hatte meine Mutter meist verhindert.

Dann, im Alter von fünfzig Jahren, fuhr mein Vater sein Leben gegen die Wand. Eigentlich hatte alles gepasst mit dem Fotoladen: gute Lage in der Kaiserallee, super Einstiegskonditionen bei den Herstellern, viele gute Verbindungen, denn Peter Becker war bekannt in der Szene. Er hatte nach zwei Monaten schon die Profis vor der Brust gehabt, alle, die was verstanden vom analogen Fotografieren. Sie hatten einander erzählt, dass es bei Becker nur das feinste Equipment gebe, Objektive und Kameras bester deutscher Herstellung, nichts für Knipser. Dass die Lieferanten ihm in Erwartung einer neuen digitalen Technologie ihren Altbestand aufs Auge gedrückt hatten, war ihm erst im Nachhinein aufgegangen. Beste Konditionen, aber nur für große Mengen. Sie hatten ihm zugeredet: Da ist ein Riesenmarkt in der Region. Sie nahmen das Geld, das er, anständig wie er war, immer pünktlich bezahlte, obwohl die Abverkäufe schlichtweg nicht stattfanden. Seine besten Partner drehten sich um und zuckten mit den Schultern.

Wie hätte er ahnen können, dass es so schnell gehen würde mit der digitalen Fotografie? Dass sie innerhalb von Wochen den ganzen Markt umkrempeln würde? In seinem Leben schien nur eines sicher: Immer wenn er alles gab, verlor er alles. Er war kein Gewinner. Seine Spezialität waren Niederlagen.

Im Grunde ist mein Vater ein Mensch der feinen Töne und der Details. Er liebt den Reichtum, der sich auftut, wenn man unter die schnelllebige Oberfläche in altes Wissen taucht. Doch das Trinken hat ihn zum Egozentriker gemacht, der sich jeglichem Impuls von außen verschließt. All diejenigen, die seine Wissenstiefe - sei es in der Musik oder der Fotografie - einmal bewunderten, sind es müde geworden, keine echten Gespräche mehr mit ihm führen zu können. Er hört nicht mehr zu, ist sofort genervt, wenn einer ihm einen interessanten Aspekt nahelegen will, der nicht in sein Bild passt. In seinen Augen haben sie alle keine Ahnung.

Nacht für Nacht kam der schale Geschmack des Scheiterns und der Einsamkeit zurück. Peter spülte ihn hinunter. Das wirkte für ein paar Stunden. Dann kam die Dunkelheit wieder. Und in der Dunkelheit tauchte der Schein der Erkenntnis auf, eine Milchstraße aus klaren Momenten, die nicht zu ertragen waren. Noch ein Gin und der Schein verblasste wieder, wurde zu wolkigem Vergessen. Um die Schwaden zu verdichten, bis sie einem Schlaf ähnelten, brauchte es noch ein paar Gläser. Wurde der erlösende Schlaf unterbrochen, war das nächste Glas nicht weit, um ihn wieder herbeizuzwingen.

Als Joachim und ich meinen Vater zu uns ins Haus holten, dauerte sein täglicher Kampf um die Taubheit seiner Seele schon drei Jahre an. Ich lebte jetzt seit drei Jahren in Frankfurt. Joachim und ich glaubten beide nicht mehr daran, dass mein Vater jemals aus dem Abgrund herausfinden würde.

Als ich am Montagmorgen Daniel Schweizer mit meinem Entwurf gegenübersaß, staunte er nicht schlecht.

„Haben Sie eigentlich auch ein Leben, Frau Becker?"

„Haben Sie eine Ahnung, Herr Schweizer, was da noch an Arbeit drinsteckt, bis das Konzept rund ist? Die Uhr tickt!"

Unser Programmierer Fabian schlug sich mit der Hand gegen die Stirn, als wir ihm die Vision zeigten: „Das ist fünf Jahre Arbeit. Das sollen wir hier machen? Das ist unmöglich in der momentanen Aufstellung."

„Wir können auch noch einen externen Experten hinzuziehen, ich kenne da einen ...", schlug ich vor.

„Langsam", bremste mich Schweizer. „Unser nächstes Etappenziel ist die Präsentation am sechzehnten Oktober vor dem Vorstand Doktor Schmidt. Danach können wir uns über Ressourcen unterhalten. Wir haben fünfzehn Arbeitstage. Schaffen wir das?"

„Und was machen wir mit unserer anderen Arbeit?", quengelte Fabian. „Das letzte Mal, als wir alles stehen und liegen lassen haben für so eine Planungsvariable, war der ganze Zauber umsonst."

„Dieses Konzept erstellen wir im Auftrag des Head-Office in Stuttgart, Herr Casparek", erklärte Schweizer. „Gehen Sie an die Arbeit. Ende der Durchsage."

Fabians wortgewandte Art, vor Verantwortung auszuweichen, war gescheitert. Schweizer zog sich wieder in seine Matrix zurück und schickte mich allein da raus. Da stand ich nun als Projektleiterin ohne Weisungsbefugnis und sollte die Burschen antreiben. In den folgenden Tagen überzeugte ich Schweizer davon, dass unserem Team die nötige Erfahrung fehlte und dass wir externe Unterstützung brauchten. Ich zog Joachim hinzu. Gemeinsam tüftelten wir jedes einzelne Modul aus, bis es niet- und nagelfest war.

Der sechszehnte Oktober 1998 war ein Freitag. Schon zwei Tage vorher war ich mit den Nerven am Ende. Ich war unendlich müde. Es war mir, als könnte ich gar nicht genug schlafen. Um vier Uhr nachmittags hatte ich außer einem Kaffee und einer Kartoffelsuppe in der Kantine noch nichts zu mir genommen. Ich trank eine weitere Tasse schwarzen Kaffee, worauf mir noch elender wurde. Der Schweiß stand mir auf der Stirn.

„Hey, Ellie!" Katrin stand vor mir. „Was ist los, du bist weiß wie die Wand? Komm, leg dich auf den Boden!"

Es wurde Nacht vor meinen Augen. Katrin manövrierte mich in die Liegeposition und legte meine Füße auf einen Stuhl. Dann lief sie davon und holte Wasser. Innerhalb weniger Minuten standen alle um mich herum, einschließlich Daniel Schweizer.

„Frau Becker, brauchen Sie einen Arzt?"

„Nein. Ich brauche nur was zu Essen. Völlige Unterzuckerung."

Thorsten brachte mir Schokolade, Fabian ein nasses Handtuch für den Nacken. Es dauerte, bis ich wieder aufrecht sitzen konnte.

„Ich denke, Sie brauchen jetzt erst mal Ruhe, Frau Becker. Ich bringe Sie nach Hause", bot sich Schweizer an.

Nur der Form halber zeigte ich Widerstand. Ich sehnte mich wirklich nach meinem Bett.

Auf dem Weg zu meiner Wohnung hielt mir Daniel Schweizer einen Vortrag über die Work-Life-Balance: „Sie müssen ein bisschen auf sich achten, sonst tun Sie weder uns noch sich selbst einen Gefallen. Was machen wir, wenn Sie am Freitag krank sind, weil Sie sich so verausgabt haben? Dann steh ich ganz schön blöd da. Keiner kennt die Details so gut wie Sie."

„Geben Sie mir Zeit bis morgen Mittag, dann bin ich wieder auf den Beinen", versicherte ich ihm.

Ich brauchte nichts weiter als ein paar Stunden absolute Stille. Als ich im Bett lag, kreisten noch eine Weile Navigationszeilen und Redaktionsoberflächen vor meinen Augen, dann schlief ich ein.

Um fünf Uhr morgens war ich plötzlich hellwach. Mir war immer noch schlecht. Ich schob es auf die einsetzende Menstruation. Doch als ich auf die Toilette ging, zeigte sich keine Spur davon. Was war los mit mir?

Ich holte meinen Kalender aus der Tasche, legte mich damit wieder ins Bett, weil ich immer noch kaum stehen konnte, und zählte die Tage. Siebenunddreißig.

Der Groschen fiel langsam und laut.

Bis acht Uhr wälzte ich mich unruhig und ungläubig im Bett hin und her. Ja sicher, mir war übel. Schon seit ein paar Tagen, immer wenn ich einen leeren Magen hatte, doch ich hatte das schlichtweg ignoriert.

Als um acht Uhr dreißig die Apotheke in meiner Straße öffnete, war ich die erste Kundin. Zwanzig Minuten später hielt ich den vollzogenen Test in den Händen. Eindeutiger hätte er gar nicht ausfallen können.

Ich weiß nicht, wie lange ich im Badezimmer vor dem Klo lag und heulte. Das Leben hatte mir wieder einen Streich gespielt. Meine letzte Sünde sollte mir nicht verziehen werden. Ich verfluchte die Macht, die das entschieden hatte, die immer wieder zu entscheiden schien, dass mein Dasein ein Kampf sein sollte, während andere in Ruhe ihrer Bestimmung folgen konnten und mit Glück und Erfolg versorgt wurden.

„Warum immer ich!", brüllte ich die trübe Deckenlampe an.

Ich schleppte mich zum Telefon und meine Finger wählten wie ferngesteuert. Anrufbeantworter. Wo war er, der einzige Mensch, den ich in jeder Lebenslage überfallen konnte?

„Bitte melde dich schnell bei mir! Bitte! Es ist was passiert ..."

Eine halbe Stunde später hatte ich einen völlig atemlosen Joachim am Ohr. „Ellie, was ist mit dir?" Er hörte mich erst mal nur heulen.

„Sag mir, was los ist!", schrie er mich an.

„Ich bin schwanger!", schrie ich zurück.

Da verstummte er für lange Sekunden, bevor er ganz vorsichtig fragte: „Von wem um Himmels Willen?"

„Ich weiß es nicht", schluchzte ich.

„Wie bitte?"

„Joachim, wann haben wir das letzte Mal ...? Wann war das?"

„Länger her jedenfalls", wusste er.

„Bitte sags mir genau. Ganz genau!"

„Du warst vor zwei Wochen da. Aber nur einen Nachmittag. Davor hattest du diese München-Messe, das Wochenende davor hattest du zu viel zu tun und das davor hast du in Lorenz' Zimmer geschlafen und mich ausgesperrt. Nein, Ellie, da war schon länger keine Fortpflanzung mehr im Spiel. Leider. Wenn ich der Vater wäre, müsstest du mindestens im fünften Monat sein. Bist du schon so weit?"

„Nein. Es ist erst der zweite nach meiner Rechnung."

„Nächste Frage: War da irgendwann dazwischen mal diese Sache mit den Bienchen und den Blümchen ... du erinnerst dich, fünfte Klasse?"

„Scheiße, Joachim. Ich hatte was mit einem aus dem Management. Ich war total betrunken und der hat mich einfach mitgenommen in sein Bett. Das war in München im Hotel."

„Dann wissen wir ja jetzt, dass du nicht unbefleckt empfangen hast. Soll vorkommen. In deinem Alter hat man ein Kind schneller als ein Schnitzel, wie man im Badischen sagt."

Sein Kind

Gegen Mittag war ich unterwegs zur Arbeit und versuchte meinen verbleibenden Tag zu planen. Ich hatte nur noch wenige Stunden und morgen würde er dastehen. Er.

Der Mann lebte gefährlich. Ich hatte ihm geglaubt, dass er keine Kinder zeugen könne. Wie konnte er, der Experte für Risikomanagement, das Wagnis eingehen, eine Untergebene zu schwängern? Wie kopflos kann ein eigentlich besonnener Mann sein, wenn seine Beute vor ihm in der Falle liegt?

Um mich zu beruhigen, hatte ich gleich einen Termin bei einem Gynäkologen gemacht. Ich würde um einen Abbruch bitten und erklären, dass ich überrumpelt worden sei, dass ich diese Schwangerschaft nicht wolle und sie mir nicht leisten könne. Entschlossen blockierte ich im Geiste jegliche Formulierung meines Umstands, die das Wort Kind beinhaltete, denn ein Kind war etwas, das irgendwann ein Mensch sein würde. Ein Kind hatte eine Mutter und einen Vater. Was in mir passierte, hatte mit Muttersein nichts zu tun, es war eine Strafe für Gutgläubigkeit. Eine Ohrfeige dafür, dass ich mich verliebt hatte.

Gegen Abend, als ich bei Stromer in der Toilette vor dem Spiegel stand und in einer Endlosschleife meine Hände einseifte, sie abspülte, wieder einseifte und mich selbst dabei nicht aus den Augen ließ, hörte ich die Stimme meines Vaters: „Die Haut kriegt diesen Schimmer, die Formen werden gefälliger …" Er hatte recht gehabt. Ich sah anders aus, irgendwie gut. Weiblich potent. Gesegnet mit Leben.

Ich hatte etwas zustande gebracht, was vor mir noch keine Frau geschafft hatte: Ich war schwanger geworden von Theo Schmidt. Ich hatte zwar noch andere Joker im Ärmel, aber das hier war mein bester.

Am Freitag hatte ich Magenkrämpfe. Im Normalfall hätte ich ein paar Zigaretten geraucht, um mich zu beruhigen. Doch ich dachte an das Kind. Wenn es auch nicht leben würde, so würde es mich heute wappnen gegen die vermeintliche Allmacht des Theo Schmidt.

Nach seinem Eintreffen führte Daniel Schweizer ihn erst einmal herum und stellte ihm sein Team vor. Ich stand auf, als sie hereinkamen.

„Frau Becker ist die Projektleiterin", stellte er mich vor.

„Wir kennen uns schon", sagte Schmidt zur allseitigen Überraschung. „Wir haben uns in München auf der Messe unterhalten, als Sie die Kunden interviewt haben, erinnern Sie sich?"

Ein gewandter Dreh! Schließlich gab es Leute, auch hier in Frankfurt, die wussten, dass wir uns kannten.

„Ja, sicher", ich schaute ihm nur den nötigsten Sekundenbruchteil lang in die Augen und drückte seine Hand.

„Elisabeth Becker. Richtig?", bohrte er weiter.

„Richtig."

Der graue Zweireiher stand ihm nicht, das Sakko hing ihm formlos von den Schultern. Die Haare waren zu lang geworden und standen planlos vom Kopf ab. Der Grauanteil an dem ganzen Mann hatte zugenommen und die konstruierten Hinweise auf unser Kennenlernen machten seine Erscheinung noch unrunder. Du bist ein Fassadenkünstler, Theo Schmidt, dachte ich, und zwar ohne Talent, und ein feiger Spielchenspieler.

Dass es mir gelungen war, am Vortag noch die Datei präsentationsreif zu machen, gehört zu den Dingen, die ich mir heute nicht mehr erklären kann. Ich hatte sie Fabian am Abend nach Hause gemailt mit den Begleitzeilen: „Bitte in Ruhe durchschauen, eventuelle Änderungswünsche bis 9.00 Uhr morgens, damit ich sie noch umsetzen kann."

Fabian hatte keine Änderungen eingebracht. Stolz schritt er mit mir in den Konferenzraum, zehn Minuten zu früh, damit wir die Datei noch auf dem Projektor testen konnten.

Herr Schweizer mochte eine etwas schwammige Führungskraft sein, aber er war ein begnadeter Redner. Seine Einleitung hielt er betont sachlich, aber gleichzeitig spannungstreibend. Er warf die großen Herausforderungen in den Raum und reichte dann an mich weiter, um die Lösungen zu präsentieren. Wie immer war ich am Anfang viel zu nervös, mit flackernder Stimme und unsicherer Wortwahl. Doch dann trat der Wettbewerbs-Effekt aus meiner Kinderzeit ein. Ich blendete mein Umfeld aus und ließ mich von meinem eigenen Spiel mitreißen.

Irgendwann war Schmidt dran. Seine Fragen waren vorhersehbar. Joachim hatte mich auf alles vorbereitet. Um umfassend zu antworten, nahm ich Fabian einige seiner Punkte vorweg. Der wollte aber nicht zurückstehen und unterbrach mich forsch, um sich in technischen Ausführungen zu verlieren. Doch Schmidt war ein Marketingmann. Daher richtete er sich weiter an mich. Ich vernebelte ihn mit Begriffen wie visuelles Markenerlebnis, emotionales Nutzenversprechen, anwendungsorientierte Produktwelt, unmittelbare Kaufanimation. Damit entführte ich ihn in eine funktionierende Zukunft und ließ Erfolgsszenarien aufsteigen, die er am liebsten unmittelbar herbeiführen wollte. Es war, als hätte ich ihn auf einmal gänzlich in der Hand.

In mir keimte der Verdacht, dass seine Entscheidung, uns eine Chance für die Gesamtübernahme des konzernweiten Internetauftritts zu geben, nicht nur damit zu tun hatte, dass er sich meine Diskretion sichern wollte. Vielleicht hatte mein Plädoyer in der Hotelbar stärker gewirkt, als ich geahnt hatte, ungeachtet dessen, was danach passiert war.

Nun hätte ich mich also über meinen Erfolg freuen und das, was passiert war, als allzu menschlichen Fehltritt ad acta legen können. Wäre da nicht das Phänomen meines Zustandes gewesen.

Abends lief ich als Letzte aus dem Büro. Es war ein langer Weg zum Parkplatz. Nur die oberen Hierarchiestufen durften direkt vor dem Gebäude parken. Wir kleineren Angestellten mussten ganz außen rum laufen auf den Kiesplatz hinter der alten Fabrik. Mein blauer Golf stand verlassen ganz hinten. Als ich in Gedanken versunken über den Kies schlenderte und schon meinen Autoschlüssel in der rechten Hand drehte, sah ich plötzlich, wie sich mir von links ein Mann näherte. Schmidt.

„Hallo, Frau Becker … nicht erschrecken!"

Ich zuckte trotzdem zusammen.

„Darf ich Sie kurz sprechen?"

Ohne zu antworten, lief ich gehorsam hinter seinen zügigen Schritten her bis zu seinem Wagen, einem fetten schwarzen Benz, der am linken äußeren Rand geparkt war, und dem es nicht gelang, sich unauffällig ins Bild zu fügen. Theo Schmidt blickte sich noch mal auf dem Platz um, bevor er mich bat, einzusteigen.

Als wir beide drin saßen, bedeckte ich reflexartig meine Knie, die unter meinem blauen Kostümrock hervorschauten, mit den Händen.

„Einen ausgezeichneten Job haben Sie gemacht, Frau Becker! Gratuliere!", begann er.

„Danke."

„Herr Schweizer hat mir erzählt, wie tief Sie in den Details stecken. Er ist sehr froh, dass er so auf Sie zählen kann."

„Das freut mich." Mein Kopf war wie leergesaugt durch den Schock seines Auftauchens.

„Ich habe Ihre Rede noch im Ohr, neulich im Hotel. Sie hat mich neugierig gemacht", fuhr er fort.

Sein Aftershave, das in dem beigen, ledrigen Innenraum herumwaberte, machte mich schwindlig. Ich wollte raus, und zwar schnell. Komm zur Sache, Schmidt!

Da legte er die Hände auf das ledergesäumte Lenkrad und presste die Fäuste zusammen. Sein Blick wanderte zum linken Fenster hinaus und er murmelte: „Haben Sie mir verziehen, Elisabeth?"

Ich fing an zu zittern. „Nein", antwortete ich wahrheitsgemäß. „Ich hab nicht mal mir selbst verziehen."

Da blickte er mich endlich an. „Ich kann nur sagen, es tut mir selbst weh. Es ging mir erst am nächsten Morgen auf, wie unfair es von mir war, Ihnen nicht von vornherein zu sagen, dass ich mich keinesfalls auf eine Beziehung einlassen kann."

„Schon gut. Ich war ja selbst schuld. Ich hätte einfach nicht mehr zu Ihnen aufs Zimmer kommen dürfen. Aber ich war einsam."

„Ja. Ich kenne das." Und nach einer Pause: „Können wir die Sache vergessen und ganz entspannt zusammenarbeiten?"

„Ich werde mir Mühe geben", das kam zu wacklig und wenig überzeugend.

„Sehr gut. Und Sie haben nie darüber gesprochen, mit Freundinnen oder so?"

Hier drückte also der Schuh. Alles andere war nur eine Hinführung gewesen zu dieser Frage. Die ganze Abscheu, die ich bisher hinuntergeschluckt hatte, bäumte sich plötzlich in mir auf.

„Oh doch, ich habe unser ‚Intermezzo', wie Sie es so schön betitelt haben, lang und breit im Intranet abgehandelt!", erwiderte ich eine Spur zu theatralisch. „Was glauben Sie eigentlich, wie kurzsichtig ich bin!? Stellen Sie mir nie wieder diese Frage! Die Vergangenheit ist bereinigt, so wie Sie sich das wünschen. Leider gibt es da eine Kleinigkeit ..."

„Ist ja gut!", unterbrach er mich. Mein Ausbruch musste unerträglich für ihn gewesen sein. „Aber verstehen Sie mich: Ich muss sicher sein. Es wäre mein Untergang, wenn man mir ein Verhältnis mit einer Angestellten nachsagen würde. Ich glaube Ihnen ja, dass Sie integer sind. Und ich schulde Ihnen etwas. Ich werde mich für Ihr Fortkommen im Betrieb starkmachen. Nicht nur wegen dieser Geschichte, auch weil Sie wirklich Potenzial haben", betonte er mit Nachdruck.

Ich war so kurz davor gewesen, es auszusprechen, als er mir ins Wort fiel. Ich wollte ihm meine gesammelte Verzweiflung ins Gesicht schleudern. Stattdessen weinte ich, und das war für ihn wahrscheinlich noch weniger auszuhalten.

„Entschuldigung, aber ich muss jetzt raus hier." Ich riss die Beifahrertüre auf und stürzte aus dem Auto. Er hatte gerade seine Tür geöffnet, um mir nach zu gehen, als am Eingang des Parkplatzes eine Gestalt mit Aktentasche auftauchte. Schnell duckte er sich wieder in seinen Wagen. Ich rannte zu meinem Auto und blieb so lange weinend darin sitzen, bis ich seinen Schlitten vom Platz rollen sah.

Warum ließ ich diesen Feigling so leicht davonkommen?

„Ellie, du solltest dir überlegen, ob du das Kind nicht vielleicht doch bekommen willst", Joachim versuchte das beiläufig rüberzubringen. Dabei werkelte er an einem Kerzenstummel. An der typischen Unruhe seiner Hände erkannte ich, dass er die Dinge, so wie sie lagen, nicht belassen wollte. Es juckte ihn in seinen Programmierfingern. Er lehnte tief im Stuhl und seine langen Beine steckten unsortiert unterm Küchentisch. Die breitrandige Brille hatte er in seinen dunklen Haarschopf geschoben. „Du sagst, der Typ ist irgendein hohes Tier. Sag ihm, er soll zahlen und sich ansonsten verpissen."

„Sag mal ehrlich, Joachim, kennst du eine einzige Frau, die nicht verzweifelt in dieser Situation?", wollte ich wissen. „Die keinen Ärger hat mit den Alimenten, mit den Ämtern oder mit dem Arbeitgeber? Die nicht völlig am Arsch ist, weil sie den kleinen Quälgeist nie abgeben kann?"

„Ja, ich kenne eine. Meine Ex. Der geht's gut, die hat ja mich", klopfte er sich selbst auf die Schulter. „Natürlich sind Kinder ein tägliches Terrorpotenzial. Aber keine Kinder zu haben, ist noch viel trauriger. Du hast doch immer gesagt, dass du irgendwann mal eines willst? Warum nicht dieses? Ich könnte dir helfen."

Ich schüttelte den Kopf. „Du weißt, wie behindert ich mich anstelle mit Kindern. Ich bin doch selbst noch im Rohbau. Was soll ich einem Kind geben? In mir ist nur Chaos. Das arme Geschöpf würde das abkriegen! Ich kann erst Kinder kriegen, wenn ich weiß, wo mein Platz ist."

„Das weiß man nie, Ellie. Und wenn, dann weiß man's erst, wenn man welche hat."

Worauf wollte er hinaus? Wollte er mit mir gemeinsam dieses Wesen großziehen? Seit ich bei ihm ausgezogen war, hatte er keine feste Freundin mehr gehabt, allenfalls mal eine Bettgefährtin. Während wir noch zusammen gewohnt hatten, hatte er häufig von gemeinsamen Kindern gesprochen. Doch das Thema Familie war ein dunkler Fleck auf meiner Seele. Je häufiger er nachgefasst hatte, desto mehr Kontur hatte mein Ausbruchsplan bekommen.

Ich rief mir dieses sich zaghaft formende Wesen in Erinnerung, das, wie jetzt dieses Kind in mir langsam, ganz langsam gewachsen war damals, und irgendwann einen Namen bekommen hatte: Freiheit. An dem Tag, als ich mich in meiner Wohnung in Frankfurt auf meinem Flohmarktsofa ausgestreckt hatte und so stolz gewesen war, einen Job zu haben und einen eigenen Innenhof, dessen tröstliches Versprechen von Zuflucht ich nicht teilen musste, war ich ganz sicher gewesen, dass ich das Richtige getan hatte.

Genau wie damals spürte ich auch jetzt so einen unauffälligen Druck in meinem Brustraum und spürte ihn auch da, wo das Wesen in mir schwamm. Er schickte eine seltsame, minimal dosierte Einsicht in meine Blutbahn: Das hier will wahr werden.

Ruckartig sprang ich von Joachims Küchenstuhl auf, als müsste ich den letzten Gedanken abschütteln, und schnappte mir meine Tasche. „Ich fürchte, ich muss runter. Wie ist er drauf?“

„Och, wie immer.“ Joachim machte eine hoffnungslose Handbewegung.

Als ich in der unteren Wohnung vor meinem Apfelkuchen saß, überkam mich eine lange verlorene Sehnsucht nach meinem Vater, ausgelöst durch das Funkeln in seinen Augen, als er mir von seinem ersten Orchesterengagement bei der Dresdner Staatskapelle erzählte. Wo der Anspruch noch ein ganz anderer gewesen sei als heute hier im Westen. Man habe die ganz großen Solisten begleitet, sei im gesamten Ostblock unterwegs gewesen.

„Und was für eine lustige Truppe wir waren", schwärmte er. „Ich hab selten so trinkfeste Leute erlebt." Womit das Übel seinen Anfang genommen hat, dachte ich mir. Dennoch gefiel mir, wie ihn der Glanz dieser Erinnerung umgab. Und während ich sein ehemals so edel geschnittenes Gesicht betrachtete, wanderten meine Gedanken wieder zu Theo. Mein Vater war zehn Jahre älter als er, aber im gleichen Aufbau-Wahn aufgewachsen. Meinen Großeltern verdankten wir die Arbeitsbereitschaft der Ostbürger, Theos Eltern die Erfolgsgetriebenheit der Westler.

Die Beckers aus dem Osten wollten ihren einzigen Sohn was Ordentliches werden sehen: Mediziner oder Universitätsprofessor. Sie waren brave Bürger, fügten sich ins System, nur damit er alle Chancen haben würde. Sie drillten ihn auf Funktion. Früh schon mit der Geige, später mit strenger Überwachung seiner schulischen Arbeit, mit Verboten, Freizeitentzug und Schlägen. Doch Peter hatte irgendwann seine Seele an Satie und Brahms verloren und funktionierte nicht mehr nach Plan. Es war der Staat, der den jungen Mann in seiner Kunst förderte, denn er brauchte gute Orchestermusiker. Bis der Gefangene irgendwann sein Leben aufs Spiel setzte für die Freiheit.

Seine Geige rettete er mit hinüber, zusammen mit einer großen Hoffnung, im Westen zu einem Namen zu gelangen und geschätzt zu werden als Interpret und Bewahrer musikalischer Größe. Es gab diese Aufgabe im Westen aber nicht für Orchestergeiger aus dem Osten, sondern nur für die Absolventen der großen internationalen Konservatorien oder Abkömmlinge großer Musikerfamilien. Vor allem gab es in Theos Westen eine eingeschworene Elite und die bewegte das Land. Immer nach vorn. Im Deutsch der Eingeschworenen: Sie schuf Werte. Das war der Lebensinhalt der Wirtschaftswundertäter, den sie der Generation Theo überstülpten. Ich kannte Theos familiären Hintergrund nicht, aber eines war klar: Es war nicht Martina, die ihn so in Panik versetzt hatte, einen Fehler gemacht zu haben, der nicht mehr aus der Welt zu schaffen war. Es war ein noch tiefergreifender Komplex.

Wie konnte der Gedanke, eine harmlose kleine Angestellte könnte irgendwo herauslassen, dass er sie vernascht hatte, ihn so in Panik versetzen? Bekamen Männer wie Theo mit dem ersten Aufklärungsgespräch vom Vater eingeimpft, dass es nichts Abgründigeres und Verhängnisvolleres gebe, als ein Verhältnis mit einer Vertreterin unterer Gesellschaftsschichten? Wenn Theo sich für zeugungsunfähig hielt, brauchte er sich eigentlich nicht davor fürchten, dass ihm eine Geliebte und ihr Spross jahrzehntelang das Blut aus den Adern saugen würden.

Vier Worte und die wenigen Sekunden der Stille, die sie umgeben hatten, kamen mir immer wieder in den Sinn. Ich hatte ihn in mein Herz blicken lassen mit dem Eingeständnis: „Ich war einsam." Seine Reaktion: „Ja. Ich kenne das" war wie eine Anknüpfung an das gegenseitige Einfühlen, das wir doch so unvergesslich schon mal erlebt hatten. So konsequent der Mann mit sich und der Welt ins Gericht ging, er war ein verletzter, ewig auf Heilung hoffender Mensch genau wie ich.

Plötzlich sah ich die Notwendigkeit, Theo Schmidt wissen zu lassen, dass er nicht zeugungsunfähig war. Vielleicht würde er dann das Thema Familienplanung mit einer adäquateren Partnerin wieder aufnehmen.

Unterdessen ging mein Vater so intensiv in seinen musikalischen Träumen aus der Vergangenheit auf, dass er schließlich zu seiner Geige griff. Innerhalb eines Atemzugs erfüllte die schlichte, mitten ins Herz gerichtete Melodie von Satie, die er spielte, den Raum mit Wehmut. Zaghaft legte ich meine Hände auf meinen Unterleib und war sekundenlang erfüllt von dem Gedanken, dass das, was dort geschah, einem wunderbaren Glückszustand entsprungen war. Mein Vater genoss jeden der aus einer namenlosen Ewigkeit herbeischwebenden Halbtöne und zog sie so lang, bis sie dem folgenden Klang gerade noch ausreichend Raum ließen.

Anschließend sog er tief die Luft ein und sagte: „Ellie, du solltest auch wieder spielen. Du bist so sorgenvoll. Du hast die Fähigkeit verloren, aus der Versenkung in die Welt zu blicken."

„Und du solltest auch mehr spielen, Papa. Spiel, anstatt zu trinken!“

„Ich trinke nicht, Ellie. Trinken ist was anderes. Ich genieße nur.“

„Von wegen wie immer.“ Ich lief mit Joachim zum Tierpark, um den sonnigen Nachmittag mit einem Cappuccino zu feiern. „Peter ist ganz abgehoben. Er geigt, was das Zeug hält, und empfindet sich als Lebensgenießer. Das war heute mal eine ganz andere Nummer als sonst.“

„Das kann nur an dir gelegen haben, Ellie. Dein Vater ist ein sensibler Mensch und hat bestimmt gespürt, dass er auf irgendetwas Großes, das im Raum lag, eine Antwort geben musste.“

Joachim und ich beließen es nicht bei der einen Station an diesem Abend. Wir ließen uns durch die Nacht treiben. Wir begegneten ein paar Bekannten und überließen sie ihrer Verwirrung über unsere Beziehungslage, tanzten uns die Füße und Seelen wund und rauchten Gras, denn Alkohol war mir untersagt. Nachts in seinem Bett hatten wir himmlischen Sex. Ich versuchte dabei nicht in die Erinnerung abzurutschen, die mir Tag und Nacht noch auf der Haut klebte. Doch es war kaum zu verhindern. Ich schlief mit Joachims Körper und mit Theos Geist.

Als ich am Sonntagnachmittag zu Hause in Frankfurt war, setzte ich mich so entspannt wie möglich auf mein Sofa, legte mir einen Schreibblock auf die Knie, erspürte ein paar geglättete Wogen in mir und schrieb einen Brief an Theo Schmidt:

> *Lieber Herr Schmidt,*
>
> *es tut mir sehr leid, dass ich eine Angelegenheit, die Sie gerne aus der Welt wüssten, noch mal zum Thema machen muss. Ich habe lange darüber nachgedacht und kam zu dem Schluss, dass Sie wissen sollten, dass Sie einem Irrtum erliegen: Sie sind durchaus in der Lage, ein Kind zu zeugen. Nur leider hat sich*

dies in einer Situation offenbart, in der Sie das nicht erfreulich finden werden.

Es ist mir leider nicht möglich, ein Kind alleine aufzuziehen. Ich bin sicher, dass Sie ein anständiger Mensch sind und Ihren Teil beitragen würden, doch auch dann bliebe meine Lage einfach zu schwierig. Es gibt viele ungelöste Probleme in meinem Leben. So muss ich ein Mitglied meiner Familie finanziell unterstützen, und wenn ich nicht arbeiten kann, fehlen mir die Sicherheiten. Das Schlimmste für mich wäre eine Abhängigkeit von anderen.

Es ist eine sehr schwere Entscheidung, mit der ich Sie eigentlich nicht belästigen wollte, denn ich weiß, Sie haben schon zu viele Baustellen. Doch weil es Ihr Kind ist, fühlt es sich nicht richtig an, einfach zu handeln, ohne Sie zu informieren.

Ich überlasse es Ihnen, zu entscheiden, ob Sie mir für den bevorstehenden Eingriff Unterstützung anbieten möchten. Im Notfall schaffe ich das alleine. Unten finden Sie meine private Nummer, falls Sie mit mir Kontakt aufnehmen möchten.

Auf meine Diskretion können Sie sich weiterhin verlassen, ebenso wie auf meinen vollen Einsatz für Stromer.

Freundliche Grüße,

Elisabeth Becker

Als ich fertig war, war mir klar, dass ich diese Zeilen ans Universum geschrieben hatte. Aber allein die Fantasie, dass sie vielleicht über den Kosmos zu ihrem Adressaten finden würden, beruhigte mich und gab mir den Mut, den Abbruch der Schwangerschaft in die Wege zu leiten, damit das Leben weitergehen konnte. Das Leben, dem ich mit diesem Brief an Theo Schmidt eine Verwurzelung im Boden der Tatsachen verpasst hatte. Was ein Chaos in mir gewesen war, stand geschrieben. Ich versorgte meinen Vater. Das musste ich nicht verbergen. Ich wollte nicht abhängig sein. Das sollte die Welt wissen.

Der Gynäkologe, den ich blind aus dem Branchenverzeichnis ausgewählt hatte, war ein weißhaariger, hagerer Mann Mitte fünfzig. Als ich sagte, ich glaubte schwanger zu sein, antwortete er, das hätten schon viele geglaubt. „Ich glaube das erst, wenn ich es sehe", sagte er.

Erstaunlicherweise bangte ich in den Momenten, als er mit dem Ultraschallgerät in mir zugange war, um die Wahrheit dessen, was ich als gesichert betrachtet hatte. Doch es dauerte nicht lange, da stellte er fest: „Oh ja, da haben wir ja den Nachwuchs. Schauen Sie her, ist schon alles dran. Achte Woche."

Und es war tatsächlich ein Mensch. Mir schossen die Tränen in die Augen. Sein Dasein war nicht zu übersehen. Ich spürte das gigantische Ausmaß dieser Realität. Zwar hatte ich die Existenz dieses Wesens schon schriftlich für seinen Erzeuger niedergelegt, doch jetzt schienen mir meine wenigen Zeilen nicht mal im Ansatz der Wahrheit gerecht zu werden, die sich da auf dem Bildschirm präsentierte, wenn auch nur als Schatten.

„Sie sind nicht glücklich mit Ihrer Schwangerschaft, wie ich vermute", folgerte Dr. Penker aus meinen Tränen.

„Ich bin alleinstehend und die Schwangerschaft war nicht geplant."

Er fackelte nicht lange: „Sie denken an einen Abbruch?"

Ich nickte.

„Dann haben Sie genau vier Wochen Zeit. Je früher, desto besser. Ich muss Sie allerdings erst zu pro familia schicken. Ich würde vorschlagen, Sie nehmen sich zwei Wochen Zeit, um darüber nachzudenken. Sprechen Sie mit Ihren Eltern, mit Freunden, mit den Beratern. Vielleicht findet sich ja eine Lösung. Denken Sie auch über eine Adoption nach. Es gibt viele Menschen, die sich nach dem sehnen, was Ihnen hier passiert ist."

Der Weg, der vor ein paar Tagen noch so klar abgesteckt gewesen war, war plötzlich viel schwerer geworden. Was da in mir geschah, hatte allein durch das visuelle Erlebnis eine ganz neue Dimension bekommen und mir kam es vollkommen unglaublich vor, dass ich allein über Leben und Tod entscheiden sollte.

Doch mit wem sollte ich sprechen?

Joachims Meinung kannte ich. Meine Mutter würde sich über meine Kopflosigkeit aufregen: „Du bist genauso wie dein Vater!" Mein Vater würde sentimental von den Zeiten erzählen, als er seine Kinder bekommen hatte, ohne das Drama auch nur im Ansatz zu umreißen.

Tags drauf ging ich zu meinem Chef, Daniel Schweizer.

Der nächste Schmidt

Was danach passierte, weiß ich nur aus Erzählungen. Schweizer war am Montag in Stuttgart zu diversen Meetings. Theo Schmidt nahm ihn beiseite, um sich nach dem Stand des Internet-Projektes zu erkundigen. Es waren noch gut zweieinhalb Wochen bis zur Vorstandspräsentation. Schweizer beruhigte ihn, wir lägen gut in der Zeit. Daraufhin muss ihn Schmidt auf die zukünftige Entwicklung „seiner Frau Becker" angesprochen haben. Ob er sich vorstellen könne, mich dauerhaft als Verantwortliche für die digitalen Medien des Unternehmens abzustellen und meine anderen Aufgaben, wie beispielsweise die Aktivitäten für Radicula, anderweitig zu verteilen.

Herr Schweizer zögerte mit seiner Antwort, was Schmidt sehr wunderte, da mir mein Chef ansonsten immer volle Rückendeckung gegeben hatte. „Es gibt da eine persönliche Sache im Leben von Frau Becker, die muss ich erst abwarten. Es kann sein, dass sie uns für eine Weile verlassen muss. Natürlich erst nach dem Launch der neuen Internetseite."

Schmidt war über diese Aussage noch mehr erstaunt und muss über das angemessene Maß hinaus nachgebohrt haben, was mit mir los sei. Mein Chef, korrekt wie er ist, hielt sich bedeckt.

Doch Daniel Schweizer hatte eine lange Heimfahrt im Stau vor sich, in der er in Ruhe über das seltsam aktive Interesse des Vorstandes Schmidt an Ellie Becker nachdenken konnte – bis zu dem Aha-Moment, in dem sich verschiedene Puzzleteile zu einem überraschenden, aber stimmigen Bild zusammenfügten.

Am Dienstagmorgen klingelte mein Apparat und Schweizer rief mich in sein Büro. Ich merkte gleich, dass er nervös war und mit sich rang, ob er anbringen sollte, was er anbringen wollte. Den Ellenbogen auf der Armlehne seines Stuhls, die Schläfe leicht auf die Finger gestützt, in der anderen Hand einen Stift drehend, blickte er mir mit schräg gelegtem Kopf in die Augen.

„Frau Becker, ich stelle Ihnen jetzt ein paar Fragen. Ich möchte, dass Sie mir bitte einfach die Wahrheit sagen."

„Natürlich", versicherte ich. Wahrheit war momentan meine Spezialität.

„Der Vater Ihres Kindes – ist er in diesem Unternehmen tätig?"

„Ja."

„Hier oder in Stuttgart?"

„Stuttgart."

„Wo haben Sie ihn getroffen?"

„In München auf der Messe."

In diesem Moment wusste ich, was er wusste. „Hat er mit Ihnen gesprochen?", fragte ich aus meiner Verwirrung heraus, ohne lange zu überlegen.

„Wer?", fragte Schweizer.

„Er."

„Wer ist er, Frau Becker? Sagen Sie es mir. Ich denke, ich weiß es schon."

Unter meiner Bluse rann mir der Schweiß über den Körper. „Ich kann es nicht sagen, Herr Schweizer. Ich habe mein Wort gegeben."

„Ist es ein Herr aus der Vorstandsetage?"

„Sie wissen es."

Er schwieg einen Moment.

„Ich habe ihn gestern getroffen", sagte er dann. „Er hat sich ein bisschen zu auffällig nach Ihnen erkundigt. Irgendwann habe ich eins und eins zusammengezählt … und heraus kam drei. Sie müssen es ihm sagen. Er wird sich seiner Verantwortung stellen. Er ist ein feiner Mensch."

Da musste ich lachen. „Jaja, seine feine Art, die habe ich kennengelernt."

Herr Schweizer schüttelte den Kopf in anhaltender Ungläubigkeit. Doch letztendlich waren wir uns einig, dass Schmidt die Wahrheit erfahren musste. Ich erzählte meinem Chef von dem Brief. Daraufhin recherchierte er Schmidts Privatadresse in Mosbach, einem Städtchen in der Nähe von Heilbronn. Schmidt hatte ihm mal erzählt, dass er dort ein altes Haus gekauft habe. Daniel Schweizer blieb mir gegenüber sitzen, bis ich das Kuvert beschriftet hatte.

„Ab in die Post damit. Und dann an die Arbeit!"

Es lag ein großer Trost, aber auch eine unerträgliche Ungewissheit in dem Bewusstsein, dass Theo es jetzt wusste. Unweigerlich kam auch das Warten auf eine Reaktion. Es stellte sich ab Mittwochabend ein. Das stumme Telefon war derart aufsässig, dass ich es mied, indem ich am Donnerstagabend nach der Arbeit nicht nach Hause fuhr. Ich ging in ein chinesisches Restaurant in der Innenstadt, danach schlenderte ich am Mainufer entlang, bis meine Füße nicht mehr wollten.

Am Freitag rief ich meinen Vater an, um ihm für Samstag abzusagen. Ich sagte ihm, mir gehe es nicht gut, ich müsse mal einen Tag im Bett bleiben.

„Du tust zu wenig für deinen Körper!", gab er den Besorgten. „Bestimmt hast du schon lange keinen Sport mehr getrieben. Da hat man keine Abwehrkräfte. Sei nicht so bequem. Geh regelmäßig laufen oder schwimmen! Ich hab mein Leben lang immer Sport gemacht. Und selbst jetzt in meinem Alter ..." Das Anpreisen seiner sportlichen Disziplin ging noch eine Weile so weiter und ich hielt den Hörer weg vom Ohr.

Ich versuchte zu lesen, spülte Geschirr, räumte Schränke um, staubte meine Möbel ab und hätte auch mal saugen müssen, doch der Staubsauger war zu laut. Ich hätte das Klingeln des Telefons nicht mehr gehört. Um kurz nach zehn ging der Frust mit mir durch. Ich streifte mir meine engste Jeans über und ein tief ausgeschnittenes, dunkelblaues Shirt, das meine neue, stolze Oberweite betonte, schminkte mich mit besonderer Hingabe und verließ die Wohnung.

In meiner Lieblingskneipe gab es samstagabends Livemusik. Ich konnte völlig anonym im Publikum stehen, meine Einsamkeit verbergen und verdrängen. Als ich mit ein paar Studenten ins Gespräch kam, sagte ich, ich hätte meine Begleitung verloren, und tanzte mich mit ihnen durch die Nacht.

Das eine Glas Wein, das ich trank, bekam mir nicht, die vier Männer schauten mir immer wieder auf meine üppige Brust und die zwei Frauen wollten mich loswerden. Morgens um vier schlich ich mich aufs Klo und nahm dann, ohne mich zu verabschieden, ein Taxi nach Hause. Der Grund, warum ich normalerweise sofort einschlief nach meinen Eskapaden, war die Dröhnung in meiner Blutbahn. Heute war es die Erschöpfung und die glückliche Ahnung, dass ich jetzt befreit war von dem Verlangen, mich betrinken zu müssen. Ich hatte einen anderen, seligeren Inhalt, der mich festhielt, bevor ich im Abgrund der Belanglosigkeit versank.

Am Morgen hörte ich im Tiefschlaf das Telefon klingeln. Ich sah Schmidt vor meinem inneren Auge, einen Hörer in der Hand haltend. Doch ich war wie gelähmt und schlief weiter bis mittags. Dann kochte ich mir schwarzen Tee und machte Rühreier, zog mich hübsch an, als hätte ich eine Verabredung, setzte mich mit einem Buch auf die Couch und wartete.

Gefühlte Stunden später beschloss ich, damit aufzuhören. Es war ihm offensichtlich egal. Warum sollte es auch anders sein? Es war ja tatsächlich egal, auch mir. Erst weinte ich, dann begrüßte ich mein zukünftiges Leben. Ich würde besser auf mich Acht geben, Sport treiben, mehr aus mir machen, mir einen Mann in meinem Alter suchen, mit ihm eine Work-Life-Balance haben und eine Partnerschaft, in der ich mich beruflich entfalten konnte, und Kinder natürlich. Als schließlich das Telefon klingelte und ich mich meldete, bewegte ich mich schon mitten in dieser sinngeschwängerten Zukunft, in der ich bald zu Hause sein würde.

„Hier ist Theo Schmidt." – „Wie geht es Ihnen?", fragte er in die Stille, die ich unfähig war zu füllen.

„Nicht gut", antwortete ich ohne jegliche Kraft in der Stimme und kauerte mich mit dem Hörer auf den Boden.

Er erklärte: „Ich habe Ihren Brief erst gestern bekommen, ich war unterwegs. Und ich muss zugeben, das hat mich umgehauen..."

„Mich auch."

„Glauben Sie mir, ich hatte keine Ahnung, dass es auch nur eine geringe Chance gibt, dass das passiert. Ich habe fünfzehn Jahre lang alles versucht, um mit meiner Frau ein Kind zu bekommen. Da bei ihr alles in Ordnung schien, war klar, dass es an mir liegt. Sind Sie absolut sicher, dass ich der Vater bin?"

„Absolut."

„Ich kann das kaum glauben ..."

„Wissen Sie was, Herr Doktor Schmidt: Es ist auch nicht wichtig. Ich habe Sie aufgeklärt, damit Sie über Ihre Zeugungsfähigkeit Bescheid wissen, es könnte ja noch andere treffen. Alles Weitere ist mein Problem. Wenn Sie mir nicht glauben, dann ist das schade für Sie ..."

„Ellie, langsam. Ich habe nicht gesagt, dass ich Ihnen nicht glaube, Sie verstehen mich falsch. Ich bin nur völlig perplex. Was machen wir denn jetzt? Können wir uns treffen?"

„Wozu?"

„Ich würde gerne alle Möglichkeiten besprechen."

„Es gibt da nicht so viele."

„Zwei Leute sehen immer mehr Möglichkeiten als einer allein. Das haben Sie selbst mir erst kürzlich bewiesen. Ich habe Sie Ihren Standpunkt einbringen lassen und Sie haben mir Wege aufgezeigt, die mir noch nicht bewusst waren. Geben Sie mir jetzt einfach die gleiche Chance."

„Ich würde sagen, das sind zwei nicht vergleichbare Lebensbereiche", warf ich ein.

„Ellie", beschwor er mich. „Es schadet nichts, zu reden. Ich lade Sie zum Abendessen ein, nächsten Freitag. Bis dahin unternehmen Sie bitte nichts. Sie haben ja ganz richtig geschrieben, dass Sie mich einbeziehen sollten."

Hier war der Stratege am Werk, der einen Stufenplan vor mir auslegte, um eine finale Entscheidungssicherheit herbeizuführen. Ich ließ mich darauf ein. Wir vereinbarten, dass ich mich nächsten Freitag nach der Arbeit in einen Zug setzen würde, um nach Heidelberg zu fahren. Dort würde er mich vom Bahnhof abholen.

Meine Arbeit erlaubte mir kaum Denkpausen. Wir standen unter Druck. Schmidt verlangte, dass alles möglichst weit ausgearbeitet sein sollte, um seine Vorstandskollegen nicht zur Kritik einzuladen.

Der Zeitplan für die Umsetzung war straff, in wenigen Monaten war der Online-Gang geplant. Wir tüftelten am Redaktionskonzept, an Such- und Dialogfunktionen, bis uns nichts mehr einfiel, was man besser machen könnte. Die Lösung des gestalterischen Teils lag noch vor uns. Es lief der Countdown: Am dreizehnten November würden Daniel Schweizer und ich nach Stuttgart fahren zur Präsentation, bis dahin blieben nur vier Arbeitstage. Wir mussten noch sämtliche Powerpointfolien aufbauen und waren mit dem Screendesign noch nicht mal im Ansatz zufrieden. Und das, während ich eigentlich 24 Stunden am Tag darüber nachdenken wollte, wie ich auf welches Verhalten und welche Manipulationsversuche von Theo Schmidt reagieren würde, wenn ich ihm am Freitag gegenübersitzen würde.

Theo hatte mir einen Zug um sechs Uhr rausgesucht und mir über Schweizer ein Zugticket geschickt. Ich sollte mich nicht mit dem Auto durch den Freitagabendverkehr aus der Stadt quälen müssen. Mein Chef legte mir das Kuvert im Vorbeigehen unauffällig auf den Schreibtisch und murmelte: „Stecken Sie es gleich ein."

Ich erwartete nichts Gutes von diesem Treffen. Er würde versuchen, mir meine Schritte zu diktieren, als würde ihm mein Zustand das Recht dazu geben. Er würde meine Entscheidungsfähigkeit infrage stellen, als wäre ich nicht mündig, meine eigenen Pläne zu machen. Als mein Zug in den Heidelberger Bahnhof rollte, hatte sich meine Vorahnung in Kampfgeist verwandelt. Ich war auf alles vorbereitet, nur nicht auf das, was kam.

Er hatte angekündigt, mich auf dem Gleis abzuholen, doch ich konnte ihn nirgends entdecken und bewegte mich mit dem Strom der Menschen in Richtung Ausgang. Da hörte ich ihn meinen Vornamen rufen. Er kam von hinten und fasste mich am Arm. Ich hatte ihn übersehen, doch das war kein Wunder. Er trug Jeans, Poloshirt und Lederjacke. Geduscht, gekämmt und so ausgesucht lässig und froh gesinnt, wie er vor mir stand, fragte ich mich, wo er die Zeit gestohlen hatte, sich so sorgfältig frisch zu machen.

Wir beide merkten sofort, dass zwei gegensätzliche Stimmungslagen aufeinanderprallten.

Er schaute mich besorgt an: „Geht's Ihnen nicht gut, Ellie?"

Ganz Beschützer legte er mir eine Hand auf den Rücken und schob mich aus dem Gewimmel.

Es war ein längerer Weg zum Parkplatz. Theo Schmidt befragte mich kurz zu meinem Tag und zur Fahrt und hielt sich ansonsten zurück. Ich bemerkte etwas Erstaunliches: Er war unsicher. Galant öffnete er mir die Autotür und da saß ich wieder auf dem scheußlich hellen Leder.

Als er sich schließlich hinterm Steuer sitzend zu mir wandte, meinte er vorsichtig: „Ich glaube, wir müssen Sie erst mal aufheitern, Ellie."

„Viel Glück dabei", sagte ich.

„Sagen wir wieder du?", fragte er, während er ausparkte.

Da konnte ich mir ein Lächeln nicht verkneifen. „Langsam wird's kompliziert."

„Schön, dich kennenzulernen, Ellie. Willst du was essen?"

Es war ihm mit ein paar Worten gelungen, eine Vertrautheit zwischen uns herzustellen, in der ich mich aufgehoben fühlte. Wir schlichen von Ampel zu Ampel hinaus aus der Heidelberger Innenstadt und ich registrierte, wie ich in der Stille zwischen uns ruhig wurde.

Menschen zu Fuß, auf dem Fahrrad, in der Straßenbahn, im Auto rannten und rollten kreuz und quer vor uns durch die Lichterwut auf ihrem Weg in den Feierabend, wo sie ausspannen würden, wo sie für diejenigen da sein würden, die sie brauchten, und die jetzt auf sie warteten. Ihre Eile hatte etwas Verheißungsvolles.

„Ich war beim Arzt", sagte Theo in meine Gedankenwanderung hinein. „Ich wollte es genau wissen, die Sache mit meiner Fruchtbarkeit."

„Du hast mir also nicht geglaubt", stellte ich fest.

„Doch. Aber ich wollte eine wissenschaftliche Erklärung."

„Und wie lautet sie?", wollte ich wissen.

„Dass du so jung bist", sagte er schmunzelnd. „Der Urologe sagt, die Wahrscheinlichkeit, dass ich ein Kind zeuge, ist zwar gering, aber sie ist vorhanden, am ehesten mit einer jungen Frau im zeugungsfreudigsten Alter. Alles in allem, sagt er, wäre es aber ein Wunder, angesichts der Tatsache, dass wir nur eine Nacht zusammen waren."

„Nach meiner Erinnerung haben wir der Fortpflanzung in dieser Nacht mehr als nur eine Chance gegeben", gab ich zu bedenken.

„Ich habe das nicht vergessen, Ellie."

Sobald wir uns in dem von ihm gewählten kleinen Lokal auf einer Eckbank niedergelassen hatten, legte ich das Ultraschallbild unseres Kindes auf den Tisch. Er wechselte die Brille, um es genauer anzuschauen. Ich beobachtete, wie er alle Informationen darauf genauestens las: Datum, Schwangerschaftswoche, meinen Namen, die Maße des Embryos. Und er studierte das Wesen genau so verblüfft wie ich das in den letzten Tagen immer wieder getan hatte. Er sah den Menschen, der daraus werden wollte. Er sah sich selbst und seine Geschichte, und mich mit all den Unbekannten. Er sah einen eigenständigen Willen, den es vor unserer Begegnung nicht gegeben hatte, dessen Größe alles damit zu tun hatte, oder vielleicht auch gar nichts, vielleicht war er sogar größer. All dies las er aus der unscharfen Silhouette dieses bauchigen, fischartigen Lebens wie ein Laser aus einem Barcode.

Ich hörte, wie ergriffen er war, als er fragte: „Darf ich das behalten?“

Wir wählten beide das gleiche Gericht aus der Karte, als die Bedienung plötzlich mit dem Block vor uns auftauchte. Eine lange Weile saßen wir uns stumm schräg gegenüber, unsere Hände keine drei Zentimeter voneinander entfernt auf dem Tisch liegend. Mir war entsetzlich heiß und ich haderte mit der Erkenntnis, dass es keinen Platz auf der Welt gab, der mir lieber war, als der hier bei ihm.

Kein herablassendes Lächeln spielte um seine Lippen, und ich sah auch keine Anzeichen des herausfordernden Blicks, mit dem er Gesprächspartner gerne aus der Reserve lockte, damit sie ihm mehr Angriffsfläche boten. Seine hohe Stirn zeigte keine seiner Managerfalten. Keine Maske, kein Taktieren. Konnte ich ihm trauen?

So oder so, ich musste etwas klarstellen: „Du solltest wissen, ich habe Herrn Schweizer lediglich gesagt, dass ich schwanger bin. Nicht von wem. Er ist selbst drauf gekommen. Dann hat er mich ermutigt, den Brief abzuschicken. Sonst hätte ich es wahrscheinlich niemals getan.“

„Ich bin ihm dankbar“, sagte Theo, gar nicht erstaunt. Und schließlich: „Wir dürfen das nicht ungeschehen machen, Ellie.“

„Du kennst meine Situation nicht. Ohne mein geregeltes Einkommen geht mein Vater vor die Hunde“, erwiderte ich. „Vor drei Jahren bin ich aus einem Leben voller Abhängigkeiten geflohen. Ich habe es endlich geschafft, frei zu sein, trotz allem, was mir anhängt.“

„Bist du denn glücklich?“, stellte er die falsche Frage.

„Ich glaube, ich war auf keinem schlechten Weg.“

Bevor er weiter fragen konnte, gab ich ihm einen knappen, unverstellten Einblick in meine familiäre Lage: Vater und Mutter geschieden, die Familie in zwei Teile zerbrochen, die sich aus dem Weg gingen, Mutter wieder verheiratet und wieder getrennt, Vater krank und arbeitsunfähig.

Dann lenkte ich das Gespräch um: „Erzähl mir von Elisabeth, deiner Mutter."

„Sie wurde Liesel genannt", erzählte er. „Leider ist sie zu früh gestorben. Sie war grade mal sechzig. Brustkrebs."

Ohne weiteres Nachhaken meinerseits kam er auf seinen Vater Albrecht Schmidt. Dieser hatte wiederum von seinem Vater einen mittelgroßen Betrieb übernommen und ihn zum weltweit operierenden High-Tech-Unternehmen ausgebaut. Was noch zu Großvaters Zeiten als Watte und Vliesstoffe an weiterverarbeitende Industriezweige in Süddeutschland vertrieben worden war, wurde unter Albrecht Schmidt zu einem umfassenden Programm an Textilverbundstoffen und Dämm-materialien für die unterschiedlichsten internationalen Märkte ausgebaut, von der Autoindustrie über den Maschinen- und Hausbau bis zum Hygiene- und Haushaltsbedarf. Als Schmidt Senior starb, waren über tausend Mitarbeiter an mehreren Standorten beschäftigt. Die Zentrale war in Heilbronn.

Ich hörte wenig Enthusiasmus aus Theos Stimme und wartete schon auf eine unglückliche Wendung in der Unternehmensgeschichte, doch er sagte, der Firma gehe es bis heute ausgezeichnet. Der Vater habe sie vor seinem Tod vor acht Jahren zu drei gleichen Teilen an seine Zwillingssöhne und deren jüngere Schwester überschrieben. Lothar und Theo hätten versucht, sich die Unternehmensführung aufzuteilen. Die Schwester habe kleine Kinder gehabt und wenig Interesse an einer aktiven Teilhaberschaft.

„Es war gegen alle Vernunft, aber Lothar und ich konnten zwei Jahre nach dem Tod unseres Vaters die Tatsache nicht mehr verleugnen, dass wir nicht zusammenarbeiten können. Einer musste gehen."

Theo hatte einen Geschäftsführer an seiner Stelle eingesetzt und von nun an seine Fähigkeiten bei Stromer eingebracht.

„Bist du denn glücklich?", schoss ich ihm sein eigenes Geschoss wieder um die Ohren.

„Ich bin noch nicht fertig", kam als Antwort.

Beide Brüder, sowohl Lothar als auch Theo, hatten keine Kinder. Lothar war seit über zwanzig Jahren verheiratet, doch die Ehe blieb ohne Nachwuchs, trotz allerhand Therapien. Gleiches hatte sich bei Theo und seiner Frau abgespielt, von der er jetzt seit vier Jahren geschieden war. Ein Arzt hatte bei beiden Brüdern die gleiche schlechte Samenqualität festgestellt. Es lag nahe, dass die Mutter in der Schwangerschaft ein schädliches Verhalten an den Tag gelegt hatte. Liesel hatte geraucht. Der Kindersegen, der im Doppelpack daherkam, der Mann unter geschäftlichem Dauerdruck, damals noch unter dem scharfen Auge des Gründers, quasi nie anwesend und ohne Sinn für das, was seine wachsende Familie an Nähe von ihm gebraucht hätte - mit all dem hatte sie fertig werden müssen, und das Nikotin hatte ihr dabei geholfen.

Die Schmidt-Werke würden also in zwanzig bis dreißig Jahren an die drei Töchter von Charlotte übergehen. Deren Vater war ein Schmarotzer, der für seine Oldtimer-Sammlung und allerlei andere Spinnereien das Erbe seiner Frau anzapfte. Ich stellte mir die desolate Situation vor: die zwei zerstrittenen Brüder, die jüngere Schwester, die wenig Geschäftssinn an den Tag legt, und ihr Spaßvogel von Mann, der irgendwann über die drei Mädchen seinen Einfluss auf die Geschicke des Unternehmens Schmidt ausüben würde; mit einem verstärkten Interesse an regelmäßigen Ausschüttungen.

„Hier kommst du ins Spiel. Und dieses Wunder hier", schloss er seine Schilderung und deutete auf den Computerausdruck mit dem Schattengebilde.

„Und nun ist dein lange ersehntes Kind ausgerechnet in einer Blitzaffäre entstanden, die du am liebsten ungeschehen machen würdest. Das ist wirklich pure Ironie. Bringst du mich zum Bahnhof, Theo? Es ist schon fast elf. Der letzte Zug fährt bald."

Da stellte er nun endlich eine Berührung unserer Hände her.

„Keine Angst, ich bring dich nach Hause. Und du tust mir unrecht. Ich bereue nichts."

Wir fuhren auf der Autobahn in Richtung Frankfurt und mir ging seine Geschichte durch den Kopf. Theo schleppte eine ähnliche Trauer um seine Familie mit sich herum wie ich, diesen tief im Magen liegenden Kloß, der immer wieder Hoffnungslosigkeit in die Adern abgibt. Er fuhr langsam und auf der rechten Spur. Es war mir klar, dass er das sonst nie tat. Sein Luxusschiff glitt fast lautlos über den Asphalt, bis er an einer Raststätte anhielt, um Cola zu kaufen. Mir brachte er einen Vitaminsaft mit der Anmerkung: „Gut für dich".

Er machte keine Anstalten wieder loszufahren. Ich beschwerte mich nicht. Die blinde Nacht, die stumme Zeit, all das Unausgesprochene zwischen uns waren so mächtig und dicht, dass ich atemlos wartete, was nun damit geschehen würde.

„Ich habe Tag und Nacht an dich gedacht. Seit München. Jede Stunde." Sein sonst so volles Organ war hinunter gedimmt zu einem Hauchen. Ich spürte, wie sich auf meinen Schenkeln die Härchen aufstellten. „Ich weiß, ich habe überreagiert am Morgen danach. Aber ich hatte Angst vor meinen Gefühlen und vor dieser anrüchigen Situation: ich, der alternde Vorgesetzte, du, die blutjunge, bildhübsche Angestellte. Ich habe schon so viele Menschen ihr Leben ruinieren sehen, weil sie sich völlig kopflos verknallt haben. Ich dachte, jetzt bin ich dran. Jetzt passiert mir genau das. Diese Machtlosigkeit war für mich unerträglich."

Ich konnte grade noch sagen „Das tut mir leid", da war er schon mit seinem Oberkörper in meine Richtung unterwegs, um sein Geständnis mit einem Kuss zu zelebrieren. Und trotz der ungläubigen Zittrigkeit in meinen Gliedern wusste ich in diesem Moment, dass ich mein Glück nicht mehr in meiner Freiheit suchen würde.

Teil 3

Karlsruhe, August 2003

Engel im Sinkflug

Meine Jungs spielen friedlich unter dem Küchentisch. Aus der alten Legokiste von Lorenz scheint die Spannung nicht zu versiegen. Joachim ist in den Supermarkt gefahren. Er könne uns ja nicht verhungern lassen, hat er mir vom Türrahmen aus erklärt. Ich liege in Lorenz' Bett. Der kleine Kilian kam vorhin rein, hüpfte zu mir hoch und hielt mir ein Gefährt mit drei Rädern und gelbem Kopf vor die Nase: „Hab ein Fahlad debaut!" Müde streichelte ich ihm über seine samtweiche Wange.

„Bist du krank, Mama?"

Ich nickte. Zurück in der Küche meldete er seinem großen Bruder: „Mama ist noch krank." Und schon war es wieder das Selbstverständlichste der Welt, dass Mama in einem fremden Bett lag und sich nicht mehr rühren wollte.

Herausgerissen aus meiner Trance spüre ich die Kälte meiner Knochen, die kantige Helligkeit des Fensters, die Starre meiner Glieder, das Fehlen jeglichen Inhalts, die Fehler, die ich an meinen Kindern begehe. Den Hass meines Mannes, der mich hässlich macht. Die Abscheu. Sie hat keine Richtung und keine Herkunft. Die Trauer. Sie ist zu schwer, um jemals wieder aufzustehen.

Irgendwann werden sie laut, die beiden. Darius haut. Hoffentlich hat er nichts Hartes in der Hand. Kilian kreischt und haut brutal zurück. Der darauf folgende Ausbruch seines Bruders lässt vermuten, dass jetzt Blut fließt. Gerade noch rechtzeitig, bevor ich dazwischengehen muss, dreht sich ein Schlüssel im Schloss der Wohnungstür. Joachim schleppt Tüten in Richtung Küche. Ich höre ihn vor meiner Türe kurz stehen bleiben und reinschauen. Dann dröhnt seine Stimme durch den Gang: „Hey, ihr zwei! Hier wird nicht geschlägert!"

Ich überlasse ihm mein kaputtes Dasein und lasse die plappernden Stimmen zu Brei verschwimmen. Abtauchen. Man lernt das als geplagtes Kind. Du kannst die Augen zumachen und dich davonstehlen. Du nimmst dir einen glücklichen Gedanken, knüpfst von dort aus eine Geschichte an, die tiefer in die versunkene Welt führt. Man kann das üben, bis man sich sogar das Gefühl und die Koordinaten einer bestimmten Stufe merken kann und sich direkt aus der Gegenwart dort hin beamen, sobald man nur wenige Sekunden dem grausamen Echtmoment entfliehen kann. Ich hatte schon geglaubt, das verlernt zu haben. Doch jetzt beherrsche ich diese rettende Praxis wieder so gut wie eh und je. Als Joachim meine Kinder erfolgreich beschworen und sich der Kriegsschauplatz wieder in eine Spaßzone verwandelt hat, bin ich schon wieder an der Stelle, wo ich meinen Traum von Liebe das letzte Mal verlassen habe.

Wir liegen uns in den Armen. Er sagt mir, wie wunderbar ich bin, ich sage ihm, wie glücklich ich bin, wenn er bei mir ist. Es ist Ende Oktober 1998. Unsere erste gemeinsame Nacht im Mosbacher Haus. Ich habe keine Angst, er könnte mich am nächsten Tag wieder zurückschicken, ich habe ja sein Kind. Diesmal streichelt er nicht nur mich, er bewegt seine Hand lange über meinen Bauch. Er ist fasziniert von dem, was mit uns geschehen ist.

Als er früh am Morgen aufsteht, sagt er: „Schlaf weiter, Ellie. Ich hol uns nur Frühstück" und kommt zu mir zurück. Bis zum Nachmittag tun wir nichts anderes, als uns zu lieben.

Wie entzückt ich damals war von den kleinen Zimmerchen in seinem Haus und den darin kreuz und quer über die Wände verlaufenden dunklen Balken. Theo zeigte mir sein Arbeitszimmer mit dem alten Sekretär. An der Decke zeichnete sich die steile Treppe ab. Über diese ging es nach oben zu zwei Schlafzimmern. Ein weiteres Zimmer hatte er zum großen Bad umgebaut, ganz aus Naturstein, mit einem kleinen Holzofen.

„Wenn man hier richtig einheizt, wird das Ganze zur Sauna", erklärte er stolz. Doch es ging noch weiter hinauf in einen ehemaligen Speicher. Vom Wohnzimmer aus hatte ich schon gesehen, dass man von dort oben hinunterschauen konnte auf das gemütliche Büchermeer um den Kamin herum, wo dichte Regale die Wände bedeckten.

„Jetzt kommt mein Lieblingsplatz", kündigte er an und stieg vor mir her die Holztreppe hoch und durch die Luke hindurch.

Dort oben war das Ambiente weit moderner. Das verglaste Chrom-Geländer vertrat um die Luke herum und entlang der Galerie die Idee der geradlinigen Eleganz. Die schwarze Ledergarnitur war eher ein Statement als ein Sitzplatz. Dem Couchtisch stand seine gläserne Leere gut. Die wenigen Bücher und Zeitschriften lagen auf einem Beistelltischchen. Und dann das Wichtigste: der schwarze Steinway-Flügel. Ich schlug die Hand vor den Mund.

„Spielst du?", wollte ich wissen, ungläubig, dass wir hier eine Parallele haben könnten.

„Hier und da. Ich hab früher ein bisschen Jazz gespielt. Aus diesen Zeiten stammt dieses Instrument. Ich könnte mich niemals davon trennen."

„Ist der gestimmt?"

„Ja, gestimmt ist er. Aber er müsste mal generalüberholt werden. Ein paar Töne sind dumpf."

„Spielst du mir was vor?"

„Später vielleicht", vertröstete er mich. „Da muss ich erst ein paar Gläser Wein trinken."

Ich klappte den Deckel nach oben und streichelte sanft die Tasten. Wie verheißungsvoll dieser Anblick war. Wie viele Geheimnisse darin lagen. Wie viele entlegene Welten ich an diesen Tasten erforscht hatte, wie ich sie immer wieder zu enträtseln versucht hatte. Nie war ich dahintergekommen, ob sie mir oder ich ihnen das Überirdische einer Melodie entlockte.

Was würde ich jetzt tun, wenn er mich fragen würde: „Spielst du?"

Doch er fragte nicht. Stattdessen forderte er mich auf: „Hau ruhig mal rein, das braucht er ab und zu."

„Später vielleicht."

Als ich aufstand, entdeckte ich neben seiner Anlage ein CD-Regal und schaute es durch: Jazz- und Pop aus den Siebzigern, Elton John, Leonhard Cohen und noch ein paar andere Größen aus der gleichen Ära. Erst bei näherem Hinsehen fand ich sie alle, meine Seelentröster: Debussy, Chopin, Satie, Schubert, Gershwin.

„Ich weiß nicht, ob ich habe, was dir gefällt, aber leg ruhig was auf, Ellie. Ich habe auch Boxen im Wohnzimmer unten."

„Später vielleicht."

Wir stiegen wieder nach unten.

Es regnete den ganzen Tag. Wir saßen vor dem Kamin und Theo erzählte mir detailverliebt, wie er dieses Haus gefunden und gekauft hatte, damals als er noch mit Veronika verheiratet war. Auch von seiner Finca in Spanien erzählte er mir. Das war sein Hobby. Er liebte alte Häuser. Seine ganze Freizeit ging darin auf. Er machte sich nichts aus Golf oder Tennis. Lieber arbeitete er selbst auf seinen Baustellen, das war Sport genug. Nach der Scheidung hatte er Veronika die Villa in Stuttgart überlassen, hatte sein denkmalgeschütztes Refugium originalgetreu ausgebaut und war eingezogen. Veronika lebte noch im ehemals gemeinsamen Haus.

„Ich koche uns was. Was schmeckt dir?", fragte er gegen Abend.

Als ich ihm erzählte, dass die Legende von den sauren Gurken wohl stimme und ich, seit ich schwanger war, von allem, was sauer und salzig ist, träumte, stieg er in seinen Keller und kam mit ein paar Gefrierbeuteln und Einmachgläsern wieder hoch. Dann fing er an, in seiner Küche zu werkeln und trank ein Glas Rotwein nebenher. Ich konnte ihn vom Kamin aus durch das Theken-Fenster beobachten. Er stellte das Gebläse über seinem Gasherd an. Als das Getöse laut genug war, stieg ich leise und vorsichtig ganz nach oben.

Ich spürte meinen Vater im Raum. „Du musst wieder spielen, Ellie. Vergiss deine Sorgen", hörte ich ihn sagen. War es meine oder seine Sehnsucht, die um mich herum aufzog? Aus tiefer Vergangenheit wehte sie daher, meine Lieblings-Arabeske von Debussy, entführte mich aus meinem Denken und steuerte meine Finger wie von selbst über die Tasten. In der Wölbung des

Dachstuhls breitete sich der Klang aus, solide und klar wie in einer Kirche. Die Verbindung meines Körpers zu meinem Bewusstsein löste sich auf. Ich spürte nur noch die Erkenntnis in mir, dass diese Musik nichts und niemanden braucht, nicht mal Zuhörer, um mehr Wahrheit in sich zu tragen, als der Mensch begreifen kann. So spielte ich eine Weile losgelöst von Raum und Zeit. Doch die Erkenntnis meiner Unzulänglichkeit traf mich gegen Ende des dritten Teils, nach dem Fortissimo, als das Thema wiederholt werden sollte. Plötzlich fühlte ich mich wie bei meinem letzten Wettbewerb, als der Fluss meiner rechten Hand durch zu viel Furcht vor kleinen Vergreifern holprig geworden war und ich die Verzweiflung meines Vaters im Nacken gespürt hatte. Damals hatte ich weitergespielt gegen die Sperrigkeit meines zweitklassigen Vortrags, mit letzter Kraft. Jetzt ließ ich die schweren Hände und den wirbelnden Kopf sinken. Durch die Stille um mich herum wehte das Phänomen des Klangs. Es atmete leise.

Als ich aufstand, sah ich Theo auf der obersten Treppenstufe sitzen und mich beobachten. Er zog mich zu sich hinunter und ließ mich in der Wärme seiner Umarmung zur Ruhe kommen.

„Ich habe noch nie jemanden so spielen gehört", flüsterte er. Dann lachte er aufmunternd: „Kann es sein, dass du ein Engel bist?"

Meine Vorträge gehörten von nun an zu unseren Wochenenden. Theo freute sich, dass unser Kind schon im Mutterleib so intelligenzfördernd beschallt wurde. Damit ich regelmäßig üben konnte, trug er mir ein elektrisches Klavier in meine Frankfurter Wohnung und einen riesigen Stapel Noten dazu.

Meine Seele gewann Raum in meinem Leben. Mein Vater hatte recht gehabt. Ich konnte wieder schweben. Doch nicht nur die Musik, auch die neue Liebe und die plötzlich erwachte Freude auf mein Kind nebelten mich ein in einer romantischen Wolke. Ich verlor zeitweise die Fähigkeit, meinen Arbeitsalltag effizient zu gestalten. Wertvolle Minuten, die sich am Ende des Tages erschreckend summierten, verbrachte ich mit sehnsuchtsvollen Gedanken an Theo, an unsere in hypnotische Melodien getauchten Stunden und an unser Kind als die Vollendung ewiger Glückseligkeit.

Wenn ich freitagabends ins Mosbacher Haus kam, war Theo nicht da. Er traf sich mit Franck, seinem Geschäftsführer. Es wurde immer spät und er hatte mit Franck schon gegessen, wenn er schließlich heimkam. Dann fiel er in seinen Sessel und bat mich, Klavier zu spielen, um ihn zu den schönen Dingen zurückzuführen. Ich wagte meist nicht zu fragen, was ihn so aufgemischt hatte, merkte aber, dass meine Musik und ich ihm guttaten.

Einen Abend fand er gar keine Ruhe, lief erst im Kreis und schaltete dann den Fernseher in seinem Arbeitszimmer ein. Dann nahm er sich ein paar Papiere von seinem Schreibtisch und blätterte sie durch, ohne wirklich draufzuschauen. Schließlich setzte er sich zu mir vor den Kamin, ein Glas Cognac in der Hand. Dabei blieb er stumm und abwesend.

„Was ist passiert, Theo?"

„Nichts. Nur der übliche Ärger."

„Sprich darüber."

„Ich will dich nicht auch noch belasten, Ellie."

„Das tust du aber schon, Theo. Da kannst du mir gleich davon erzählen."

Er stöhnte erst, schüttelte den Kopf und prophezeite dann, dass sein Bruder den Betrieb auf Dauer ruinieren werde.

„Viele unserer langjährigen Leistungsträger haben schon innerlich gekündigt. Er fordert die Leute dazu auf, meine Entscheidungen zu ignorieren. Sie wissen nicht mehr, wem sie verpflichtet sind, ihm oder mir."

Er wirkte aufgekratzt wie von einer Überdosis Koffein und gleichzeitig seltsam leer.

Ich hatte inzwischen verstanden, dass seine Überzeugung, der Untergang der Firma Schmidt würde das Ende des Universums sein, sich tief in seiner Seele breitmachte, dort, wo sein Vater sie eingepflanzt hatte, dort, wo sie den meisten Schaden anrichten konnte. Sie verbreitete ein Klima des Misstrauens gegen seine Mitmenschen, das er nicht mal mit seinem Verstand entschärfen konnte.

Manchmal ging es mit ihm durch und ich ließ ihn schimpfen. Er pickte sich eine Begebenheit heraus und baute sie zu einem Komplex aus, der die Gesamtordnung bedrohte. Dabei machte er auch vor seiner geliebten Schwester Charlotte nicht halt: „Jetzt haben sie und ihr Mann tatsächlich der ahnungslosen Anna eingeredet, dass sie Wirtschaftsingenieurwesen studieren soll", lamentierte er. „Als hätte das Mädel auch nur einen blassen Schimmer von Technologie. Sicher haben sie das arme Ding schon als Betriebsleiterin im Auge. Na ja, das Studium wird sie niemals durchziehen. Man muss sich nur den Vater anschauen. Wenn diese Art von Aufschneider bei Schmidt Einzug hält, dann Gute Nacht."

Im Kern von Theos Grundpessimismus in Bezug auf andere Menschen sitzt die Überzeugung von der eigenen Überlegenheit. Aus seinen Erzählungen wurde mir klar, dass er diese von seinem Vater geerbt hat, vermutlich auch von seinem Großvater. Sie hatten so Weittragendes geschaffen, die eigene Macht war so omnipräsent in ihrem Dasein, dass ihr Größenwahn eine logische Folge war. Theo hat ihr Erbe angenommen. Lothar leider auch. So hat die Natur mit der Idee einer Zwillingsgeburt die Familientradition der Alleinherrschaft ad absurdum geführt.

Während ich mich nach immer mehr Sex verzehrte, brauchte Theo eher mehr Zärtlichkeit, als hätte er sein Leben lang darauf gewartet. Wenn wir schließlich in unserem warmen, erwartungsfrohen Kosmos lagen, dauerte es nicht lange und seine Anspannung ließ nach.

Termingerecht vor Beginn meines Mutterschutzes launchten wir den neuen Stromer-Internetauftritt. Ich zog nach Mosbach und hielt von dort aus Kontakt zum Team. Mithilfe von Joachim, der

Probleme schnell und zuverlässig löste, blieb die Lage immer überschaubar.

Ich genoss es, tagsüber alleine zu sein. Ab Anfang Juni fuhr ich nicht mehr nach Karlsruhe. Theo hielt das für zu riskant. Plötzlich war ein Tag wie der andere. Das Fehlen aufreibender Ereignisse empfand ich als luxuriösen neuen Zustand.

Als mir eines nachmittags beim Teekochen plötzlich warmes Wasser die Beine hinunterlief, dauerte es eine Weile, bis mir klar wurde, was passierte, so träge war mein Geist geworden. Ich setzte mich an meinen kleinen antiken Schreibtisch in unserem Schlafzimmer und schrieb in mein Tagebuch: „Es gibt kein Zurück. Dieser neue Mensch kommt zur Welt und wird bis zu meinem Lebensende ein Teil von mir bleiben. Und ich kann mir nicht mal sein Gesicht vorstellen."

Innerhalb einer knappen Stunde raste Theo von Stuttgart nach Mosbach. Bis dahin hatte ich eine Handvoll Sachen gepackt, darunter den geschlechtsneutralen roten Strampler, den Theo erst vor ein paar Tagen mitgebracht hatte, und ein paar winzig kleine weiße Hemdchen von Charlottes Mädchen. Theo hatte schon auf der Fahrt von Stuttgart in der Klinik in Heilbronn angerufen. Wir wurden dort erwartet. Doch ich hatte keine Wehen, und die Fruchtblase war nur angerissen. Es werde noch zwölf bis vierundzwanzig Stunden dauern, sagte Dr. Braune. Er wollte mich einweisen, doch ich konnte mir die lange Nacht im Krankenhausbett nicht vorstellen. Auf unser Bitten hin ließ uns der Doktor heimgehen. Für die nächsten Stunden genoss ich den Frieden und die Stille unseres Heims in Theos Armen.

Die Wehen kamen erst am frühen Nachmittag des nächsten Tages. Theo und ich kamen ruhig und gefasst im Kreißsaal an. Kurz bevor die Presswehen einsetzten, telefonierte er noch mit seiner Schwester und gab ihr durch, was der Wehenschreiber sagte.

Das kleine Geschöpf machte nicht mehr Probleme als nötig. Das Erste, was ich sah, als es vor mir lag, waren die dunkel bewimperten, schräg verlaufenden Augen und die olivfarbene Haut meines Vaters.

„Glückwunsch zum Sohn." Dr. Braune drückte uns beiden förmlich die Hand, während die Hebamme den Kleinen versorgte. „Er scheint mir rundum gesund und munter."

„Er ist ein Prachtkerl!", rief Theo aus, und nahm ihn strahlend vor Stolz entgegen.

Ich konnte es nicht erwarten, ihn zu halten, doch die Hebamme drückte mir einen Telefonhörer in die Hand: „Ich glaube, das ist Ihr Vater."

Ich blickte auf die Uhr über der Tür. Es war nach sieben. Konnte er noch nüchtern sein?

„Papa, er ist da! Er sieht dir ähnlich. Er ist wunderschön." Mir liefen die Tränen über die Wangen.

„Oh, ich bin so froh!", jubelte er. „Ich habe Charlotte angerufen. Ich hab es nicht ausgehalten, zu warten."

Mein Vater hatte den Geburtstermin seines Enkels nicht vergessen. Ich nahm meinen Sohn in den Arm und war der glücklichste Mensch.

Vom ersten Tag an hatte ich eine tiefe Bindung zu Darius. Schon nach wenigen Wochen hielten seine winzigen Händchen mich immer irgendwo fest, am Ärmel, am Kragen, am Finger, an den Haaren. Ich küsste und drückte ihn unaufhörlich. Mein Sohn erfüllte meine Sehnsucht nach körperlicher Nähe so gründlich, dass ich den Austausch von Zärtlichkeit mit Theo sträflich vernachlässigte. Ich war verzückt von ihm, aber auch von meiner Liebe zu ihm, die so erfüllend und zweifelsfrei war, wie noch nichts zuvor in meinem Leben.

Als Darius ein halbes Jahr alt war, ermöglichte Charlotte es mir, zweimal in der Woche nach Frankfurt zu fahren. Mit ihrem späten dritten Kind hatte sie sichergestellt, dass sie auch in ihren Vierzigern guten Gewissens bleiben konnte, wo sie am liebsten war: im warmen Nest. Dort war auch mein Kleiner immer willkommen und glücklich.

Obwohl sie selbst ihre Kinder niemals einer anderen Betreuung überlassen hatte, ermutigte sie mich, mich um meine Karriere zu kümmern. Theo bezahlte sie für ihre Zeit. Das lehnte sie zunächst ab, doch er ließ sich nicht umstimmen. Charlottes Mann betonte bei jedem Treffen, dass seine Frau keinen vernünftigen Job in der Firma annehmen könne, weil sie ja Kindermädchen spielen müsse. Dabei wusste jeder, dass es für Charlotte das Schlimmste gewesen wäre, sich regelmäßig auf den Familienkriegsschauplatz begeben zu müssen. Sie hatte von ihrer Mutter gelernt, ihr Stück Freiheit dort zu genießen, wo ihr keiner reinreden konnte.

Alle kamen gerne zu Charlotte und liebten ihre immer dampfende Küche. Wenn ich ihr früh morgens den schlafenden Darius brachte, drückte sie mir einen heißen Milchkaffee in die Hand. Als ich schließlich aufbrach, gab sie mir eine Ermutigung mit auf den Weg: „Lass dich von meinem Bruder nicht nervös machen, Ellie. Du machst alles goldrichtig mit deinem Sohn. Vertrau deiner inneren Stimme." Und was ich umso erstaunlicher fand: „Konzentrier dich auf deine Arbeit. Darius geht es gut bei mir, mach dir keine Gedanken. Was diese testosterongesteuerte Familie jetzt endlich braucht, sind unabhängige Frauen. Also tu es für mich."

Oft beneidete ich Darius, dass er in ihrer verständnisvollen Aura bleiben durfte, in ihren liebenden Armen, die für alle Familienmitglieder immer ausgebreitet waren und sie einluden, alles andere loszulassen, völlig unabhängig davon, auf welcher Seite der Frontlinie sie standen.

Und magischerweise schienen die Fronten aufzuweichen. Mit seinem sonnigen Wesen und seinem glucksenden Lachen versetzte Darius die gesamte Erwachsenenwelt in Glückszustände. Er liebte einfach alle, die sich ihm zuwandten, Lothar und Iris eingeschlossen. An Theos und Lothars fünfzigstem Geburtstag war er neun Monate alt und das Zentrum der Aufmerksamkeit einer Großfamilie, die sich nach einem vollen Jahrzehnt zum ersten Mal wieder versammelt hatte. Plötzlich war da ein Gefühl der Zusammengehörigkeit und Zuversicht.

Als sich Darius' erster Geburtstag näherte, tüftelte ich einen Plan aus, wie ich vier Tage in der Woche in Frankfurt arbeiten konnte, ohne zu lange von ihm getrennt zu sein, und ohne jeden Tag hin und her zu fahren. Montagmorgens würde ich ihn mitnehmen. Mithilfe der Stromer-Personalchefin fand ich einen Platz in einer Kindertagesstätte für zwei Tage in der Woche. Außerdem mietete ich ein Pensionszimmer. Am Dienstag nach der Arbeit würden Darius und ich heimfahren nach Mosbach. Am Mittwoch früh würde ich ihn wieder zu Charlotte bringen, wo er bleiben würde, bis ich ihn am Donnerstagabend wieder abholte.

Theo war nicht begeistert. Wie sollte unser Sohn die permanent wechselnden Bezugspersonen und Schlafstätten verarbeiten? Doch er hatte mir ja sein Wort gegeben, dass er mir helfen würde, in meinem Job zu bleiben. Und so mussten wir eben alle flexibel sein, einschließlich Theo.

„Bleib auf deinem eigenen Weg, Ellie. Sonst verheizen sie dich auch noch irgendwann in den Schmidt-Werken", befreite mich Charlotte von meinen Gewissensbissen.

Anfang Juli, zwei Wochen bevor mein neues Arbeitsmodell starten sollte, heirateten wir. Theo arrangierte eine traumhaft entspannte Hochzeit.

„Es soll um uns drei gehen. Nicht um die Außenwelt", sagte er, und steckte seinen detailverliebten Kopf in die Vorbereitungen. Ich liebte diese werkelnde, von dinglicher Schönheit beseelte Seite an ihm.

Eine mit bunter Blütenpracht geschmückte Kutsche holte uns ab. Theo hielt seinen Sohn im Arm, der das festlich dekorierte Pferd anhimmelte und dessen Hoppelbewegungen imitierte. Unsere Fahrt auf dem Kopfsteinpflaster der Innenstadt war gesäumt von staunenden Passanten und vor dem Standesamt von unseren Hochzeitsgästen. Erst als die Trauungszeremonie begann, gab Theo den Kleinen in Charlottes Arme ab. Wir gaben uns das Ja-Wort aus innigster Überzeugung und küssten uns lange. Wir führten ja schon eine wunderbare Ehe. Abends gaben wir eine kleine Feier im engsten Kreis. Familie und Freunde verteilten sich in unserem Wohnzimmer, der Küche und ganz oben um den Flügel herum, der von Theo und meinem Vater schräg aber mitreißend bespielt wurde.

Theo und ich tranken beide viel, aber es war ja unser Freudentag. Unsere Hochzeitsnacht war ein Fest der Leidenschaft. Wie beim ersten Mal wachten wir eng umschlungen um fünf Uhr morgens auf und liebten uns weiter. Als wir anschließend wieder schlafen wollten, musste ich plötzlich aufspringen und schaffte es gerade noch ins Bad, um mich zu übergeben. Theo grinste, als ich wiederkam.

„Wirst halt auch älter, Ellie. Irgendwann steckt der Körper nicht mehr alles weg."

Aber die Übelkeit verließ mich tagelang nicht mehr und irgendwie kam sie mir bekannt vor.

Die Erste, der ich es erzählte, war Charlotte. Es war der Mittwochmorgen unseres neuen Plans. Sie drückte mir meinen Milchkaffee in die Hand und ich sagte: „Danke, aber ich krieg grade keinen Kaffee hinunter."

„Was ist los mit dir? Zu viel Aufregung?", wollte sie wissen.

Als ich losheulte, nahm sie mich in die Arme. „Oh, Ellie, das darf doch nicht wahr sein. Weiß er's schon?"

Ich schüttelte den Kopf.

„Und du freust dich nicht? Kein bisschen? Wo es doch das Beste ist für Darius."

„Ich komme mir vor wie ein Spargel, der ans Licht will. Immer wenn ich gerade den Kopf aus der Erde strecke, haut ihn mir einer wieder runter. Ich werde es niemals schaffen, meinen eigenen Weg zu gehen. Nicht mit zwei Kindern."

„Wir schaffen das, Ellie", sagte Charlotte.

Wie der kleinen Miriam die immer bereitstehenden Notfalltropfen flößte sie mir Zuversicht ein.

Kilians Kampf

Am Sonntagmorgen wachte ich um halb sechs auf und konnte nicht mehr schlafen. Von Darius war noch nichts zu hören. Er schlief ebenso friedlich wie sein Vater. Ich hatte Denkzeit.

Meine Mutter hatte mir einmal erzählt, wie unvorbereitet sie gewesen war, als sie entdeckt hatte, dass ich unterwegs war. Wie ich ihre Welt auf den Kopf gestellt hätte mit meinem Daherkommen. Claudius war damals gerade in den Kindergarten gekommen, sie leitete ein Café unweit vom Bahnhof und liebte ihr Refugium. Mein Vater konnte Claudius am Nachmittag betreuen, bis sie abends heimkam, bevor er zu seinen Auftritten musste. Alles hatte sich gut zusammengefügt in ihrem Puzzle. Doch dann kam ein neues Teil hinzu, wo eigentlich nichts gefehlt hatte. Meine Eltern wären damals ohne mich besser klargekommen. Vielleicht hätten sie Claudius nicht verloren und wären zusammengeblieben.

Wo hätte ich gefehlt? Für Joachim war ich ein Lebensabschnitt gewesen, in den er viel investiert hatte, bei dem aber nichts als Schmerz für ihn herausgekommen war. Daniel Schweizer hätte einen anderen Antreiber seines müden Teams gefunden. Stromer wäre Marktführer geworden, mit oder ohne „meine" Internetseite. Auch das Zusammentreffen mit Theo hätte nicht sein müssen, schließlich hätte er es damals am liebsten rückwirkend gestrichen. Doch hier endeten interessanterweise die Zweifel am Sinn meiner Existenz. Theo brauchte mich. Er war sich gar nicht bewusst gewesen, wie gefährlich der Zustand war, in den er sich hineingearbeitet hatte, bevor ich in sein Leben trat: Jede seiner Handlungen hatte ein Ziel. Jeder Mensch hatte einen Betrag auf der Stirn geschrieben, den man mit ihm erwirtschaften konnte. Was nicht unmittelbar Vermehrung und Wachstum diente, kam ihm überflüssig vor. Für seine Hobbys nahm er sich immer weniger Zeit. Wenn er sich dann doch mal einer schönen Arbeit widmete, war es ihm wichtig, dass sie wertschöpfend war.

Wäre dieser Raubzug immer so weitergegangen, wäre Theo irgendwann am Ende gewesen. Bei mir und Darius war er glücklicher als je zuvor. Das Kind riss ihn ins volle Leben mit seinem strahlenden Wesen, das man nicht an sich vorbei wackeln lassen konnte, ohne entzückt aufzuspringen und es an sich zu drücken. Einfach nur aus reiner Freude am Sein.

Unser zweites Kind war zwar das Puzzleteil, das gar nicht fehlte, und es würde unsere gesamte Dynamik verändern. Aber ich spürte wieder diesen Willen, den wir gezeugt hatten, und gegen den meine eigenen Pläne unbedeutend waren.

„Hallo, Hübsche, du bist ja schon wach", begrüßte mich Theo glücklich. „Was ist mit unserem Kind? Schon was gehört von ihm?"

Ich schüttelte den Kopf: „Darius hat Anweisung, noch ein bisschen zu schlafen. Wir zwei haben was zu bereden, du und ich."

„Oho. Hat das Zeit, bis wir beide einen Kaffee in der Hand halten?"

Ich bestellte Tee statt Kaffee und Theo stieg nach unten in die Küche. Als wir mit dampfenden Tassen nebeneinander lagen und aus dem Nebenzimmer immer noch kein Quäklaut kam, sagte ich: „Es gibt eine Überraschung. Du darfst raten."

Theo kam vom Hundertsten ins Tausendste: Ellie steigt bei Stromer zur Abteilungsleiterin auf. Darius kann ein neues Wort. Peter Becker hat eine Lebenspartnerin gefunden. Charlotte ist wieder schwanger. Ich schüttelte anhaltend den Kopf.

„Ist es denn so abwegig? Wer außer Charlotte könnte denn schwanger sein, Theo?"

Entgeistert starrte er mich an: „Unmöglich, Ellie! Ich bin fünfzig Jahre alt, latent unfruchtbar und du hast doch höllisch aufgepasst!"

„Wir hätten es wissen müssen, Theo. Ich glaube, wir beide sind einfach die geballte Zeugungskraft."

Den ganzen Sonntag lang schwebten wir auf Wolke sieben. Der einzige Wermutstropfen war der Gedanke, dass Darius unsere Liebe bald würde teilen müssen. Dafür hätte er eine kleine Schwester zum Ärgern und Beschützen. Denn jetzt würden wir eine Tochter bekommen.

Das Programm, das ich mir vorgenommen hatte, zog ich durch. In den sieben Monaten bis zu meinem Mutterschutz fehlte ich nicht einen einzigen Tag bei Stromer. Ich hatte einen straffen Plan und arbeitete gegen die Zeit, gegen das Wachstum meines Kindes im Bauch.

Wenn ich montagabends mit Darius in unserem Pensionszimmer in Frankfurt übernachtete, stellte ich mir vor, wie es gewesen wäre, wenn ich ihn alleine bekommen hätte, ohne Theo. Ich hätte einen Gefährten gehabt in meinem Sohn, wäre nicht mehr einsam gewesen. Wir beide kuschelten uns im Bett aneinander, blätterten in Kinderbüchern und alberten herum, bevor wir einschliefen. In meiner verwunschenen Verschmelzung mit meinem Kind war ich mir sicher, dass wir das auch ohne Vater geschafft hätten. Diese Einsicht half mir gegen die Angst vor dem, was auf mich zukam.

Abends nahm ich Darius mit in ein Bistro zum Essen. Er liebte dort die Nudeln mit Käse und war fast immer fröhlich und gut zu haben.

Joachim hatte es sich zur Gewohnheit gemacht, montagmorgens an der Teambesprechung teilzunehmen und dann den Tag in Frankfurt zu verbringen, um andere Kunden zu besuchen. Bevor er abends wieder zurückfuhr nach Karlsruhe, aß er mit uns zu Abend. Dann hatte er ein kleines Buch oder Auto für Darius zum Spielen dabei. Wurde der Kleine unleidig in seinem Kinderstuhl, nahm Joachim ihn auf den Schoß, damit ich weiter wild gestikulierend meine Strategien für unser Projekt vor ihm ausbreiten konnte.

Einmal rief Theo gerade an, als wir mitten in der Diskussion waren, und wollte wissen, wie unser Tag gelaufen war.

„Kann ich dich in einer halben Stunde zurückrufen? Ich bin gerade mit einer Kollegin beim Essen." Als ich diese Lüge ausgesprochen hatte, schlug ich mir mit der Hand vor den Mund und wunderte mich über meine eigene Kaltschnäuzigkeit.

Joachim schüttelte ungläubig den Kopf. „Ganz schön verwegen, Ellie", sagte er, nachdem ich aufgelegt hatte.

„Das Problem ist, dass er die Situation nicht verstehen würde", erklärte ich. „Warum soll ich unsere Ehe belasten?"

„Du musst wissen, was du tust", sagte er.

Ich wollte darüber nicht nachdenken, genoss meine kleine Freiheit und nahm mir vor, mein Pendlerdasein auch mit zwei Kindern wieder aufzunehmen. Warum sollte das nicht auch funktionieren?

Mein zweites Kind beschwerte sich über meine mangelnde Hingabe an sein Heranwachsen mit heftigen Tritten und machte mit überschnellem Wachstum auf sich aufmerksam. Vor allem sein Kopf war im achten Monat schon so groß und schwer, dass der Arzt eine mögliche Sturzgeburt nicht ausschließen wollte und mir den Muttermund zunähte. Wie bei der ersten Schwangerschaft hatte ich dem Frauenarzt gesagt, dass mein Mann und ich uns vom Geschlecht überraschen lassen wollten. Doch als Doktor Braune im Urlaub war, verquatschte sich seine Vertretung angesichts der regen Aktivität des Embryos: „Stellen Sie sich drauf ein, dass Ihr Sohn ein ausgeprägtes Temperament hat."

Ich weinte den ganzen Abend. Wir hatten doch ein Schwesterchen für Darius bestellt. Stattdessen würde er Konkurrenz bekommen von einem kleinen Bruder, der ihm jetzt schon die Show stahl, indem er meinen Bauch in alle Richtungen ausbeulte.

Theo versuchte mich zu trösten, ohne zu wissen, was mit mir los war. Er hielt meinen Gefühlsaufruhr für Angst vor der zusätzlichen Belastung: „Wir schaffen das schon, Ellie. Ich werde versuchen, so viel wie möglich bei euch zu sein in den ersten Wochen."

Doch ich wusste, er war mit seinem Kopf mitten in der internationalen Markteinführung verschiedener neuer Produkte bei Stromer. Und bei Schmidt hing die Auftragslage mal wieder schief. Dass Theo irgendwann mehr Zeit für uns haben würde, war eines der Luftschlösser, die wir bauten. Denn im Grunde scheiterten wir kläglich bei dem Versuch, uns ein funktionierendes Familienleben mit unseren Söhnen vorzustellen, in dem wir beide neben der kindlichen Entwicklung auch unsere beruflichen Pläne würden weitertreiben können.

In der Abteilung „Neue Medien" steckten wir unmittelbar vor dem Online-Gang unserer Version 2.0, da eröffnete mir Doktor Braune an einem Freitagnachmittag Mitte März: „Schaut gut aus, Frau Schmidt, das Kind kommt noch dieses Wochenende."

„Wie bitte? Das ist viel zu früh! Ich muss noch dringend ein Projekt abschließen."

„Sie sind im Mutterschutz, Frau Schmidt. Ihre Projekte werden in der nächsten Zeit ohne Sie auskommen müssen."

Völlig aufgelöst fuhr ich zu Charlotte, die Darius in ihrer Obhut hatte.

„Glaub mir, ich kenne diese Panik kurz bevor es losgeht", beruhigte sie mich, als ich ihr verzweifelt schilderte, was alles noch auf meiner Agenda stand, bevor das Kind kam, und dass ich den Geburtstermin am liebsten nach hinten verschieben würde, wenn das nur möglich wäre. „Das ist ganz normal, Ellie."

Doch ich wurde das Gefühl nicht los, dass ich die Kontrolle über mein Leben verlor.

In der kommenden Woche hatte ich mich mit Joachim in Frankfurt treffen wollen. Wir mussten noch durchplanen, wie die einzelnen Schritte vor dem Online-Gang vonstattengehen sollten. Er hatte versprochen, sich um alles zu kümmern, damit ich Ruhe für das Kind haben würde. Keinem anderen konnte ich so vertrauen. Aber ohne detaillierte Übergabe würde selbst er schwimmen. Jemand musste die komplette Seite sauber testen, wir mussten noch alle Funktionen, die fehleranfällig waren, miteinander durchgehen. Fabian musste das Layout optimieren, Katrin eine Million Inhaltskorrekturen vornehmen und irgendjemand musste noch lektorieren. Wenn jetzt geschludert würde, dann würde jegliche Mangelhaftigkeit der neuen Version auf mich zurückfallen. Das durfte ich nicht zulassen.

Ich schnallte Darius in seinen Kindersitz auf dem Rücksitz und fuhr in Richtung Autobahn. Gleichzeitig wählte ich Joachims Nummer und sprach auf seine Mailbox:

„Rufst du mich bitte zurück?"

Ich fand mich auf dem Weg nach Karlsruhe. Meine Panik war nicht zu zügeln und ließ mich schwer atmen. Immer wenn ich mich nach Darius umdrehte, blickte er mich mit großen Augen an. Ich drosselte mein Tempo und ermahnte mich selbst, vorsichtig zu fahren.

Als Joachim zurückrief, gelang es mir, ihm klarzumachen, dass unsere Besprechung bezüglich der Übergabe sofort stattfinden müsse. Ich bat ihn, sich vorzubereiten, denn ich hätte meine Unterlagen nicht dabei. Es werde nur maximal eine Stunde dauern, wenn wir uns ranhielten. Er solle ein bisschen Spielzeug für Darius zusammensuchen, damit der Kleine sich beschäftigen könne, ich sei in fünfzig Minuten in seiner Wohnung.

Als Joachim mir die Wohnungstür öffnete, schüttelte er ungläubig den Kopf: „Du tust, als ginge es hier um Leben und Tod, Ellie. Wir hätten doch auch telefonieren können!"

„Lass uns keine Zeit verlieren. Ich möchte wieder daheim sein, bevor mein Mann mich sucht ... ", drängte ich.

Joachim hatte für Darius eine ganze Schublade seines Wohnzimmerschranks mit interessanten Dingen gefüllt: Legos und Bausteine, eine Tüte mit Muscheln, ein paar kleine Bilderbücher. Zudem drückte er ihm eine Brezel in die Hand. Während wir beide vor seinem Computer saßen, räumte mein Sohn hingebungsvoll immer wieder die Schublade aus und wieder ein. Wenn ich zu schnell und zu aufgeregt sprach, legte mir Joachim seine Hand auf den Arm und sagte: „Immer schön ruhig atmen. Alles wird gut, Ellie. Sollte ich irgendetwas von dem, was du mir erzählst, vergessen, können wir immer noch telefonieren. Auch während du dein Baby im Arm hältst."

Nach etwa einer halben Stunde begann Darius zu quengeln und schließlich ungeduldig zu protestieren, weil ich ihn nicht auf meinen Schoß lassen wollte. Genau in dem Moment, als sein Unmut in Weinen überging, klingelte mein Handy und Theos Nummer leuchtete auf.

Joachim versuchte, Darius zu beruhigen, während ich Theo die Situation erklärte. Ich versprach ihm, um acht Uhr zu Hause zu sein. Doch Theo schien gar nicht zuzuhören. Er stellte mir Fragen: Wer ist der Mann im Hintergrund? Warum um Himmels Willen hast du Darius dabei? Der hätte doch bei Charlotte bleiben können. Weißt du überhaupt noch, was du tust?

Seine Stimme hatte diese aufgeladene Schärfe, von der ich wusste, dass sie sich nicht aufweichen ließ, und dass sie unweigerlich zu einem Blitzgewitter an Vorwürfen führen würde. Verzweifelt versuchte ich ihm zu erklären, warum ich diesen Mann, der jetzt unseren Sohn beruhigte, in seiner Wohnung hatte treffen müssen, und dass ich ihn privat schon lange kannte, aber nur noch geschäftlich mit ihm zu tun hatte. Ich klang vollkommen aufgelöst, so als würde ich tatsächlich nichts als Lügen hervorbringen.

Bevor er auflegte, erteilte mir Theo den Befehl, umgehend nach Hause zu kommen. Ich zitterte am ganzen Körper. Darius schrie jetzt und wollte unbedingt von Joachims auf meinen Arm. Eine Welt sank in mir zusammen, als ich mich mit ihm und meinem schweren Bauch auf die Couch fallen ließ.

Meine Gedanken drehten sich zu schnell, um einen davon zu greifen und vernünftig zu Ende zu denken. Darius war nicht mehr zu beruhigen. Seine Mutter hatte eine Sphäre betreten, in der er keine Priorität mehr hatte. Plötzlich trauerte sie ihrer Freiheit hinterher und eckte überall an, wie der viel zu große Knabe in ihrem Bauch. Der Ungeborene würde das Licht der Welt erblicken, aber sie selbst würde sich niemals in einer Welt wiederfinden, über der ein offener Himmel zu Ausgelassenheit und Wachstum einlud.

Joachim ging aus dem Raum und holte unsere Jacken.

„Ich bring dich heim", sagte er. „Ich kann ja von Mosbach aus mit dem Zug zurückfahren."

Er kochte Darius einen Tee und füllte ihn in seine kleine Flasche. Daran saugend schlief Darius im Auto bald ein. Joachim und ich sprachen kein Wort, um ihn nicht wieder zu wecken. Aber bevor er mich in Mosbach ins Haus brachte, drehte sich Joachim zu mir und sagte: „Jetzt musst du alleine klarkommen."

Tapfer ging er vor mir her und trug Darius die Treppe hoch. Der Kleine war aufgewacht und wieder bester Laune. Im Wohnzimmer stellte Joachim ihn auf den Boden. Als Theo aus seinem Sessel am Kamin aufstand, stellte sich Joachim ihm mit Handschlag und vollem Namen vor. Dann lief er sofort wieder zur Treppe. Kurz bevor er hinunter stieg, drehte sich Darius noch mal nach ihm um, streckte ein winkendes Händchen aus und rief ihm nach: „Tsüss, Achim!" Die sichere Art, wie ihm das über die Lippen ging, verriet, dass er diesen Namen heute nicht zum ersten Mal aussprach. Ich pflückte den Kleinen vom Boden und ging mit ihm nach oben.

Als unser Sohn in seinem Bettchen eingeschlafen war, erwartete mich Theos Verhör. Doch es ließ keinen Raum, um zu antworten. Während er im Wohnzimmer hin und her jagte, steigerte er sich immer tiefer in ein Gedankengebilde hinein, das plötzlich vor unser beider Augen zur realen Möglichkeit wurde: Ich traf mich seit Jahren heimlich mit Joachim und so war auch das zweite Kind entstanden. Denn dass zweimal hintereinander ein Wunder passierte, glaubte ich ja wohl selbst nicht.

Ich saß auf der Treppe nach oben. Wann immer ich versuchte, eine Erklärung in seinen Wahn hineinzuwerfen, schnappte Theo meine Satzfetzen auf, mutmaßte darin Halbwahrheiten und rundete das Drama damit ab. Es wurde noch schlimmer, als ich versuchte, ihn zu besänftigen, indem ich mein Versäumnis zugab: „Ich wollte dir schon oft von Joachim erzählen. Er ist wirklich nur noch ein Freund. Nur ... es ist manchmal so schwierig, mit dir zu reden."

„Erzähl mir doch nicht, du hättest den Mann nicht jedes Mal getroffen, wenn du in Frankfurt warst. Ich dachte, ehrlich gesagt, du machst deine Konzeptarbeit selbst. Stattdessen hast du mir seine Arbeit als deine verkauft. Und jetzt willst du mir sein Kind unterjubeln."

„Du kannst wieder einen Test machen, Theo. Es ist dein Kind. Das lässt sich beweisen."

„Schade, ich dachte eigentlich, dass wir uns das diesmal sparen können. Was ist das für eine Ehe, in der man nachprüfen muss, ob die Kinder, die geboren werden, vom Ehemann stammen? Das ist gar keine Ehe, Ellie."

Nein, das war keine Ehe. Ich hatte meinem Mann verschwiegen, dass es einen Vertrauten in meinem Leben gab, weil sonst jeder Ausflug nach Karlsruhe zur Eifersuchtshölle geworden wäre, und weil er meinen Wiedereinstieg in den Job verhindert hätte. Hätte mein Mann mir nicht einfach wichtiger sein müssen? Anstatt die verlässliche Säule in seinem Leben zu sein, hatte ich unsere Liebe für immer vergiftet.

Mein Herz klopfte mir im Hals und mein ungeborenes Kind nutzte die wenigen Quadratmillimeter, die ihm noch zur Verfügung standen, um sich mit Rempelei über die Aufregung zu beschweren.

Irgendwann fiel Theo in seinen Sessel und in ein erschöpftes, düsteres Schweigen, in dem das, was er nicht ausgesprochen hatte, unüberhörbar wurde: die Überzeugung, dass ich schwach und triebgesteuert war. Wer hätte mich auch mit echten Werten ausstatten sollen?

Theo schlief in seinem Arbeitszimmer auf dem Klappbett. Ich war allein mit meiner Schuld und meinem Riesenbaby, dessen plötzliches, stilles Abwarten mir unheimlich war. Ich fragte mich, ob das Herzchen überhaupt noch schlug.

Am Sonntagmorgen hörte ich, wie Theo unten im Wohnzimmer mit Charlotte telefonierte: „Nein, es hat sich noch nichts getan. Ja, es geht ihr gut. Ich ruf dich an, wenn's losgeht."

Wie sehnte ich mich nach Charlottes häuslichem Frieden, den sie nicht nur in ihren vier Wänden verbreitete, sondern auch immer mitbrachte, wenn sie zu uns kam. Ein Frieden, in dem die Kinder das Wichtigste waren. Sie hatte all diese Liebe in sich, um den Kampfgeist der Männer zu neutralisieren. Wie gerne hätte ich dieselbe Kraft in mir gespürt. Stattdessen war da nur Auflehnung gegen mein eigenes Leben.

Wenn mein Handy klingelte und Charlotte versuchte zu mir durchzudringen, ließ ich es klingeln und wartete weiter, Stunde um Stunde, auf den Einsatz der Wehen. Theo spielte mit Darius, las ihm vor und hielt ihn davon ab, zu mir zu kommen. Wortlos schob er mir etwas zum Essen über die Theke aus der Küche, wenn ich unten auftauchte. Am Sonntagabend hatte sich immer noch nichts getan.

Man konnte es dem Ungeborenen nicht verdenken, dass er nicht in diese kalte Welt schlüpfen wollte. Ich lag regungslos mit ihm im Bett, wir waren einander ausgeliefert. Etwa um Mitternacht kam Theo, der plötzlich doch besorgt um mich zu sein schien. „Soll ich dich vielleicht in die Klinik bringen? Wer weiß, ob noch alles in Ordnung ist", fragte er leise und sachbetont. Als ich mich nicht regte, legte er mir eine Hand auf den Bauch.

„Ellie!"

Er rüttelte sanft an mir. „Bist du okay?"

Als er das Kind umtastete, stellte er fest, dass es extrem ruhig war.

„Ist er schon lange so still?"

„Ja. Aber er lebt. Er will nur nicht raus in diese Scheißfamilie."

Ohne ein weiteres Wort ging Theo aus dem Zimmer. Ich hörte ihn mit Charlotte telefonieren. Eine Stunde später stand sie an meinem Bett. Doch ich drehte mich nicht um zu ihr. Sie sprach mit mir, fragte mich, ob ich Wehen hätte. Ich stellte mich schlafend. Ich hatte keine Wehen. Charlotte ging zu Darius ins Kinderzimmer, um dort zu schlafen.

Als das allererste Tageslicht durchs Fenster fiel und die Stadt vorsichtige Lebenszeichen hören ließ, spürte ich die erste heftige Kontraktion. Ich zog mich an und ging zu Theo ins Arbeitszimmer.

„Fährst du mich, Theo?"

Auf der Fahrt hielt er meine feuchtkalte Hand, doch es kam keine Wärme von ihm bei mir an.

In der Aufnahme ließ man uns wissen, dass der Arzt grade heimgegangen sei. Warum wir nicht angerufen hätten. Man schickte uns eine müde Hebamme, die ebenfalls schimpfte, weil wir uns nicht angemeldet hatten.

Theo erklärte kompetent, dass es beim ersten Mal ganz schnell gegangen sei. Ein paar Wehen und schon sei das Baby da gewesen. Der Arzt solle sich bitte beeilen. Wir müssten umgehend in den Kreißsaal.

Schließlich saßen wir nebeneinander auf dem Bettrand. Theo hatte Anweisung, mit mir hin und her zu laufen, doch ich wollte nicht mehr aufstehen. Zwischen den Wehen hatte ich Schweißausbrüche vor lauter Angst vor der nächsten Schmerzwelle. Kam sie schließlich, riss sie mich in eine viel zu laute Taubheit des Verstandes, ich hörte mich selbst nicht mehr schreien. So vergingen die nächsten fünf Stunden. Nichts ging vorwärts und keiner konnte erklären, warum nicht.

Ich tauchte ab und tauchte wieder auf. Doch ganz tief unten in meinem pechschwarzen Schmerz, den ich für nichts anderes hielt als den Tod, spürte ich die Durchsetzungsgewalt meines Kindes, seinen unbeugsam harten Schädel. Tonnenschwer und unbeirrbar drückte er auf meinen Unterleib. Plötzlich sah ich ihn vor meinem inneren Auge. Als Junge, als Mann. Er wollte sein Dasein starten und ich würde ihn hervorbringen - und wenn es das Einzige wäre, was ich jemals für ihn tun würde.

Dann war er endlich da. Eine Persönlichkeit von unglaublichem Format. Theo muss die Ähnlichkeit mit ihm und Lothar gleich gesehen haben. Die bauchigen Augenlider, die steile hohe Stirn, die doppelte Falte zwischen den Augenbrauen. Der Knabe war unverkennbar sein Kind.

Quälgeister

„Das ist nicht zu glauben." Iris trug das fünf Tage alte Baby durch unser Wohnzimmer. „Der Junge hier ist mehr Schmidt als Lothar und Theo zusammen."

Seelischer Stress öffnet das Herz, schreit nach Hilfe und schweißt zusammen. Ich hatte ihr meinen Kummer gebeichtet. Das war Teil meiner neuen Entschlossenheit, mein Leben lauter zu leben. Mein zweiter Sohn hatte sie mir bei seiner Geburt beigebracht. Er machte es mir vor, indem er sich die Lunge aus dem Leib schrie. Ich war fasziniert von ihm. Ich verstand plötzlich, dass ein Schmidt ein Drama vom Zaun brechen musste, sobald da ein möglicher anderer Gott am Horizont auftauchte. Ein Schmidt sieht sich immer selbst im Mittelpunkt des Universums. Kilian schien immer besonders laut zu protestieren, wenn Darius in meiner Nähe war. Es war mir klar, dass es dem Kleinen nicht leichtfallen würde, sich als Zweitgeborener hinten anzustellen. Es war mein Auftrag, ihm das beizubringen. Und ich lernte Stunde um Stunde mehr, den Schmidt in meinem Sohn zu lieben. Umgekehrt liebte ich plötzlich den Kilian in Theo, ungeachtet der Art, wie mein Mann mich und das süße Stresspaket, das unseren Haussegen auf dem Gewissen hatte, auf Armeslänge hielt.

Charlotte musste Iris erzählt haben, dass bei uns Krisenstimmung herrschte. Sie machte sich Sorgen. Theo war so gut wie nie da, und ich war am Anschlag.

Meine Nächte bestanden aus ultrakurzen Schlafsequenzen, in denen ich aber überaus glückliche Träume hatte. Auf widersprüchliche Art wurde ich regelrecht verzaubert von der Schönheit des Abgrundes, der sich mir darbot. Der menschliche Geist ist ein großes Wunder, und ich durfte sein geniales Erzeugen von Nervenkraft am eigenen Leib erleben.

Kilian schlief maximal ein bis zwei Stunden am Stück. Sein permanentes Einfordern meiner Gegenwart war gar nicht durchzuhalten, ohne dass ich ihn zu mir ins Bett holte. Währenddessen wandelte sich Darius vom Sonnenschein zum Monster. Auch Theo konnte ihn nicht von mir ablenken. Unser Erstgeborener wollte mich ebenso belagern wie der kleine Eindringling. Er ließ sich nachts nicht beruhigen bis auch er bei mir im Bett lag.

Iris hatte mich am Freitagnachmittag von ihrem Büro aus angerufen. „Darf ich den Kleinen mal sehen?"

„Natürlich. Komm doch einfach vorbei. Mach dich aber darauf gefasst, dass ich nicht grade frisch aussehe."

„Was ist nur los mit Theo?", wollte sie wissen, von Neugierde getrieben. „Wie kann er dich jetzt so viel alleine lassen?"

„Weiß nicht, Iris. Er kommt nicht zurecht mit der doppelten Packung hier. Ich würde mich wirklich freuen, wenn du kommst. Vielleicht kannst du das kleine Schreibündel mal ein bisschen durchs Haus tragen."

Theo verbrachte den Samstag wie immer mit dem Geschäftsführer Franck. Meine Schwägerin stand am frühen Nachmittag vor der Tür. Sie bewies Feingefühl, indem sie betont leger aufkreuzte, nicht so durchgestylt wie sonst. Kilian erholte sich gerade in einem Zwanzig-Minuten-Schlaf von seinem anstrengenden Dasein. Darius spielte friedlich auf dem Wohnzimmerboden mit Bausteinen.

Jede Krise bringt irgendetwas Gutes zutage. In diesem Fall war es Iris' Interesse an ihren Neffen. Sie entdeckte eine unbesetzte Stelle für eine Tante, wo Charlotte an ihre Grenzen geriet. Ich fiel ihr regelrecht um den Hals, als sie mir Hühnchen-Risotto brachte, in der Küche aufwärmte, ein Glas Sekt für die „Milchbildung" dazustellte und sagte: „Jetzt iss mal richtig, Ellie."

Während ich zum ersten Mal seit Tagen in Ruhe am Tisch saß, spielte sie mit Darius. Als Kilian sich bemerkbar machte, ging sie kurz entschlossen hinüber zu seinem Wagen und holte ihn heraus. Während er an meiner Brust lag, erzählte ich ihr von Theos krankhafter Überzeugung, dass ich ihn betrogen hätte. Er hatte den Kleinen noch nicht ein einziges Mal im Arm gehalten.

Wie hielt er das durch? Es musste doch zumindest ein leiser Zweifel an ihm nagen, dass dieses Verhalten gerechtfertigt war.

Kaum war der kleine Unruhegeist satt, ließ seine Tante ihn nicht mehr aus ihren Fängen und interessanterweise war Kilian, der sonst so viel Lärm machte, recht zufrieden bei ihr. Vielleicht weil er sich hier von meiner nervösen Unglückseligkeit abgrenzen konnte.

Iris schien in Hochstimmung. Sie ging leidenschaftlich auf meine Zweifel an Theos klarem Verstand ein. Er würde ja auch Lothar permanent der Hinterhältigkeit bezichtigen. Der Vater der beiden, Albrecht, sei genauso gewesen. Theo habe den Hang zum permanenten Misstrauen wohl leider von ihm geerbt. Ich hätte ja keine Ahnung, was Lothar und sie selbst da schon durchgemacht hätten.

Lothar und Theo hatten inzwischen zwar wieder eine Art Partnerschaft in der Firma, doch waren sie vorsichtig darauf bedacht, sie nicht zu belasten und deshalb möglichst wenig zu interagieren. Wie aus den Jahren der Funkstille gewohnt, ließ einer den anderen sein Leben leben und seine Arbeit tun, ohne eine Meinung darüber zu äußern, zumindest nicht hörbar. Das war keine gute Basis für Entscheidungen, daher ging bei Schmidt auch nichts vorwärts.

Als die Fortschrittlichen unter den Automobilzulieferern längst über E-Business mit ihren Auftraggebern verbunden waren, war beim führenden Fließ- und Dämmstofflieferanten noch nicht mal jeder Arbeitsplatz am Netz. Ich hatte bereits versucht, Theo für diese Entwicklung zu sensibilisieren. Doch er nahm mich nicht mehr ernst. Er wusste ja seit Neuestem, dass meine Weissagungen gar nicht meinem eigenen Fundus entstammten, sondern mir von diesem Programmierer aus Karlsruhe eingeflüstert worden waren, dem ich blind alles abkaufte.

Aber Iris sperrte die Ohren auf und fand meinen Input wertvoll. Sie war sogar der Meinung, dass sich jemand mal intensiv mit all diesen neuen Möglichkeiten befassen sollte, jemand, der nicht so drinsteckte im Tagesgeschäft, aber ein starkes Interesse an den Firmenbelangen hatte. Ob ich mir nicht vorstellen könnte, wenn die beiden Jungs aus dem Gröbsten raus wären, für Schmidt zu arbeiten?

„Niemals!", lehnte ich ab. „Wir haben schon genug familiären Stress wegen des Betriebs. Vielleicht sollten wir alle mal versuchen, etwas privater miteinander zu werden."

In Kilians zweiter Lebenswoche kam Iris täglich zwischen sechs und sieben vorbei, brachte Abendessen, trug den Kleinen in seiner Schreistunde im Kreis herum, und tratschte mit mir, wann immer er auf ihrem Arm für ein paar Minuten ruhig war. Theo kam heim und betrachtete unser neues Verhältnis mit kritischem Blick.

„Deine Frau hat sehr gute Ideen in Bezug auf die Abläufe bei Schmidt, mein lieber Schwager. Warum hast du uns davon nie erzählt?"

Theo wich ihr aus. Sobald Kilian wieder zu schreien anfing, verließ er mit Darius den Raum.

Am Samstagmorgen, als ich gerade versuchte mit Darius zu frühstücken und Kilian dabei per Schnuller und Dauerwiegen auf meinem Arm zu beruhigen, klingelte es an der Tür. Theo kam aus seinem Arbeitszimmer und nahm ein Einschreiben entgegen. Daraufhin verschwand er wieder in sein Reich. Einige Minuten später zog er sich den Mantel an und verabschiedete sich. Für mich hieß das, dass ich wieder den ganzen Tag mit den beiden Jungs alleine sein würde. Ich wusste nicht, wie ich nach den wenigen Stunden Schlaf, die mir die zwei gelassen hatten, ohne Pause bis zum Abend durchhalten sollte. Ich packte die Kinder warm ein und machte mich auf einen Spaziergang durch die Stadt. Darius schob ich im Buggy, Kilian trug ich im Tragetuch. Frische Luft war das beste Beruhigungsmittel für beide. Vielleicht würden sie ja mal gleichzeitig ein Mittagsschläfchen machen, und ich könnte wieder Klavierspielen und dem Dunkel in meinen Venen eine Melodie verleihen.

Auf dem Marktplatz ließ ich Darius laufen. Er rannte den Hunden hinterher, schob seinen Buggy zwischen den Beinen der Passanten durch und ließ sich von älteren Damen bewundern: „Ist das ein süßes Kerlchen!" Ich tankte Lebenssinn im Hier und Jetzt des Mutterglücks.

Als ich nach den nötigsten Einkäufen müde vom Tragen und Schieben nach Hause kam, stand ein großer Strauß roter Rosen auf dem Esstisch. Die Küche war sauber, sogar der Boden war geputzt. Ich fand ein Kuvert neben den Rosen. Es enthielt eine schlichte Büttenpapierkarte, auf der geschrieben stand: „Verzeih mir! Dein Theo." Dabei lag das Ergebnis aus dem Labor, das seine Vaterschaft bestätigte. Nicht, dass mich das überrascht hätte, aber die stumme Art der Entschuldigung, seine erneute Abwesenheit, die fehlende Information, wann er wieder auftauchen würde, all das machte mich phänomenal wütend. Ich steckte beide Kinder ins Bett, ließ sie dort jämmerlich plärren und spielte Beethovens Fünfte. In den Pausen hörte ich ihr Geschrei und brüllte durchs Haus:

„Scheiß Männer!"

„Ihr kriegt mich nicht klein!"

Als Theo am Abend heimkam, setzte er sich mit einem Scotch an den Esstisch und schaute mir beim Stillen zu. Es war ein Stück Arbeit, Kilian satt zu kriegen. Alle paar Minuten beschwerte er sich über etwas, das außerhalb meiner Wahrnehmung lag.

„Was passt ihm denn nicht?", wollte Theo plötzlich den angeborenen Unmut seines Sohnes verstehen.

„Er ist ein Schmidt, Theo. Er empfindet seine Welt als unzureichend. Irgendwann wird er anfangen, menschliche Verfehlungen auszumachen und sie zu Grabenkämpfen in seinem Kopf heranzüchten. Vielleicht lernt er dann im zweiten Schritt, all das mit seiner Intelligenz zu entkräften. Bis dahin müssen wir mit seiner nervtötenden Ahnung leben, dass die jeweilige Situation niemals wirklich in Ordnung ist. Und schau uns an, Theo. Er hat recht. Wir sind lausige Chaosmanager. Wir schaffen es nicht mal, unserem Kind das Gefühl zu geben, dass es hier bei uns richtig ist."

Die Hingabe, die Theo uns entzogen hatte, kehrte auch in den nächsten Monaten nicht zurück. Er schien immer teilabwesend. Die Zeiten waren nicht gut, weder bei Stromer noch bei Schmidt. Anstatt entlang der prognostizierten Wachstumskurve, ging es in einer flachen Linie in eine offenbar wenig aufregende Zukunft. Ein Abwärts war nur dadurch zu verhindern, dass man Arbeitsplätze abbaute. Der Ärger, der daraus resultierte, tangierte Theo bei Stromer weniger, dafür aber bei Schmidt. Die Brüder mussten gemeinsame Entscheidungen treffen, zurückrudern, sensitiv mit der Öffentlichkeit umgehen. Innovationen wurden zurückgestellt, große Investitionen vertagt, die Umstellung auf das digitale Zeitalter gebremst. Das ging nicht ohne Reibungen.

Als Iris und ich zum einundfünfzigsten Geburtstag der Brüder eine Familienfeier arrangieren wollten, hielten uns beide davon ab, bestärkt von Charlotte. Die Gefahr war zu groß, dass einer von ihnen geschäftliche Themen anschneiden würde, die zwei sich heißreden würden, einer dem anderen die Kompetenz, die Intelligenz, die gesamte Fähigkeit absprechen würde, die Lage zu verstehen, geschweige denn, eine Krise zu meistern. Womöglich würde sich Charlottes Mann dann noch einmischen. Alle außer mir hatten genau dieses Spektakel schon erlebt und Charlotte hatte regelrechte Angstattacken, wenn sie sich das nur vorstellte. Wir hielten Lothar und Theo also wieder auseinander.

Meine Versuche, von Theo in seine beruflichen Herausforderungen einbezogen zu werden, scheiterten schon in der Gesprächsanbahnung. Dabei hungerte ich nach Themen, die mit meinem von energieraubenden Zwergen bevölkerten Alltagsreich nichts zu tun hatten. Also sorgte ich schließlich für den Internetanschluss in unserem Haus, er öffnete mir ein paar Fenster in die Welt. Wenn abends die Jungs im Bett waren und Theo noch unterwegs, saugte ich Wissen aus dem Datendschungel.

Im September stand es noch nicht viel besser um unsere Ehe. Zwar wurde Kilian umgänglicher und entwickelte einen für sein Alter erstaunlichen Humor, aber er brauchte immer noch durchgehend Aufmerksamkeit. Oft war er so reizend aufgeweckt, immer auf der Suche nach Spaß und Lernstoff, dass wir ihm den Dauerstress nicht übel nehmen konnten. Unser Sohn schien mit besonderer Begabung ausgestattet zu sein. Alle Anzeichen deuteten darauf hin: Er schlief extrem wenig, mit fünf Monaten stand er schon in seinem Bettchen, er blätterte in Bilderbüchern, allerdings im Schnellverfahren, er sang Melodiefragmente nach, die er mich hatte spielen hören, er griff nach Legosteinen, um sie seinem Bruder zu geben, und immer hatte er die Farbe in der Hand, die Darius gerade verbaute. Er saß niemals still, seine Sinne wurden nicht müde, Neues zu erfahren. Ich stellte mir dieses Temperament im Doppelpack vor und staunte über Liesel, die nach ihren Zwillingen noch mal zwei Kinder bekommen hatte.

Mit Kilian war eine Überdosis Leben, aber auch ein entsetzliches Gift in unsere Familie eingezogen: Eifersucht. Darius wurde zum Unruhestifter, um sich an seinem Bruder vorbei wieder in den Mittelpunkt zu rücken. Und Theo wurde zum Überwachungsexperten, der alle meine Schichten mit seinem Röntgenblick durchdrang, wenn er mich im Verdacht hatte, dass ich mich nur einen Gedanken weit aus meiner häuslichen Umgebung entfernte. Wir hatten nur einen Computer im Haus, und ich war mir sicher, dass er dort meine Aktivitäten im Auge behielt. Ich ging auch davon aus, dass er meine Handyrechnung durchlas. Ein Gespräch darüber zu führen, wie angespannt wir beide waren, war undenkbar.

Als Kilian mit fünf Monaten durchschlief, stellten wir sein Bettchen in Darius' Zimmer. Bis dahin hatte Theo in seinem Arbeitszimmer geschlafen. Er trage zu viel Verantwortung, hatte er mir erklärt, um die nächtlichen Störungen durch die Kinder mitzumachen. Erst als meine Nächte ruhiger wurden, zog er wieder ins Ehebett.

Hin und wieder gelang es Theo wenn er sonntags zu Hause war, die Standleitung zu seinen geschäftlichen Problemen zu unterbrechen und auf Pause zu schalten. Dann erlebten wir eine ungewohnt ausgeglichene Atmosphäre. Erinnert an alte Zeiten genoss es Darius, mit uns den Tag zu vertrödeln. Und Kilian gab uns allen dreien jede Menge Grund zum Lachen. Einmal lagen wir zu viert auf dem Teppich vor dem Kamin, da streichelte mir Theo unversehens über die Schulter: „Manchmal kann ich nicht glauben, dass ich zwei so erstaunliche Söhne habe."

Doch im Alltag raste dann alles wieder so schnell und so unsortiert an uns vorbei, dass wir nicht mehr scharf stellen konnten. Theo, der designierte Strukturgeber, konnte keine Muster mehr erkennen. Ständig meinte er, dagegen angehen zu müssen, indem er mir Erziehungsratschläge gab. Es müsse doch zu schaffen sein, ein bisschen Disziplin in diesen Affenstall zu kriegen.

Iris kam immer noch regelmäßig, um mir zu helfen und mit mir ein paar ihrer Projekte zu besprechen. Manchmal fragte sie mich über Theo aus. Doch ich war vorsichtiger geworden, nachdem ich mitbekommen hatte, wie Lothar in Debatten mit Theo in von mir verratene Schwachstellen hineinbohrte. So zum Beispiel in seine Tendenz, sich selbst im privaten Bereich Komplotte einzureden, die gegen ihn gerichtet waren.

„Was hast du dieser Schreckschraube nur erzählt?", war der typische Anfang einer unserer zermürbenden Debatten. Theo witterte wieder Verrat und Verschwörung. Der Abend endete mit getrennten Schlafstätten und meinen Ausbruchsfantasien, in denen ich Darius und Kilian in mein Auto packte, nach Frankfurt fuhr, mir dort eine Wohnung und eine Kinderkrippe suchte und meinen Job wieder aufnahm, der mir inzwischen völlig entglitten war.

Eines Nachmittags war ich mit den Kindern beim Einkaufen. Je mehr dieser tägliche Akt zur Routine wurde, desto mehr Luft kam dabei in meinen Geist. Auf dem Heimweg vom Supermarkt saß Kilian im Buggy und Darius stand auf dem Mitfahrbrett.

Beide wussten inzwischen, dass ich nicht anhalten würde, wenn eine interessante Kletterstelle vorbeifuhr, oder einer seine Ungeduld lautstark äußerte. Daher hielten sie still und ich hatte sogar das Gefühl, sie genossen die Fahrt. Ich hatte ein neues Stadium erreicht in meinem Mutterdasein, in dem ich mir kleine Entspannungsinseln in den Tag bauen und meine Gedanken laufen lassen konnte, wohin sie wollten. Manchmal nahm ich mir dann vor, alles zu tun, um das Familienglück wiederherzustellen. Doch heute nicht. Heute machte ich einen Plan, dass ich am Wochenende mit den Jungs meinen Vater besuchen und mich endlich mal wieder mit Joachim treffen würde. Warum ließ ich mir das eigentlich verbieten?

Das letzte Mal hatte ich mit Joachim telefoniert, als ich nach Kilians Geburt im Krankenhaus lag. Ich hatte ihn um Mithilfe bei der Namensfindung gebeten, da mein Mann ja keine Meinung äußerte. Ich hatte Joachim geschildert, dass der Kleine schon wirkte, als hätte er einen ganz eigenen Plan von der Welt. Unsere gemeinsame Suche nach einem Namen, der dem gerecht wurde, führte zu Kilian. Ich bedankte mich für den väterlichen Input.

„Wär er doch nur dein Sohn, Joachim. Dann wüsste ich wenigstens, warum mein Mann ihn nicht anschauen will."

Als ich jetzt mit Kilian und der Einkaufstasche im Arm die schmale Treppe ins Wohnzimmer hochstieg, den müden Darius hinter mir im Auge behaltend, hörte ich das Telefon klingeln. Unter Geschrei zog ich Kilian die Jacke aus und packte ihn in seinen Laufstall, bevor ich den Hörer aufpickte.

„Ich bin's, Joachim." Er klang aufgelöst. „Mach mal den Fernseher an, Ellie. Ich glaube, da bricht ein Krieg aus in Amerika."

Mein erster Gedanke war: Joachim wittert wieder mal einen Weltuntergang. Bestimmt alles halb so dramatisch.

Doch als ich mit Joachims Stimme am Ohr vor dem Fernsehschirm stand, sickerte mit den Bildern auch bei mir die Erkenntnis durch, dass sich hier ein mörderischer Wahnsinn abspielte.

Ich holte den schreienden Kilian aus seinem Laufstall und Darius von seinen Bausteinen weg und drückte meine beiden Kinder an mich. Der nächste Gedanke galt meinem Vater. Was würde sich in seinem traumatisierten Kopf zusammenbrauen? Er war ein DDR-Flüchtling, und er kannte das Katastrophenpotenzial eisenharter Fronten. Er hatte Exekutionen erlebt. All das spielte sich immer noch vor seinem inneren Auge ab. Seit ich denken konnte, hatte er an die atomare Eskalation geglaubt, an den Tag, an dem diejenigen, die die Waffen kontrollierten, loslegen würden, um so viele Schicksale wie möglich auszulöschen.

Als Joachim aufgelegt hatte, rief ich ihn an.

„Jetzt können wir uns alle auf den Atomkrieg einstellen. Das da ist ein Großangriff, Ellie. Die wollen Opfer. Massenopfer …"

Während er sprach, klingelte mein Handy. Ich wusste, das musste jetzt Theo sein. Ich ließ meinen Vater sprechen, er würde eine Weile ohne meine Reaktionen auskommen, und nahm ab.

„Hallo, Ellie. Alles klar bei dir? Mach mal den Fernseher an."

„Der läuft schon, Theo. Kommst du heim?"

„Ich kann nicht, wir haben noch zwei Meetings heute."

„Theo, ich bin hier ganz alleine mit all dem. Bitte komm."

„Ellie, stell dich nicht an. Ist ja nicht so, dass da irgendwas vor der Haustüre passiert. Jetzt knallt's halt mal – das war abzusehen. Das Schlimmste ist, dass uns jetzt wieder der Export einbricht. Ich komme so gegen sieben."

Theo kam und wir saßen stundenlang stumm nebeneinander vor dem Fernseher. Als klar war, dass es heute keine Antworten mehr geben würde, gingen wir schlafen.

Am nächsten Tag kam ich aus der Dunkelheit nicht heraus. Meine Kinder machten mir keine Freude, sie kratzten nur an meinen demolierten Nerven. Meine freie Stunde am Nachmittag verbrachte ich in der Badewanne, regungslos, mit dem laufenden Radio.

Da gelang mir plötzlich der Blick über den Badewannenrand. Mein Leben war von Angst getränkt, nicht erst seit dem Anschlag. Ich lag im lauwarmen Wasser und fürchtete, mich zu bewegen, weil dann die bunten Plastikschiffchen womöglich ins Schaukeln gerieten. Seit Theo hinter meine Freundschaft mit Joachim gekommen war, war ich in der Position der Verräterin. Um meine Selbstachtung zurückzugewinnen, versuchte ich angestrengt als Ehefrau zu punkten. Doch ich hatte Theos Respekt und Unterstützung verloren. Ich fragte mich, ob ich nicht endlich eine Aussprache riskieren sollte. Es würde furchtbar wehtun. Vielleicht würde es sogar zu einer Trennung kommen. Aber angesichts des weltweiten Desasters wäre selbst das ein kleines Drama.

Am Abend saßen wir wieder vor dem Fernseher. Als sich die Nachrichtenschleife, die Debatten, die Spekulationen um das Wer und Warum zum x-ten Mal wiederholten, drückte ich auf den Ausknopf der Fernbedienung.

„Theo, ich muss mit dir reden."

In eiskalter Erwartung lauerte er auf mein Anliegen, das schon Schusslöcher hatte, bevor es überhaupt aus der Deckung kam.

„Ich will am Samstag mit den Jungs zu meinem Vater fahren. Ich muss ihn sehen. Wir werden vielleicht im Hotel übernachten und am Sonntag wiederkommen."

All die Monate lang war genau das ein Tabu gewesen.

„Ja, dann mach das doch." Er tat desinteressiert. Als wüsste er nicht, was jetzt dabei so dringend zu bereden wäre. Doch er lauerte. Er wusste, ich würde ihm gleich noch mehr Angriffsfläche freilegen.

„So wie ich momentan lebe, ohne echten Partner, mit einem Mann, der sich nur noch als Versorger zur Verfügung hält, so will ich nicht leben. Wir beide haben zwei bezaubernde, gesunde Jungs, Theo. Wollen wir das gemeinsam genießen oder wollen wir uns den Krieg erklären? Wir müssen uns für eines von beidem entscheiden, denn dieses Zwischending halte ich nicht mehr aus."

Wie erwartet löste ich einen dieser Vorträge aus, wie sie sich oft wochenlang zusammenbrauten. Ich hörte seine wohlbekannten Schlüsselworte für eine gelingende Partnerschaft: Ehrlichkeit, Verlässlichkeit, klare Prioritäten. Dann das Gegenstück dazu, das, was ich praktiziert, womit ich unsere Ehe geschwächt hatte: Doppelleben, Heimlichkeit, Egotrips, die ich vor die Belange der Familie gestellt, durch die ich das Vertrauen zerstört hatte, das er in mich gesetzt hatte. Ob ich denn nicht fähig sei, Stellung zu beziehen. Unsere Kinder bräuchten Konstanten, auf die sie zählen könnten. Sie bräuchten Eltern, die einen Schulterschluss bildeten und ein gemeinsames Lebenskonzept hatten.

Ich versuchte ruhig zu bleiben, aber die Art, wie Theo von seinem Podest auf mich hinunter urteilte, machte mich rasend: „Nur weil du dir keinen Reim darauf machen kannst, dass ich dir nicht von Joachim erzählt habe, bin ich noch lange keine schäbige Betrügerin, Theo. Ich habe mir einfach nichts dabei gedacht, meinen Exfreund zu treffen. Immerhin ist er auch der Mensch, der sich um meinen Vater kümmert. Für mich war das kein ausschweifender Akt gegen dich und die Kinder. Bleib einfach mal auf dem Boden mit deiner vernichtenden Bestrafung. Ich kämpfe hier Tag für Tag im Chaos um ein paar Konstanten. Und das ist verdammt noch mal kein Egotrip!"

Mir rutschte der Ton in lautes Gezeter ab, und prompt machte sich ein aus dem Schlaf gerissener Darius bemerkbar.

„Mama!", schrie er durchs Haus.

Damit war die Unterhaltung beendet.

Heulend zog ich den klammernden Kleinkindkörper aus seinem Bettchen und nahm ihn mit zu mir ins Schlafzimmer. Theo schlief im Büro.

Wir mussten uns gar nicht großartig aus dem Weg gehen. Wenn jeder seinen Tag nach seinen Erfordernissen taktete, dann begegneten wir uns allenfalls zum Abendessen.

Am Samstag stand unser Zweijähriger früh mit seinem Vater auf. Die beiden frühstückten miteinander, während Kilian und ich noch im Bett lagen. Bevor er aus dem Haus ging, brachte Theo Darius zu mir und setzte sich aufs Bett.

„Wir sollten Urlaub machen, Ellie. Lass uns nach Spanien fliegen. Wir waren viel zu lange nicht mehr dort."

Kilian lag grade an meiner Brust, und ich hatte keine Rangierfreiheit, um meinen Mann erstaunt anzublicken. War das ein Friedensangebot?

Tatsächlich streichelte er Kilians Kopf und küsste mich auf die Stirn. „Wir müssen wieder zusammenfinden. Du hast recht, die Welt ist traurig genug. Wir sollten nicht auch noch zu dem Elend beitragen."

Kilian hasste es, wenn ich mit meiner Aufmerksamkeit nicht bei ihm blieb, während ich ihn stillte. Daher blieb ich regungslos liegen und nickte nur. Als Theo aus dem Haus war, packte ich hektisch unsere Sachen und kämpfte mich durch den Kraftakt, beide Kinder und unsere Taschen in die Parkgarage zu manövrieren, alles einzuladen und loszufahren.

Scheinfrieden

Inspiriert durch die Klaviermusik hat sich mir von Kindheit an eine Regel eingeprägt: Dissonanzen tauchen immer an den Stellen auf, wo sie am meisten schmerzen. Sie stören den Melodieverlauf bis zur Unerträglichkeit, bis man zum unerwarteten Zeitpunkt durch scheinbar zusammenhanglose Harmonie erlöst wird.

Rechtzeitig zum Mittagessen stieg ich mit Kilian auf dem Arm und Darius an der Hand Stufe um Stufe durch das halbdunkle Treppenhaus zur Wohnung meines Vaters hoch, und hätte nicht tiefer sinken können. Während der Fahrt hatte ich ständig auf mein Handy geschaut, ob Theo wieder hinter mir her war. Ich glaubte zu wissen, warum er heute Morgen die weiße Flagge gehisst hatte: um die besseren Waffen zu haben in unserem nächsten Showdown.

In der Küche meines Vaters war irgendetwas anders. Es roch nach der Pizza, die im Ofen brutzelte. Durch die angeschmorte Scheibe sah ich, dass sie mit frischen Tomaten belegt war. Alles im Raum war sauber und ordentlich arrangiert. Der Notenständer stand ausgefahren am Fenster und war schwer bestückt, daneben der Geigenkoffer. Ein Stück weit weg davon hatte mein Vater eine Spielzeugkiste platziert mit Puzzles, Lego, Büchern und bunten Autos jeder Größe – alles wohl auf dem Flohmarkt zusammengesucht oder aus Joachims Schubladen gekramt. Darius wollte sich gleich darauf stürzen, kam aber an seinem Opa nicht vorbei, der ihn aufpickte, durch die Luft wirbelte und an sich drückte. Der kleine Lockenkopf gluckste so glücklich, wie ich ihn schon lange nicht mehr erlebt hatte. „Oooopa!! Nicht mich schwindlig machen!" Kaum wieder auf den Boden gestellt, kramte er schon bunte Spielsachen aus der Kiste. Kilian, den ich auf der Hüfte trug, beobachtete die Szene mit riesigen Augen, und als die Arme seines Großvaters frei waren, streckte der Winzling seine Händchen nach ihm aus. Völlig ergeben ließ er sich herzen. Ich traute meinen Augen kaum.

Dann wurde mir klar, was fehlte: der Alkoholdunst. Ich öffnete den Kühlschrank und sah kein Bier und keinen Sekt, nur Orangensaft und Mineralwasser.

„Ich bin schon den vierten Tag trocken", sagte mein Vater ruhig.

Joachim kam zum Pizzaessen. Die klärende Energie, mit der er durch die Tür kam, erinnerte mich an unsere Anfänge, als er die Hoffnungslosigkeit aus der Wohnung gefiltert hatte wie ein Staubfänger und meinen Vater und mich aus unserem seelischen Mauseloch gelockt hatte. Er freute sich, mich nach Monaten der ausbleibenden Lebenszeichen wieder vor sich zu haben, und machte verdeckte Handzeichen, um mich auf Peters Abstinenz hinzuweisen.

Nach dem Essen lagen meine beiden Jungs in seltener Einigkeit auf dem Boden. Darius schob immer mal wieder ein Auto oder einen Traktor rüber zu Kilian und beobachtete, wie er damit fuhrwerkte und mit sabbernden Lippen Brummgeräusche machte.

Joachim lud mich auf eine Zigarette ein. Die Sonne spendete dem eineinhalb Quadratmeter großen Balkon, auf dem wir neben einem Stapel alter Blumenkästen gerade so nebeneinander stehen konnten, ein paar schräg einfallende herbstliche Strahlen. Wir sogen an einer gemeinsamen Marlboro Light und waren erleichtert, dass sich die Stadt um uns herum noch regte, die Vögel noch zwitscherten, die Luft noch schwer zwischen den Häusern stand, wie immer in der Karlsruher Südstadt, und das Ende der Welt weit hinter unserem Horizont seinen Lauf nahm, nicht hier.

„Peter und ich haben uns in der Nacht von Dienstag auf Mittwoch vor dem Fernseher zusammen die Kante gegeben", erzählte Joachim. Aufgewühlt durch das Massensterben in New York war Peter plötzlich in alte Geschichten geraten. Seine Flucht aus der Ostzone, als er mit drei Freunden über den Todesstreifen gerannt war. Boris war erschossen worden. Mein

Vater war weitergerannt, dabei hatte er die tödliche Gewalt der Schüsse gespürt, als hätten sie ihn selbst getroffen. Rennen konnte er. Schneller als die andern. Umdrehen wäre sein Ende gewesen.

Boris war so ein toller Kerl gewesen, ein genialer Pianist. Nie hatte man eine derartige Spielfreude gesehen, die sich jede noch so eigensinnige Partitur mit Leichtigkeit erschloss. Seine Mutter war eine russische Opernsängerin. Sie lebte im Westen und wartete auf ihren Sohn. Peter und die beiden anderen hatten ihr die Nachricht überbringen müssen, dass er niedergeknallt worden war wie ein Tier. Hätte Boris überlebt, hätte er all das erreicht, was für Peter ewig unerreichbar blieb: sich zu etablieren in der Musikerelite des Westens. Er hatte diese Stringenz gehabt, war nicht zu beirren gewesen, auch nicht vor Publikum, dort wo Peter immer der Versuchung erlegen war, sich auf das Niveau seiner Zuhörer zu begeben und ihnen die Melodie vorzukauen, anstatt sie im Sinne des Komponisten in den größeren Zusammenhang zu bringen. Boris wäre der Richtige gewesen, um im Westen anzukommen. Er selbst, mein Vater, war nach seiner Ankunft nur noch wie von der Kugel getroffen von einem Fallstrick in den anderen getaumelt. Für seine Frau Elke war er zu einem einzigen Verhängnis geworden. Sie war nicht müde geworden, darauf hinzuweisen. Er hatte die Familie nicht ernähren können, hatte sie stattdessen in Schulden gerissen.

Als die harte Schale einmal durchbrochen war, wurden die zermürbenden Klänge alle hörbar, die in Peters Kopf den Ton angaben. Mein Vater hatte den Kern seines Elends offen gelegt und Joachim hatte genau dort angegriffen, um ihm ins Gewissen zu reden: „Es gibt Menschen, die dich brauchen, Peter. Deine Tochter, deine Enkelsöhne, ich und Lorenz. Wir haben nichts davon, wenn du dich im Suff selbst bedauerst. Boris ist tot. Aber du schuldest ihm was. Bring verdammt noch mal Sinn in dein Überleben."

Am Morgen danach hatte mein Vater sämtliche alkoholischen Vorräte in den Abfluss geleert und die Flaschen entsorgt.

Mein Vater, die Jungs und ich verbrachten den Nachmittag im Zoo. Er war ein Mensch im Aufbruch. Der herbstliche Duft des liebenden Großvaters hatte das scharfe Aftershave ersetzt, das er gegen den Alkoholgeruch immer auf sich versprüht hatte. Er roch nach den Tagen meiner Kindheit, an denen ich glücklich gewesen war. Die Ausflüge in den Zoo mit seinen beiden Kindern hatte er immer genossen. Ohne eigenen Plan war er unseren Wünschen hinterher geschlendert, immer ein bisschen bei uns und ein bisschen woanders.

Darius hing ihm an den Lippen, wenn er ihm vom Leben und von der Heimat der Äffchen, Meerschweinchen und Elefanten erzählte. Wir ließen kein Gehege aus. Kilian wurde unleidig, weil er aus dem Wagen raus und wie Darius auf den Arm genommen werden wollte. Sein Zeigefingerchen schnellte von hier nach da. Ungläubig legte er den Kopf in den Nacken, um die weit über uns schwebenden Köpfe der Giraffen zu sehen, und zeigte lange hinauf, bis wir es ihm alle nachmachten.

Mit Kilian auf dem Arm lief ich, den Buggy schiebend, hinter meinem Vater und Darius her und sah die Räder durch ein paar wirbelnde Birkenblätter rollen. Da wehte aus meiner Kindheit ein Gefühl des Entkommenseins daher. Hatte es sich so angefühlt, als ich genau hier mit meinem Vater gelaufen war, der Wohnung entronnen, in der sein Unglück aus jedem Winkel kroch? Ich wusste, dass ich sie in mir hatte, die Angst meines Vaters, nie zu genügen. Doch wenn ich mich in eine Aufgabe versenkte, konnte ich dieses Erbe in Hingabe verwandeln. Würde ich nur endlich den Zustand der Selbstgenügsamkeit erreichen, nach dem ich mich seit meiner Jugend sehnte. Denn dann würde es nicht mehr darum gehen, Erwartungen zu erfüllen. Es würde darum gehen, eine Sonate so zu spielen, dass sie für mich selbst, für meine ureigene Vision einer Überordnung, perfekt war. Allein mir selbst war ich das schuldig.

Die Erwartungen anderer schrauben sich immer höher, je weiter man sich streckt, um sie zu erreichen. Was meine Mutter für meinen Vater gewesen war, war Theo für mich. Ich würde ihn niemals zufriedenstellen. Der Kampf mit seinen Ansprüchen würde nicht enden, aber den Kampf mit mir selbst, den konnte ich beilegen. Unsere Ehe musste zu meinem eigenen Projekt werden, in das ich alles hineingab, was mir an Liebe und Verstand zur Verfügung stand.

Theos Auto stand vor der Tür, als wir zurückkamen. Mich riss es fast von den Füßen. Mein Herz klopfte so heftig, dass ich mich an meinem Vater festhalten musste. Der schaute mich an und wusste plötzlich Bescheid über meine Ehe.

„Du musst nicht zurück zu ihm, wenn du nicht willst, Ellie. Du kannst auch hierbleiben", bot er mir an.

Als wir das Treppenhaus betraten, kam Joachims Stimme von ganz oben, wir sollten raufkommen. Theo sei da.

Tatsächlich saßen die Männer zusammen in Joachims Küche und redeten. Theo nahm seine Jungs und auch mich in den Arm, als wir dazukamen. Dann erfuhr ich, dass Theo Joachim ein Projekt angeboten hatte: Er sollte die Einführung einer modernen Unternehmenssoftware bei Schmidt begleiten. Aber von Heilbronn hierhergefahren war Theo, um mit mir, Darius und Kilian das Wochenende zu verbringen. Den Kaiserhof hatte er schon für uns gebucht. Wir würden dort mit meinem Vater zu Abend essen. Joachim hatte sich als Babysitter angeboten.

Ich konnte nur mutmaßen, dass Charlotte mit ihrem Bruder ins Gebet gegangen war. Vielleicht hatte Theo aber auch nur eine ähnliche Einsicht gehabt wie ich. Wir genossen den Sonntag im Schlosspark und es fiel kein Wort der Kritik mehr. Irgendetwas hatte uns befreit vom Fluch der gegenseitigen Korrektur. Die Liebe für unsere Kinder?

In der folgenden Zeit musste Kilian nicht mehr ringen um die Aufmerksamkeit seines Vaters. Theo beobachtete seinen stürmischen Feldzug in die Welt mit wachsender Bewunderung. Joachim und ich hatten dem Jungen seinen Vornamen gegeben, Theo gab ihm schließlich seinen Platz unter den Schmidts.

Ohrfeigen

Kilian kam in das lustige Alter, in dem er freche Wörter brabbelte, mit Leidenschaft das Spielzeug seines Bruders erjagte und sich dann über dessen Wutausbrüche amüsierte. Unermüdlich eiferte er Darius nach, so lange bis er sich unserer Bewunderung sicher war. Wenn Darius auf einen Spielturm kletterte, wetzte der kleine Kobold hinterher und rang so lange mit der Schwerkraft, wirtschaftete so entschlossen mit seinen Ärmchen und Beinchen, bis er oben war.

Einmal brachte ich Kilian an einem Samstagnachmittag zu Charlotte, um ein bisschen Zeit mit Darius alleine zu verbringen. Doch als mein Großer auf seinem Lieblingsspielplatz in Ruhe und ohne Verfolger alle Herausforderungen gemeistert hatte, die Enten im Park mit seiner Eiswaffel gefüttert, ohne dass einer dazwischen wedelte, um das Federvieh aufzuscheuchen, und im Spielzeugladen ein paar neue Rennautos exklusiv für sich ergattert hatte, fiel mir auf, mit wie wenig Begeisterung er unterwegs war. Immer wieder fragte er nach Kilian. Nichts machte Spaß ohne den Quälgeist, ohne den Reiz der Reibung bei gleichzeitigem Wissen um Einheit.

Theos Endzeitstimmung in Bezug auf die wirtschaftliche Lage hatte nicht lange angehalten. Es schien alles halb so schlimm zu sein. Ich las im Internet von einer ernsthaften Krise unter den Automobilzulieferern, und da ich wusste, dass Schmidt stark von dieser Industrie abhing, sprach ich Theo darauf an. Doch der zuckte nur mit den Schultern und sagte: Das geht alles rum.

Theo und ich führten wieder eine vorzeigbare Ehe und Charlotte lud uns, Iris und Lothar am Sonntag zum großen Mahl ein. Die Stimmung war entspannter als gewohnt. Während Charlotte und ich nach dem Nachmittagskaffee das Geschirr abräumten, gesellten sich die anderen in den Wintergarten und führten Gespräche mit gedämpften Stimmen. Als Thomas das Haus verließ, um Anna und Laura, die beiden älteren Mädchen, zu Freunden zu fahren, beobachtete ich, wie die Wintergartengesellschaft die Köpfe noch dichter zusammensteckte. Es packte mich die Neugier und ich schob kurz entschlossen die Tür auf, um in die Unterhaltung einzusteigen. Schließlich legte Iris immer Wert auf meine Meinung. Doch in dem Moment, als ich mich näherte, verstummten sie alle.

Trotz unseres beiderseitigen Bemühens um Harmonie hing die Angst manchmal so greifbar in der Luft zwischen mir und Theo, dass man sie mit einer Stromer-Motorsäge hätte spalten müssen. Die Zeit, in der Theo nicht auf meiner Seite gewesen war, in der ich einsam und handlungsunfähig einem übermächtigen System aus Dogmen gegenübergestanden hatte, saß mir noch Monate lang im Genick. Jede Unstimmigkeit ließ das Unheil in mir aufsteigen. Eine schlaflose Nacht war noch eine der harmloseren Auswirkungen, schlimmer war das Gefühl der Hoffnungslosigkeit, das mich überkam, wenn Theo auch nur die leiseste Kritik an mir äußerte und ich trotz meiner Vorsätze wieder überreagierte.

Währenddessen gelang es mir immer besser, mich mit meiner Mutterrolle zu identifizieren. Schließlich hatte ich eine ehrenvolle und wunderschöne Aufgabe. Meine Söhne waren meine Seelenwärmer, zwei Menschen, die ich abgöttisch liebte, ohne Angst, dass sie sich jemals von mir abwenden würden. Sie waren meine Retter vor den Dämonen.

Ein solcher Dämon war mein Handy, die kleine, schwarze Versuchung, Kontakt mit der Außenwelt aufzunehmen. Wenn ich ganz alleine war, weil Kilian schlief und Darius im Kindergarten war, wurde es manchmal zum riesigen Insekt, das mich aus einer Ecke heraus beobachtete. Immer wieder rannte ich hin, griff es mir und klickte durch die Kontakte bis zu Daniel Schweizers Nummer, traute mich aber nicht, sie zu wählen. Ich war so weit draußen. Wie sollte ich jemals mit einem Kopf voller Kinderkram und den Klamotten voller Breiflecken in die Welt der durchgestylten Wertschöpfungsketten zurückkehren? Es würde mir niemand ernsthaft glauben, dass der Spagat zwischen zwei Kleinkindern und einem Managementposten, der permanente geistige Präsenz erfordert, gelingen könnte.

Als ich schließlich doch einmal auf die Nummer mit der 069 am Anfang drückte, meldete sich Schweizers Assistentin, die ich nicht mal kannte. Mit unsicherer Stimme hinterließ ich eine Rückrufbitte. Dann stellte ich einen Aktionsplan auf für den Fall, dass das Handy klingeln würde: Kinderkanal einschalten, Gummibärchen aus der Küchenschublade holen und die Jungs blitzschnell damit auf dem Sofa parken, dann mit dem Handy in Theos Büro verschwinden.

Doch es klingelte nicht. Als Theo kam, knipste ich den Dämon aus, vor lauter Angst, mein Mann würde von meinen Absichten Wind bekommen und eine Diskussion darüber anfangen. Er hielt es für unmöglich, dass ich wieder in Frankfurt arbeitete.

Dass Theo von meiner Begabung für meinen Job nicht mehr überzeugt war, war mir klar. Er glaubte, dass die guten Ideen, die zum Erfolg der Stromer-Internetseite geführt hatten, eigentlich von Joachim stammten. Außerdem war Theo dabei gewesen, als ich mitten in einem Höhenflug während der Präsentation unseres Konzepts an meine Grenzen gestoßen war, damals mit Schweizer in Stuttgart, als wir die Konzeptarbeit unseres Teams vorgestellt hatten. Theo und ich waren damals frisch verliebt gewesen. Es konnte nichts mehr schiefgehen, davon war ich überzeugt gewesen. Mein heimlicher Geliebter würde mir Deckung geben.

Schweizer war damals derjenige gewesen, der präsentierte. Ich hatte anschließend die Fragen der Herren Vorstände beantworten sollen. War ich zu dem Zeitpunkt eigentlich wirklich bei der Sache gewesen, oder war mein Kopf von Theo beschlagnahmt, der mich mit liebenden Blicken verfolgte?

Seine Bewunderung ließ mich aufblühen. Mit sprühendem Charme nebelte ich die Herren ein. Alle – bis auf einen. Der zugeknöpfte Herr von Schönburg, von patriarchaler Adelskultur geprägt, wollte genau wissen, ob hinter dem Nebel Substanz war. Er bohrte mitten hinein in die eine noch nicht ganz durchstrukturierte Stelle, wo wir es mit Datenredundanz zu tun hatten. Ich versicherte zwar, dass „unser Programmierer das lösen wird", stieß aber plötzlich auf zahlreiche kritische Blicke, unter anderem von Theo. Vor allem als von Schönburg den Pflegeaufwand diskutierte, der entstehen würde, wenn wir Produktdaten an zwei Enden aktuell halten müssten. Außerdem brachte er noch seine Bedenken in puncto Zugriffssicherheit vor: Wir könnten doch keine Zugänge von extern auf unsere Datenbank zulassen. Hacker waren in diesen Tagen überall, der Schaden wäre immens und Stromer am Ende.

Die Welle, die Schweizer und mich getragen hatte, versandete in trübem Gewässer. Mein Chef nahm mir das Wort ab, weil er merkte, dass ich aufsaß. Er hatte zwar auch nicht mehr Lösungskompetenz als ich, aber sein Klang war akademischer und als Mann war er glaubwürdiger. Er holte mich und die Kuh vom Eis. Unsere Webstrategie wurde abgenickt – unter Vorbehalt.

Ich wusste: Einem Mann hätten die Herren Vorstände eine Hintertür aufgemacht, um aus der Ecke wieder rauszukommen, in die man ihn gedrängt hatte, so wie sie es mit Schweizer getan hatten. Aber nicht einem jungen Ding, das sich anmaßte zu wissen, wie Stromer sein Kommunikationssystem aufzusetzen hat. Alle wussten, dass Theo unsere Arbeit begleitet hatte, doch ich wartete vergeblich auf Unterstützung von ihm. So zog ich mich von der Front zurück, allein weil ich spürte, dass ich mich aufbäumen konnte wie ich wollte, ich würde als einzige Frau im Kreis nicht die finale Entscheidungssicherheit liefern können.

Nach ein paar Tagen, die ich in Wartestellung verbracht hatte, immer darauf vorbereitet, Darius und Kilian schnell vor den Fernseher zu setzen, glaubte ich nicht mehr an einen Rückruf von meinem Chef. Er kam dann aber doch noch, als ich gerade Pudding kochte. Daniel Schweizer hatte Verständnis für die ungeduldig quengelnden Kinder im Hintergrund. Er schilderte, wie sein Team unter Druck stehe, wie unkalkulierbar die Arbeitszeiten geworden seien und wie gut Casparek den täglichen Workflow im Griff habe. Geschickt manövrierte er mich in Richtung Verzicht. Er wusste wohl, dass er Theo Schmidt keinen Gefallen tun würde, wenn er mich wieder eingliederte. Eventuell hatten die beiden sich sogar kurzgeschlossen. Ich hätte mich darüber hinwegsetzen können, schließlich hatte ich einen Anspruch auf meinen Arbeitsplatz. Doch ich erinnerte mich an meinen Vorsatz, mich meinem Familienprojekt hinzugeben. Jetzt unsere Ehe aus ihrer sensiblen Balance zu bringen, würde eine Energie verschlingen, die ich einfach nicht hatte.

Ich rettete mich in den Glauben an Theo, daran, dass seinem Urteil über Menschen - das meist negativ ausfiel - auch in meinem Fall zu trauen war. Wenn ich ganz ehrlich zu mir war, war ich nie die große Nummer im Konzern gewesen. Ich würde all meine Zeit dem Aufziehen unserer Söhne widmen. Schöner könnte ich meine Tage doch gar nicht verbringen.

Mindestens einmal im Monat fuhr ich am Samstag mit den Jungs nach Karlsruhe. Joachim und ich ließen die Balkonzigarette nie ausfallen. Es passte zwar nicht alles, was sich über die Wochen an Gesprächsstoff ansammelte, in diese kurze Einheit, aber allein schon dass ich Joachim meinen Teil in einem stillen Dialog bereits vorher erzählte, tat mir gut.

Er hatte sich dafür eingesetzt, dass mein Vater von seiner Restschuld befreit wurde. Lange war Peter, sobald er ein Einkommen hatte, alles bis auf einen kläglichen Rest wieder abgenommen worden. Für einen Menschen wie ihn, der nur dann im Wirken aufgeht, wenn er in eine allumfassende positive Energie eingebettet ist, war das Thema Erwerbsobliegenheit der Killer schlechthin. Monatelang war er durch einen endlosen Tunnel geirrt, dann hatte ihn sein Arzt erwerbsunfähig geschrieben. Ein fataler Fehler. Denn ohne Tagesstruktur, ohne Pflichten, ohne die täglichen Begegnungen, über die er sich aufregen konnte, hatte mein Vater freie Fahrt in den Abgrund gehabt.

Doch jetzt hatte er plötzlich wieder Perspektiven. Er wollte wieder am täglichen Sinn und Unsinn des Lebens teilhaben.

Unterdessen hatte Joachim im Internet Moni kennengelernt. Er zeigte mir die blasse Schönheit auf dem Display seiner Digitalkamera. Sie wirkte schon auf den ersten Blick rechtschaffen. Eine Frau mit Wertvorstellungen. Sie spielte Geige und ihr Vater hatte ein Musikgeschäft. Dort verschaffte Moni Peter einen Job als Verkäufer, der zu ihm passte wie ein Maßanzug. Mein Vater, der ebenso leidenschaftlich reden konnte wie er Geige spielte, führte Gespräche über die Klangperfektion von luftgetrocknetem Tonholz, leitete direkt über zur musikalischen Geschichte seines Gegenübers, den täglichen Kämpfen mit dem Üben, bis sich der Kunde umfassend verstanden fühlte. Joachim verriet mir, dass der Ladenbesitzer sich über Peters therapeutische Einflussnahme amüsierte. Aber mein Vater verkaufte nicht schlecht. Selbst die introvertiertesten Künstler genossen den lebhaften Dialog mit dem ehemaligen Orchestergeiger.

Mit seinem Chef, dessen Tochter und Joachim besuchte Peter Konzerte und Veranstaltungen rund um die lokale Musikszene. Er traf alte Freunde aus Orchesterzeiten und entdeckte seine Freude am Feiern wieder. Erstaunlich lange blieb er dabei trocken. Bis zur Silvesternacht, als er inmitten einer großen feuchtfröhlichen Gesellschaft endlich mal wieder mitmachen wollte. Aber er schwor mir, dass er nie wieder harte Sachen trinken werde, nur Rotwein, der sei immerhin gesund und wirke gegen Herzinfarkt.

Das hörte ich auch von Theo, wenn er uns zum Abendessen ein Glas einschenkte. Wir hatten gute Gespräche und ich fühlte mich zwischen all den antiken Balken plötzlich, als hätte ich eine tragende Rolle in einer Familien-Saga. Ich entwickelte neue Visionen von einem erfüllten Familienleben, fasste sie in Pläne und diskutierte einzelne Schritte mit Theo: ein Surfkurs im nächsten Spanien-Urlaub – für uns beide zum Abschalten; Klavierunterricht für Darius – ohne Druck, nicht so wie bei mir damals; ein

Waldkindergarten für Kilian – als Ventil für seine überschießende Energie.

Wir hatten außerdem richtig guten Sex. Unsere Söhne schliefen tief und friedlich. Uns ergriff die Lust. Die Nacht war lang. Alles war erlaubt, alles war gut. Die zärtliche Bindung, die wir dadurch wieder aufbauten, löste so manchen Konflikt schon im Keim. Dass es Theo seelisch gut ging, sah man ihm an. Er strahlte wieder diese weise Gelassenheit aus, die ich so anziehend fand. Leider war sie fragiler, als ich dachte.

Immer wieder kam seine Frage, als wir uns nach dem Sex in den Armen lagen, wie aus einem blauen, wunderbar wolkenlosen Himmel: „Ellie, bist du mir eigentlich treu?"

Die Vorstellungen, die dahinter lauerten, ließen mich eine Scham spüren, für die es gar keinen Anlass gab. Theo hielt mich für fähig, mich tagsüber mit Männern zu treffen, während Kilian schlief und Darius im Kindergarten war, oder abends, wenn er verreist war, hier in unserem Reich. Diese Ruchlosigkeit, die er in den Raum projizierte, war wie ein eiskalter Hauch.

Einmal, als ich mich in endlos scheinender Trance auf ihm bewegte, jeden Millimeter genussvoll vermessend, den er in mir zurücklegte, alles vergessend bis auf dieses Universum der Seligkeit, das da von innen nach außen pulsierte, spürte ich plötzlich, wie genau er mich beobachtete. Da waren sie wieder, die Bilder von mir und dem andern, wer auch immer er war: „Das ist auf einmal alles so intensiv. Was ist los mit dir, Ellie? Hattest du heute schon mal Sex?"

Sein letzter Satz, bevor er verreiste, war: „Sei brav!"

So unsinnig sie war, hatte seine Ermahnung doch eine gewisse Wirkung. Ich gab mich besonders intensiv unseren Kindern hin, ernährte uns drei vollwertig, traf mich mit Charlotte und sprach ausführlich mit ihr über Erziehungsfragen. Weil Kilian mittags nicht mehr schlafen wollte, ging ich zwei Stunden mit ihm an die frische Luft. Bei jedem Wetter tobte ich mit ihm über

Plätze und Felder. Ich hielt das Haus sauber und spielte zarte Melodien auf dem Klavier, während die Jungs in ihren Betten lagen. Was immer sich Theo unter brav vorstellte, ich war noch braver, ehrlicher, verlässlicher. Ich schaffte sogar zwei volle Abende hintereinander ohne Wein.

Er hatte mir das „Wohltemperierte Klavier" von Bach auf den Flügel gelegt. „Da kann es mal nicht mit dir durchgehen. Hier geht es um Präzision. Das schult deine Ausdauer", erklärte er mir. Ich begann tatsächlich für Theo zu üben und erspielte mir seinen Zuspruch wie früher den meines Vaters. Wenn Theo nach ein paar Tagen zurückkam, fragte er mich nach meinem Fortschritt und ich spielte ihm vor. Ungewohnt lange blieb dabei seine Aufmerksamkeit auf mich gerichtet. Ich spürte eine ähnliche Unruhe wie vor vielen Jahren, wenn eine vierköpfige Jury meinem Spiel gelauscht und dabei Punktzahlen auf ein Blatt Papier geschrieben hatte.

Er scannte jede meiner Bewegungen und erforschte meinen Blick, während ich ihm davon erzählte, was wir in seiner Abwesenheit gemacht hatten. Es war eine enorme Herausforderung für mich, mich natürlich zu verhalten. Wenn er merkte, dass ich von seinen Hirngespinsten genervt war, sagte er: „Ich weiß eben, wie leicht du zu verführen bist", als wäre damit alles erklärt. Offensichtlich machten ihn die Vorstellungen meiner Untreue auch noch liebeslustig. Doch bei mir hatten sie die gegenteilige Wirkung. Der Funke sprang nicht mehr über. Als Theo merkte, dass ich nicht mehr in der Weise nach Sex verlangte, wie er das gewohnt war, mutmaßte er, dass ich ihn nicht mehr attraktiv fand und ein anderer Mann mir im Kopf herumschwirrte. Ein Mann, so sportlich, schlank und „jung" wie Joachim. Um dieser erneuten Projektion zu entkommen, spielte ich ihm Verlangen vor und schlief mit ihm.

Eines Nachmittags saß ich mit Darius und Kilian auf dem Teppich vor dem Kamin, in dem wir aus Spaß und trotz sommerlicher Temperaturen ein kleines Indianerfeuer angezündet hatten.

Ein lustiges Gewimmel aus Brettspielen, bunten Holzspielsteinchen und Würfeln breitete sich vor uns aus. Meine Söhne drückten sich in freudiger Einigkeit an mich und ich war plötzlich überglücklich. Mir wurde bewusst, dass ich viele Stunden am Tag frei war und tun konnte, wonach mir grade zumute war, sofern es mir gelang, die beiden Jungs einzubinden. Ich stand auf, entkorkte eine Flasche Rotwein und breitete mich mit meinem Glas genussvoll wieder in der Wärme der Flammen aus. Hier war sie noch, die alte Ellie. Meine Kinder sollten sie kennenlernen.

Viele Jahre könnte ich es noch so aushalten. Wozu arbeiten gehen und diesen Raum aufgeben, den ich mir für mich selbst hier schaffen konnte? Mehr als eine gute Ehefrau musste ich doch gar nicht sein. Und warum nicht noch ein Kind bekommen, um diese zauberhafte Zeit auszudehnen? Ab und zu sehnte ich mich nach einem kleinen Mädchen.

Bevor Theo heimkam, räumte ich alle Spuren meiner kostbaren Freiheit wieder beiseite. Doch das Indianerfeuer wurde zur Routine. Ich fand ein Versteck für meine vollen und leeren Weinflaschen in einem vergessenen Stauraum unter der Treppe. Wenn ich die Flaschen wegbrachte, erschütterte mich manchmal die Erkenntnis, dass ich ein Muster meines Vaters übernommen hatte, dessen heimliche Zeugin ich einst gewesen war. Doch ich hatte jetzt eine Zone, in der ich selbst meine Maßstäbe festsetzte, und die würde ich mir nicht nehmen lassen.

Der Sommer des Jahres 2003 neigte sich dem Ende zu. Ich wurde etwas schwermütig bei dem Gedanken, wie wenig Abende ich draußen an der frischen Luft verbracht hatte. Oft sah ich Joachim und Moni vor mir, wie sie in den Karlsruher Straßencafés und Biergärten die Leichtigkeit des Seins genossen, frisch verliebt und voller Freude auf die Zukunft. Währenddessen war mein Leben, wenn ich ganz ehrlich war, ein Eiertanz zwischen vier Wänden, die immer näher zu rücken schienen.

Dann flog Theo nach Washington für ein paar Tage. Am Samstag würde er wiederkommen. Ich vermisste ihn nicht. Abendelang las ich dicke Bücher, sah mir Filme an und war im Internet unterwegs. Ich fand meine Freundin Christina aus Uni-Zeiten. Sie hatte einen kleinen Vertrieb für Naturkosmetik. Auf ihrer Internetseite fand ich ihre E-Mail-Adresse und schrieb sie an. Es verging keine halbe Stunde, da klingelte mein Handy und sie war dran. Wir vertratschten eine halbe Nacht. Sie hatte zwei Töchter im Grundschulalter, lebte aber mit keinem der Väter zusammen, sondern hatte einen neuen Freund, der eine Massagepraxis in ihrer Wohnung eröffnet hatte.

„Ellie, du musst kommen! So eine Nacht auf der Absturzmeile ist dringend mal wieder fällig", bearbeitete sie mich. „Oder ist ein bisschen Vergnügen nicht erlaubt, da, wo du jetzt lebst?" Sie winkte mir mit der Freiheit, die mir zustand. Als wollte sie sagen: „Hallo, Ellie, lebst du noch? Oder hat dein feiner Mann schon allen Geist aus dir getrieben?" Als wollte sie mich daran erinnern, wie emanzipiert ich mal gewesen war und wie weit sich meine Realität von meinen Träumen entfernt hatte.

Könnte ich nicht die Jungs mal eine Nacht zu Charlotte bringen?, fragte ich mich. Würde meine Schwägerin nicht verstehen, dass ich mal unter die Leute musste, weil ich so gut wie keine Freunde mehr hatte? Doch auch wenn sie mir die Kinder abnehmen und mich losschicken würde, um Spaß zu haben, eines war sicher: Theo würde davon erfahren. In dem Moment, in dem ich Charlotte bitten würde, meine Ausgehnacht unter uns zu belassen, würde sie wissen, dass ich etwas vorhatte, was Theo nicht gutheißen würde.

Ich sah mein Weinglas auf dem kleinen runden Tischchen bei meinem Sessel stehen, daneben mein Buch über Heimweh, Sehnsucht und Vergänglichkeit in Chopins Musik. Nein, es gab keinen Grund, Hals über Kopf hier abzuhauen. Möglich, dass ich neue Menschen treffen würde. Aber was würden sie mir Interessanteres erzählen können als das, was ich hier lesen konnte?

„Lass uns mal wieder Kaffee trinken, wenn ich in Karlsruhe bin", sagte ich zu Christina. „Alles andere verschieben wir, bis meine Kinder größer sind. Die Absturzmeile läuft uns nicht weg."

Am Freitagnachmittag - nach einer halben Flasche Wein und einigen alten Songs aus Theos Stereoanlage - wusste ich trotz aller Vorsätze nicht mehr, wohin mit meiner Sehnsucht nach dem vollen Leben. War ich tatsächlich so weit, dass ich es auf dem Boden der Flasche suchte? Ich erlaubte Darius und Kilian eine kleine Fernseheinheit und verzog mich mit dem Telefon in der Hand in Theos Kaminsessel. Christina saß gerade mit ihren Töchtern bei MacDonald's. Die beiden waren mit Pommes versorgt und ihre Mutter konnte sich auf meine Offenbarungen einlassen.

„Wenn ich nicht bald mal hier rauskomme, kann ich für nichts mehr garantieren."

„Dann setz dich doch ins Auto, Ellie, und komm hierher. Was hält dich auf? Dein Mann ist doch weg. Und selbst wenn er da wäre, könnte er dich nicht einsperren."

Die alte Rebellin in mir wurde immer lauter. Noch während die Jungs sich über fliegende und kämpfende Zeichentrickmännchen lauthals amüsierten, machte ich einen Versuch, mich hübsch anzuziehen, und musste leider feststellen, dass mir meine sexy Jeans zu eng geworden waren. Nach den Geburten hatte ich schnell wieder in meine Sachen gepasst, doch jetzt hatte der Alkohol unübersehbar seine Spuren auf meinen Hüften hinterlassen. Je mehr Hosen ich anprobierte, desto nervöser wurde ich. Ich würde mir von Christina was Vorzeigbares leihen müssen, wenn ich tatsächlich unter Leute wollte. Schließlich packte ich für uns drei eine Tasche und stellte sie griffbereit am Fuß der Treppe ab.

Die Jungs reagierten mit ungläubiger Aufregung auf die Ankündigung: Wir gehen zum Opa. Kilian rannte sofort in sein Zimmer hoch und packte eine Kiste mit Gummi-Dinosauriern. Darius raste ihm hinterher. Daraufhin brach ein Streit aus, wer dem Opa welchen Dino zeigen dürfe. Es kam mir endlos vor und ich wurde immer nervöser, denn je später es wurde, desto geringer war die Chance, dass wir den Opa noch in einem vorzeigbaren Zustand antreffen würden. Als ich im Flur einen Schrei von mir gab, fing Darius an zu weinen. Kilian schleppte entschlossen die Dino-Kiste herbei und platzierte sie vor meinen Füßen, zusammen mit dem Befehl: „Komm jetzt zum Auto, Mama!"

Freudlos und misstrauisch trottete Darius hinter Kilian und mir her, als wir die Treppe hinunter stiegen - Kilian viel zu schnell und ich viel zu schwer beladen mit der Dino-Kiste unter dem einen und der Tasche unter dem anderen Arm.

„Nimm bitte deinen Bruder an die Hand, Darius", bat ich ihn.

„Weiß Papa, dass wir nach Karlsruhe fahren?"

„Natürlich weiß er das."

Beim Blick in den Rückspiegel sah ich, dass Darius schlief und Kilian aus dem Fenster blickte, einen Tyrannosaurus mit seinen winzigen Händchen fest umklammernd. Er machte Pläne, wie er die besten Teile aus Opas Spielzeugkiste für sich sichern würde. Währenddessen versank meine Welt in Planlosigkeit. Jede Minute meines Lebens schien mir wertlos. Je weiter sich das Mosbacher Haus entfernte, das Zentrum meines Universums, desto heftiger sehnte ich mich wieder zurück auf das Terrain, auf dem ich Theos Akzeptanz fand. Je näher meine Heimatstadt rückte, desto größer wurde meine Angst vor mir selbst.

Kurz vor der Ausfahrt Karlsruhe-Mitte versuchte ich mich selbst auf den Boden der Tatsachen zu bringen: Ich war keine Kriminelle, nur weil ich nach Jahren mal wieder mit einer Freundin ausgehen wollte. Aber ich konnte meine Augen nicht mehr von dem Abgrund wenden, der sich vor mir aufgetan hatte, der Sinnlosigkeit eines Lebens abseits von dem, was Theo inmitten der Größe seines Weltbewegens für mich zur Verfügung stellte. Wer war ich ohne ihn? Warum riskierte ich schon wieder sein Vertrauen?

Darius, Kilian, die schlampig gepackte Sporttasche, die Kiste mit den Gummi-Dinos und ich standen im stickigen Treppenhaus vor der Wohnung meines Vaters. Zehn Minuten lang hatte ich an die Türe gehämmert, bei Joachim Sturm geklingelt, per Handy sämtliche Telefone läuten lassen. Keine Reaktion. Die Jungs wagten keine Fragen mehr zu stellen, zu scharf waren die Flüche, die ich ausstieß. Denn jetzt, wo ich einmal hier stand, war ich fest entschlossen, mich mit Christina zu betrinken, alte Bekannte zu treffen, zu flirten, abzuheben, zu tanzen, so wie das Menschen meines Alters immer wieder mal tun; nicht weil sie verwegene Gestalten sind, sondern weil jeder mal Abstand vom grauen Alltag braucht. Der Großvater meiner Kinder war da drin. Er hatte ein Gefrierfach mit Fertigpizza, eine Kiste mit Spielzeug, eine ausziehbare Couch zum Schlafen und Cornflakes zum Frühstück. Ich musste die beiden bloß irgendwie da rein kriegen. Als ich gerade auf der Treppe zusammensacken wollte, weil ich die Stille der Kinder nicht mehr ertragen konnte, öffnete sich plötzlich die Tür einen Spalt. Alkoholdunst waberte mir entgegen. Ohne jegliches Bewusstsein für seine Erscheinung geschweige denn für die Menschheit jenseits seiner Wohnungstür, brauchte mein Vater mehrere Sekunden, um uns zu erkennen.

Auch ich litt unter eingeschränkter Wahrnehmung. Der Sog des Moments, in dem ich meinen jämmerlichen Erzeuger, seine miefige Wohnung, und - provisorisch darin verwahrt - meine Kinder hinter mir lassen und raus in die frische, freie Abendluft treten würde, war zu stark. Nichts anderes war mehr wirklich da. Was würden meine Söhne überhaupt mitkriegen vom Zustand ihres Opas? Für sie war es ein großes Abenteuer, bei ihm übernachten zu dürfen. Sie wussten ja nichts von der Hoffnungslosigkeit und der Verlockung des Vergessens. Opa würde auf sie aufpassen. In jedem Zustand.

Christina und ich tranken uns öde Männer schön. Alles, was nach ein Uhr morgens in Karlsruher Kneipen anzutreffen ist, zählt zum armseligen Überschuss an ehemaligen Langzeitstudenten, die ein strukturbefreites Leben führen, aber idiotischen Regeln folgen, die sie sich selbst auferlegt haben. Sie halten stundenlange Vorträge über die vegane Lebensweise und ihre Unabhängigkeit von der Großindustrie und rauchen dabei schachtelweise amerikanische Kippen. Wir zogen von einer Lokalität zur anderen in der Hoffnung, irgendwo Männer zu treffen, die im Leben stehen und nicht nur abseits davon ihre Zeit vernichten. Mit jedem Tequila wurden wir schärfer auf diese ausgestorbene Spezies. Immer wenn mir Darius und Kilian in den Sinn kamen, besorgte ich die nächste Dröhnung. Christina war happy, dass sie sich auf meine Kosten berauschen konnte.

Gegen drei Uhr morgens schleppten wir uns in ihre Wohnung. Ich taumelte zur Couch und ließ mich dort in den Wirbel meiner Sinne fallen. Nach etwa zwei Stunden, in denen ich mich durch unerträglichen Schwindel, abgrundtiefe Scham und unruhige Schlafsequenzen gequält hatte, lief ich los. Unterwegs zog ich Christinas Schuhe aus, die mir viel zu klein waren, und ließ sie auf dem Gehsteig liegen. Barfuß, kraftlos, aber entschlossen, schleppte ich mich zum anderen Ende der Stadt, über gnadenlos harten Pflasterstein, um scheinbar immer die gleichen hässlichen Hausecken, entlang trüber Straßenbahnschienen und ausgestorbener Hauptverkehrsstraßen, bis ich wieder vor dem Altbau meines Vaters stand und vorsichtig klingelte. Der Öffner surrte sofort. Die leichenblasse Gestalt, die mir die Wohnungstüre öffnete, war Joachim.

Wortlos ließ er mich in die Wohnung. Ich stürzte an ihm vorbei aufs Klo, um mich zu übergeben.

Die Lage wirkte friedlich. Meine Söhne schliefen tief und fest auf der Couch. Mein Vater schnarchte im Nebenzimmer. Joachim wartete am Küchentisch sitzend, bis ich aus dem Bad auftauchte. Er betrachtete meine schwarzen Füße und die leblosen Schwellungen um meine Augen.

„Ich geh jetzt hoch zum Schlafen", sagte er. „Moni ist oben. Leg du dich am besten zu deinen Kindern." Damit war die Frage geklärt, die mir auf der Stirn geschrieben stand: was jetzt?

Ich konnte nur ein paar Minuten geschlafen haben, bis die beiden Kinder anfingen, unruhig zu werden und um mich herum zu wurmen.

Bis der Schrei kam: „Mammmaaaa!!! Wo warst du?"

Kilian kniete vor mir und schaukelte meinen schlaffen Oberarm hin und her.

„Ich war bei meiner Freundin."

„Walum?"

„Weil wir uns mal wieder sehen wollten."

„Kilian hat ganz laut geschrien, weil du weg warst", erzählte mir Darius. „Wir haben versucht, dich anzurufen. Opa war total sauer."

„Jetzt bin ich wieder da. Alles ist gut. Joachim war ja bei euch."

Plötzlich stand mein Vater in der Tür. Er schüttelte den Kopf und sagte: „Ganz schön scheiße, was du da gebracht hast."

Dann ging er Frühstück machen.

Mir war so elend zumute, ich konnte kaum aufrecht stehen und brach unter der rostigen Dusche fast zusammen.

Als ich mittags wieder in Mosbach war, versuchte ich auf der Couch zu schlafen, während die beiden Kinder Filme anschauten. Ich hatte nicht mal die Kraft, kurz vor Theos Ankunft aufzustehen, um ihm irgendetwas vorzugaukeln. Pünktlich um sechs Uhr kam er zur Tür herein. Ich blieb liegen und ließ ihn glauben, ich sei krank. Magen-Darm-Infekt. Und die Kinder sind gesund? Ja, noch.

Sie waren aufgekratzt und ließen den müden Theo nicht in Ruhe sitzen. Nach einem schnell zusammengebastelten Abendessen ging er ins Bett und schlief sofort. Mir überließ er die wilde Bande und die Sauerei. Ich war heilfroh.

Vorbeugend erzählte ich ihm beim Frühstück, dass wir meinen Vater besucht hatten und ich abends mit einer Freundin ausgegangen war. Theo wusste nicht, wie weit Peter wieder gesunken war, also konnte er dagegen nicht viel vorbringen. Außer das übliche Misstrauen.

„Joachim hat ihm mit den Kindern geholfen.“ Somit war klar, dass ich mich nicht mit meinem Exfreund vergnügt hatte.

Ich wusste mich zu geben, das hatte ich ja trainiert. Ob die Wahrheiten, die ich ausließ, nur in seinem Kopf existierten oder in der realen Welt, machte inzwischen keinen Unterschied mehr.

Aller guten Dinge

Es war eine stille Übereinkunft zwischen mir und Joachim, dass er mich niemals anrief, wenn ich in Mosbach war. Ohne dass ich es ihm je erzählt hatte, wusste er, dass ich keinerlei Privatsphäre hatte in Bezug auf meine Kommunikationsmittel. Theo und seine Regeln von Offenheit und Vertrauen beherrschten meine Außenkontakte. Zwar hätte es zwischen Joachim und mir meinen Vater betreffend immer etwas zu bereden gegeben, aber wir hätten den gefühlsneutralen Gesprächsinhalt ja niemals beweisen können. Umso erstaunter war ich, als ich am Montagnachmittag seine Nummer auf meinem Handy aufleuchten sah.

„Ich glaube, du schuldest mir noch eine Erklärung, Ellie." Er klang ungewohnt fordernd. „Warum bist du denn diesmal aus deiner Ehe ausgebrochen?"

„Das bin ich gar nicht. Ich wollte nur mit Christina ausgehen. Und das ging ziemlich in die Hose. Weiter nichts."

„Und nur wegen eines netten Weiberabends überlässt du deine Kinder deinem alkoholisierten Vater, bringst dich selbst in einen noch elenderen Zustand und läufst früh morgens halb bekleidet durch die ganze Stadt? Ich bitte dich."

„Ja, okay, ich bin eben ein bisschen ausgetickt an dem Abend ..."

„Ellie, es wäre schon mal gut, wenn du ehrlich zu dir selbst wärst. Du bist todunglücklich. Und wer kann es dir verdenken? Glaub mir, ich habe die Schmidt-Brüder kennengelernt. Ich will mir nicht vorstellen, wie es bei euch zugeht, wenn die Tür geschlossen ist."

„Wie meinst du das? Was machen sie denn, die Brüder, außer sich gegenseitig das Leben zur Hölle?"

„Du wirst es vielleicht nicht glauben, aber die können sich sehr einig sein. Fordern und fordern immer mehr Zeit und Lösungen für ein lächerliches Honorar. Schieben mir alles, was nicht rund läuft, in die Schuhe und ziehen mir dann von meinen sowieso schon kläglichen Rechnungen auch noch Prozente ab für mangelhafte Ausführung. Es gibt fast keine Möglichkeit, sich gegen diese Hunde abzusichern. Sie knebeln dich mit Verträgen und legen sie immer wieder neu aus. Ahnung haben die beiden überhaupt keine von dem, was ich tue. Aber es herrscht ein permanenter Generalverdacht, dass ich sie verarsche. Echt, Ellie, wenn ich mich dir gegenüber nicht verpflichtet fühlen und der Stromer-Job da nicht auch noch dranhängen würde, hätte ich das Schmidt-Projekt schon längst hingeschmissen. Da soll sich jemand anders zum Deppen machen."

Ich war sprachlos. Bis zu diesem Moment hatte ich geglaubt, dass Theo sich Joachim mit einem großen Auftrag gekauft hatte, um ihn sich zum Freund zu machen und so näher an ihm dran zu sein. Das war aber offenbar nicht der volle Umfang seiner Strategie. In der ersten Stufe war es nur darum gegangen, Joachim den Köder schlucken zu lassen, um dann die Angel in der Hand zu halten. Inzwischen war Joachim zu einer günstigen Ressource geworden und er kam aus den unterschiedlichsten Gründen nicht mehr vom Haken.

„Bist du sicher, dass du da nicht übertreibst, Joachim? Wahrscheinlich sorgt Theo nur dem Verdacht vor, dass er dich protegieren könnte, indem er besonders strenge Maßstäbe ansetzt."

„Glaub mir, Ellie, ich weiß, wovon ich rede. Ich hab mit anderen Software-Entwicklern gesprochen. Die meisten lassen inzwischen die Finger von Schmidt. Dieser Laden saugt dich aus. Das Schlimme ist, dass ich ohne Konventionalstrafe den Vertrag nicht kündigen kann. Ich muss die Sache durchziehen, sonst bin ich geliefert."

Aus den Zeiten, als Theo und ich noch über Geschäftliches gesprochen hatten, wusste ich, wie herablassend er sich über Dienstleister äußerte. Oft hatte er stolz erzählt, wie er über Schlamper und Schlitzohren, die den Hals nicht voll genug kriegen konnten, stets das verdiente Schicksal verhängte.

„Die machen doch momentan Millionen mit ihren Armeegeschäften", ging es am anderen Ende der Leitung weiter. „Das ist wirklich der schlimmste Haufen an Ausbeutern, für den ich je gearbeitet habe."

„Was denn für Armeegeschäfte?"

„Das weißt du gar nicht? Schmidt schickt kugelsichere Westen über die Ozeane. In riesigen Stückzahlen. Also nicht nur für Sicherheitskräfte, sondern fürs Militär. Kriegsgewinnler nennt man solche Leute."

Erstaunlich, wie wenig ich wusste. Da ließ man mich hinter meinen Windelbergen kleine Welt spielen, während im Betrieb die großen Dinger gedreht wurden? Schon lange hatte niemand mehr mit mir über die Firma gesprochen, weder Iris noch Charlotte. Jetzt wurde mir klar, warum.

Tagelang tat ich, als wäre nichts. Doch in mir ging es zu wie in einem Parlament mit zwei unvereinbaren Lagern. Eines impfte mir ein, ich müsse mich als der Teil der Schmidt-Familie verhalten, der ich war. Schließlich profitierte ich von allem, was die Leute an der Front erkämpften. Doch der gegenüberliegende Flügel zog mich gnadenlos zur Rechenschaft dafür, dass ich es mir gemütlich machte, während andere in Kriegen zugrunde gingen, und dass mein Wohlstand auch noch mit ihrem Elend bezahlt wurde. Ich verhielt mich still, aber die Machenschaften der Schmidts bohrten Löcher wie Schusskanäle in meine Schutzweste, die prall gefüllt war mit der wolkigen Ordnung hinter dem Windelberg.

Dann kam der Tag, an dem ich es nicht mehr länger ignorieren konnte: Ich war wieder schwanger. In diesem Fall musste ich auch ehrlich zu mir selber sein, ich hatte es provoziert. Die Zeugung von Kilian konnte ich noch damit erklären, dass keiner von uns an ein zweites Wunder geglaubt hatte. Ich hatte keine Pille genommen, denn ich war mir sicher gewesen, mit der natürlichen Methode durchzukommen. Die Wahrscheinlichkeit einer Zeugung war ja, laut Theos Arzt, enorm gering. Doch diesmal war mir klar gewesen, was ich riskierte. Ich hatte einen jener Tage hinter mir gehabt, an denen alles glatt lief, an denen mir

Charlotte sagte, wie wunderbar meine Jungs gerieten und was für eine gute Mutter ich sei. Meine Berufstätigkeit sah ich nicht mal hinter dem entferntesten Horizont wieder auftauchen. Wenn schon Mutter, dann also nur noch Mutter. Irgendwo tief in meinem Herzen schlummerte der innige Wunsch nach einer Tochter. Er hatte sich weit genug hochgearbeitet.

Mit meinem Hormonpegel stieg meine Sehnsucht, mich und meine Zwergenwelt wieder in Watte packen zu lassen. Joachims Verdacht, dass ich eine Ehe führte, die alles andere als glücklich war, drang gar nicht mehr zu mir vor. Ich hütete einen geheimnisvollen Frieden. Die Welt um mich herum zerfiel in Feindlichkeiten, doch in mir war die perfekte Zukunft. Ein unbescholtener Mensch erzeugte einen neuen Raum aus Verheißungen.

Am Donnerstagabend war Theo schon um halb sieben zu Hause. Wir hatten ungewöhnlich viel Zeit zu viert und versuchten sie mustergültig zu gestalten. In drei Wochen würden wir alle zusammen nach Spanien fliegen. Es galt, ein harmonisches Miteinander einzuüben. Wir wollten ja unseren Urlaub genießen.

Ich wendete Bratkartoffeln, Fischstäbchen und für Theo ein Steak in der Pfanne. Nebenher machte ich einen schnellen Gurkensalat. Theo ermutigte ich, lieber mit den Jungs zu spielen, anstatt mir zu helfen. Derzeit gerieten die beiden Rangen alle Nase lang in Gefechte. Ich hoffte, sie würden sich zusammenreißen, damit Theo nicht die Geduld verlor. Schon nach kurzer Zeit erfüllte es mich mit stolzer Freude zu hören, mit wie viel Charme sie ihrem Vater ihre Lego-Fahrzeuge vorführten. Nach einer Weile wollte Darius kuscheln und drückte sich seinem Vater auf den Schoß. Kilian bohrte sich sogleich dazwischen. Ich lächelte beseelt in mich hinein und stellte mir die Szene mit einem dritten kleinen Gnom vor.

Als ich gerade dabei war, den Tisch zu decken, wurde es Kilian auf Theos spitzen Knien unbequem und langweilig. Er sprang davon, konnte es aber nur schwer ertragen, dass seinem Bruder jetzt Papas volle Aufmerksamkeit gehörte. Daher suchte er auf den umliegenden Regalen nach Potenzial für ein kleines Spektakel. Ich kannte ihn, diesen hüpfenden Blick, den er gezielt immer an dem seines Beobachters vorbeiflitzen ließ. Hinter ein paar Büchern auf dem dritten Regalbrett von unten sah er eine Holzschale in Schiffsform hervorblitzen und wusste intuitiv um ihre Brauchbarkeit in Bezug auf seine Absichten. Er steckte sein kleines Ärmchen zwischen die Buchdeckel und schaukelte das Schiff nur ein klein wenig. Wie erwartet, sprang Theo auf, stellte Darius auf den Teppich und schnellte in Kilians Richtung. Da ergriff unseren Kleinen eine Panik, die ich an ihm so nicht kannte. Normalerweise grinste er in diesem Moment und ließ langsam und gemächlich ab von seinem Tun, um den Anpfiff gerade noch rechtzeitig zu entkräften. Doch jetzt fuhr er so ruckartig zusammen und zog seinen Arm zurück, dass die Bücher rechts und links von ihm auf den Boden knallten. Er schützte reflexartig seinen Kopf mit seinen Händchen und war davon wohl selbst so überrascht, dass er lauthals in Schreien ausbrach.

Theo und ich knieten uns sofort neben ihn und streichelten ihn, um ihn zu beruhigen. Beide versuchten wir, ihn in den Arm zu nehmen, doch er machte sich stocksteif und schlug mit Armen und Beinen um sich. Gänzlich in seiner eigenen, im Chaos der Angst verlorenen Welt, weinte Kilian so lange und heftig, dass wir uns ratlos gegenübersaßen.

Typisch wiederum für Kilian war, dass er von einer Sekunde auf die andere seinen Zustand wechselte. Irgendwann kroch er selbstbewusst wie immer auf meinen Schoß und sagte: „Mama, ich hab Hunger!"

Schließlich saßen die drei am Tisch und ich verteilte mit dem Pfannenwender das Essen. Da fiel mir ein Fischstäbchen auf die Tischdecke. Kilian ließ sein frechstes Lachen raus. Meine Hände zitterten und ich sah, dass Darius sich so wenig wie möglich rührte. Spürte er die gereizten Kurven, in denen meine Sprachlosigkeit ausschlug? Mein eigenes klammes Bauchgefühl war ihm ins Gesicht geschrieben.

So ging es also bei uns zu, wenn die Tür geschlossen war.

Theo bot sich an, aufzuräumen, damit ich die Jungs ins Bett bringen konnte. Ich las ihnen extra lange aus dem Räuber Hotzenplotz vor und war erleichtert, mich in einer fröhlicheren Welt verschanzen zu können. Denn ich wusste, dass Theo nach den Ereignissen des Abends auf Korrekturkurs war. Er hatte diese aufgebürstete Managementdynamik in den Augen und würde eines seiner Grundsatzgespräche führen wollen.

„Ellie, wenn du nicht zufrieden bist mit deiner Situation, dann müssen wir daran etwas ändern", begann er in partnerschaftlichem Ton, als die Jungs eingeschlafen waren. Dabei schenkte er mir ein Glas Wein ein.

Ich schob ihm das Glas rüber. „Ich will nichts, danke!"

„Es sieht mir so aus, als würden Darius und Kilian spüren, dass du hier nicht ganz bei der Sache bist. Sie sind so unausgeglichen. Der eine zu still, der andere zu aufgedreht. Wie sie nach Aufmerksamkeit gieren, sobald ich heimkomme! Weißt du, man muss sich mit den beiden täglich konzentriert befassen. Lass den Haushalt liegen, deine Telefonate, deine Internetsucht, dein Klavier, und lass dich ein auf die beiden. Sie brauchen ungeteiltes Interesse. Sie sollen doch nicht das Gefühl bekommen, dass sie ihrer Mutter im Weg sind. Da wäre es tatsächlich besser, wir würden die beiden zeitweise zu Charlotte geben."

„Wie kommst du denn darauf, Theo? Du hast doch überhaupt keine Ahnung, wie wir hier unsere Zeit verbringen. Du stellst nie Fragen, du willst nie wissen, wie unser Tag war. Natürlich stürzen sich die beiden auf ihren Papa, wenn er dann irgendwann mal heimkommt. Sie bräuchten viel mehr von dir. Aber du machst dir ja nicht mal die Mühe herauszufinden, wie die zwölf bis vierzehn Stunden unseres Tages, in denen du nicht hier bist, verlaufen …"

„Ellie! Beruhige dich. Ich will dich doch nicht kritisieren. Ich sehe nur, dass du unglücklich bist. Ich wollte dir nur sagen, dass ich es unterstütze, wenn du wieder arbeiten gehen willst. Ich werde dir sogar eine Stellung besorgen."

„Du hast mich aber kritisiert, Theo. Nicht nur das, du hast mich gedemütigt. Du demütigst mich jeden Tag mit deiner Kontrolle. Und wenn mich etwas unglücklich macht, dann ist das deine niedrige Meinung von mir."

Wie immer, wenn die Blase in mir platzt, zitterte und weinte ich und machte meine Lebensunfähigkeit damit überdeutlich.

Theo nahm meine Hände. „Möchtest du gerne ins Marketing bei Schmidt? Jetzt wäre gerade die Gelegenheit. Der Hepberger hat gekündigt. Ich weiß doch, dass du deinen Beruf brauchst. Ich will, dass du das Leben hast, das du dir wünschst."

„Nein, Theo! Ich will keinen Job, bei dem ich von allen Seiten von euch kranken Schmidts kontrolliert werde. Und ich will nicht in einer Firma arbeiten, die sich an brutalen Kriegen gesundstößt."

Theo zog seine Hände zurück und sah mich mit schmalen Augen an. „Hat dir das Joachim erzählt? Wusste ich doch, dass du mit ihm zusammen warst."

„Ich war nicht mit ihm zusammen. Er hat mich angerufen, um zu erfahren, wie es mir geht. Das dürftest du ja auf meinem Handy gesehen haben bei deinen regelmäßigen Überwachungsmaßnahmen."

Jetzt spürte ich, dass er wütend wurde. Er sprang auf und holte den Whisky aus dem Schrank. Ich nutzte die Gelegenheit, um den Raum zu verlassen, ich wollte im Bett verschwinden und an meine Kinder denken. Meine einzige Berechtigung, hier zu sein. Überhaupt zu sein.

Doch Theo ließ mich nicht in Ruhe. Durch die Bettdecke, die ich mir über die Ohren gezogen hatte, hörte ich seine sonore Stimme. „Ich werde Joachim aus dem Betrieb entfernen müssen. Er hat gegen die Geheimhaltungsvereinbarung verstoßen. Ich fürchte, es wird eine nicht unerhebliche Geldstrafe für ihn geben."

Ich schnellte nach oben und bemühte mich, nicht zu kreischen. Die Kinder lagen ja nur ein Zimmer weiter.

„Joachim ist der einzige Mensch, der sich um meinen Vater kümmert, Theo! Mir ist es ja unmöglich. Peter wäre schon längst zugrunde gegangen ohne Joachim. Und genau diesen Mann, der diese unglaubliche Leistung für mich erbringt, damit ich bei unseren Kindern sein kann, genau diesen Menschen willst du zerstören? Damit zerstörst du mich! Aber genau das willst du wohl."

„Ich dachte, dein Vater kümmert sich inzwischen wieder um sich selbst." Theos Managerkälte war das Grausamste seiner Instrumente. „Du willst mir doch nicht sagen, dass dein Vater wieder rückfällig geworden ist, und du dennoch unsere Kinder bei ihm abgeliefert hast? Kein Wunder, dass die beiden sich benehmen, als wären sie schwer traumatisiert. Kann ich dir überhaupt noch vertrauen, Ellie? Kann ich dir überhaupt noch mit gutem Gefühl meine Kinder überlassen?"

„Versuch doch, sie mir wegzunehmen." Meine Kraft war aufgebraucht. Ich ließ mich wieder in die Dunkelheit sinken. „Eines von ihnen kannst du jedenfalls nicht vor mir in Sicherheit bringen. Das müsstest du schon aus mir herausholen."

Es herrschte Stille bei gefühlten vierzig Grad minus im Raum. Zitternd zog ich meine Knie an die Brust und versuchte in einen weichen, wärmeren Zustand zu tauchen. Plötzlich war mir, als wäre ich in der Fruchtblase mit meinem Embryo. Ich konnte ihn streicheln und bewundern. Ich konnte ihn beschützen vor der Verachtung, an der ich fast erstickte.

„Und frag jetzt nicht, Theo ...", meine Drohung schwebte so unheilschwanger durch die Luft, dass sie mir selbst unheimlich war, „... frage ja nicht, wer der Vater ist."

Theo verließ das Schlafzimmer.

Als er am nächsten Tag aus dem Haus war, packte ich meine Sachen. Darius wollte gar nicht erst wissen, warum ich ihn nicht in den Kindergarten brachte. Er sah mir zu. Dann nahm er eine Sporttasche aus dem Kinderzimmerschrank und stopfte seine und Kilians Kleider, Zahnbürsten, Waschlappen und Kuscheltiere hinein.

Teil 4

Erlenbach,
November 2010

Neues Wissen

Nell und ich haben gestern bunte Perlen gekauft. Sie hat die funkelnden Discokugeln und die Säbelzähne ausgesucht. Ich die Miniperlen in hundert verschiedenen Farben. Den ganzen Abend sitzen wir schon am Esstisch und fädeln Ketten auf. Sie werden alle wunderschön. Morgen werden wir beide die wilden Kreationen tragen. Die Jungs glauben nicht, dass ich damit ins Büro gehen werde, aber Theo hat versprochen, ein Beweisfoto zu machen, wie ich mit meinem von Nell designten Halsschmuck in der Montagsbesprechung sitze. Darius und Kilian werden ihre Wette verlieren. Theos verschworener Blick wandert von seinem Platz am Kamin zu mir herüber. Die beiden sacken wir mal wieder ein, zwinkert er.

Darius sitzt an meinem Laptop und spielt ein Siedlerspiel gegen sich selbst. Ich muss ihn daran erinnern, dass er noch üben muss. Theo hält sich vornehm zurück, wenn ich auf die täglichen eineinhalb Stunden am Klavier bestehe, die beim Talent unseres Ältesten angemessen sind. Einmal nahm er mich auf die Seite, als er mich zu Darius sagen hörte: „In deinem Alter musste ich doppelt so lange spielen jeden Tag!“ Ich hätte doch geschworen, niemals diese Maßstäbe an Darius anzulegen. Aber dass sein Sohn mit elf Jahren aus den Kinderszenen von Schumann spielt, macht auch ihn stolz.

„Soll er doch mal in einer Rockband spielen. Das war immer mein Traum!“, gab Theo neulich in einem seiner nostalgischen Anflüge zu, die er in letzter Zeit immer häufiger hat.

Darius beginnt, sich auf der Galerie über uns mit Fingerübungen warm zu spielen. Wie bunte kleine Perlen fallen die hohen Töne reihenweise aufeinander. Dann spielt er von unten hoch und Nell summt mit. Das können wir alle inzwischen im Schlaf.

Am anderen Tischende knallt Kilian sein schweres Harry-Potter-Buch auf die Holzplatte. Er springt so ruckartig von seinem Stuhl auf, dass das Holz laut über den Boden schrammt.

„Geht das schon wieder los!", ruft er. Nell und ich schauen gleichzeitig zu Theo hinüber und erwarten die Reaktion. Aber der resignierte Vater hebt nur beide Hände vor die Stirn und schüttelt den Kopf über Kilians aufbrausendes Wesen. Mein Mann ist müde geworden. Seine Ausraster werden selten.

Kaum hat Kilian die Tür zu seinem Zimmer zugeschlagen, setzt Darius mit Schumann ein. Schön sauber führt er die rechte Hand. Das Überpunktieren gehört zu seiner persönlichen Interpretation von kindlicher Fröhlichkeit. Theo wippt dazu vergnügt mit dem Fuß.

Kilian ist ungeduldig mit uns allen. Aber nach außen zeigt er großen Familienstolz. Uns erklärt er immer, dass Nell in ihrer Entwicklung den Kindern ihres Alters hinterherhinke. Ich solle endlich aufhören, ihr morgens das Brot zu schmieren und die Schuhe zu schnüren. Sie würde diese wichtigen Dinge sonst nie lernen. Doch wenn er mit einem seiner Freunde über seine Schwester spricht, höre ich ihn Dinge sagen wie: „Ich wette mit dir, die kann alle Blumennamen in allen Vorgärten der ganzen Straße aufsagen. Und jeden Busch. Und jedes Krabbeltier. Komm, wir wetten. Fünf Euro."

„Du und Theo, ihr müsst euch entweder endgültig trennen oder ein für allemal zueinander stehen!" Dieses Machtwort sprach Joachim vor über sieben Jahren, bevor er mich, Darius und Kilian vor unserem alten Haus in Mosbach absetzte, während Moni meinen Wagen in die Parkgarage brachte. Ich war unfähig gewesen, zu fahren.

„Mich persönlich geht das alles nichts mehr an", fuhr Joachim fort. „Nur weil du keinen Frieden findest, Ellie, muss ich ja nicht auch so ein völlig verstörtes Leben führen."

Zwei Tage lang hatte ich in Lorenz' Bett gelegen, während er und Moni die Jungs von meinem Zustand ablenkten. Nachts hatte Joachim ab und zu nach mir geschaut und ich hatte ihm schließlich erzählt, dass ich wieder schwanger sei. Da war bei ihm der Faden gerissen. Er halte es für das Beste, wenn ich am nächsten Tag verschwinden würde, hatte er gesagt. Aus seiner Wohnung und aus seinem Leben. Ein für alle Mal.

Erst achtzehn Monate später trafen wir uns wieder. Ich lief über den Parkplatz des städtischen Krankenhauses, wo mein Vater seit vier Tagen lag, zu meinem Auto, als Joachim und Moni mir entgegenkamen. Moni hatte den kleinen Oscar auf dem Arm. Joachim kam direkt auf mich zu und umarmte mich. Er sah ausgepowert aus, aber nicht unglücklich. Ich wollte grade die Tränen laufen lassen, da fiel mir ein, dass ihn mein Unfriede ja schon lange nichts mehr anging. Aber wie die Sonne, die man nur klar umrissen sieht, wenn sie gerade auf- oder untergeht, sah ich die Wahrheit.

„Ich weiß jetzt, warum du mich damals auf die Straße gesetzt hast", sagte ich zu ihm, während Moni mit Oscar schon weiterging.

„Ich habe dich nicht auf die Straße gesetzt, Ellie! Ich habe dich nach Hause gebracht. Da ist ein gewisser Unterschied!"

„Im Grunde hast du es getan, weil du mich liebst", sagte ich.

Er lächelte überrascht und drückte mich fest an seine magere Brust. Dann ging er mit Moni und Oscar in die Klinik, um nach meinem Vater zu sehen. Ich habe ihn seither nicht wiedergesehen.

Nachdem sich Joachim aus der täglichen Fürsorge um meinen Vater verabschiedet hatte, erhielten wir eine Mitteilung vom Karlsruher Sozialamt: Wir seien zum Unterhalt von Peter Becker verpflichtet, und zwar in einer unserem Haushaltseinkommen angemessenen Höhe. Joachim hatte den Fall gemeldet. Nachdem ihm sowohl bei Stromer als auch bei Schmidt gekündigt worden war, brauchte er jeden Pfennig selbst. Er musste neue Kunden finden und Moni hatte die Pille abgesetzt. Theo zog die Klage gegen Joachim wegen Verletzung der Geheimhaltungsvereinbarung zurück und ließ meinem Vater den vom Sozialamt geforderten monatlichen Betrag zukommen.

Theo und ich besuchten mehrere Paartherapiesitzungen, bis wir wieder ohne externe Hilfe miteinander reden konnten. Frau Wagner beschäftigte sich zunächst mit jedem von uns in Einzelsitzungen, stellte Fragen über unsere Kindheit und Jugend, dann teilte sie mit uns beiden gemeinsam ihre Erkenntnisse. Mein Mann, so hatte sie herausgefunden, übertrug die strengen Maßstäbe für Ordnung und Fleiß, die in seiner Ursprungsfamilie geherrscht hatten, auf mich. Unsere Therapeutin mutmaßte, dass es dort schon ein Scheitern an den harten Richtlinien gegeben hätte, das er nicht verarbeitet habe, womöglich nur verdrängt.

„Woher kommt diese Angst, Herr Schmidt, dem Kodex nicht gerecht zu werden? Warum stellen Sie diese unerfüllbaren Perfektionsansprüche an Ihre Frau und an sich selbst? Gibt es eine Verlusterfahrung, die auf eine Regelverletzung in Ihrer Familie zurückzuführen ist?"

Wenn Theo eine Antwort wusste, dann behielt er sie für sich. Aber er drückte meine Hand.

Die Zweifel an der Möglichkeit anhaltenden Glücks waren offenbar auch in meinem Herzen tief verankert. Aus dem, was ich ihr an Einblicken in meine jungen Jahre an die Hand gab, schlussfolgerte Frau Wagner, dass ich mich für die Trennung meiner Eltern verantwortlich fühlte. Diese Last machte mir echtes Vertrauen in Theos Liebe unmöglich. „Wenn Sie sich selbst nicht trauen, Frau Becker-Schmidt, dann können Sie auch den Menschen, die Sie lieben, nicht trauen."

Frau Wagner bat mich, mir die junge Ellie vorzustellen, sie vor mir zu sehen und sie in den Arm zu nehmen, ihr alles zu verzeihen, ihr Verständnis entgegenzubringen und zu lernen, sie zu lieben.

Wenn ich nachts diese Übung wiederholte, waren es jedoch immer Joachims Arme, die sich um die junge Ellie legten. Denn es war seine Freundschaft gewesen, die in ihr die Hoffnung gesät hatte, dass sie eines Tages stolz aus den Trümmern aufsteigen würde. Schon bei unserer ersten Begegnung hatte ich meine

Lage plötzlich mit den Augen eines Menschen gesehen, der fähig war, zu verstehen.

Meine Mutter hatte meinen Vater und mich Anfang des Jahres 1980 in unserer Wohnung in der Karlsruher Nordweststadt zurückgelassen. Inzwischen war es Herbst und ich hatte angefangen zu studieren. Mein Vater kam nachts nicht nach Hause. Ich hörte den kalten Wind durch die Straße pfeifen und versuchte zu schlafen, doch ich konnte die Sorge um meinen Vater nicht einfach abstellen. Hoffentlich würde er die Kneipe verlassen und sich auf den Heimweg machen, solange er noch Fahrrad fahren konnte. Hoffentlich würde er nicht wieder seinen Mantel vergessen und im Hemd aufs Fahrrad steigen. Endlich hörte ich Geräusche an der Tür, es drehte sich der Schlüssel im Schloss. Erleichtert brachte ich mich in Schlafstellung, mein Vater war heil. Da hörte ich Stimmen und lautes Poltern. In Panik sprang ich aus dem Bett. Ein Mann versuchte meinen unkontrolliert hin und her wankenden und protestierenden Vater durch die Wohnungstür zu manövrieren. Ich packte mit an. Mit vereinten Kräften bugsierten wir ihn ins Schlafzimmer und auf sein Bett, zogen ihm Mantel und Schuhe aus und deckten ihn zu. Dann fanden wir uns auf dem Gang im Dunkeln wieder. Ich konnte erkennen, dass ich einer hochgewachsenen, schmalen Gestalt gegenüberstand. Von seinem Gesicht sah ich nur die große Brille.

„Ich musste ihn mit dem Taxi bringen“, erklärte mir der Mann. Er klang, als wäre er nicht wesentlich älter als ich.

„Warte kurz“, sagte ich und holte mir einen Bademantel, um nicht länger in T-Shirt und Unterhose vor ihm zu stehen. Dann zeigte ich auf die Küchentür, um ihn dort hineinzubitten.

Schließlich standen wir im kalten Küchenlicht und er stellte sich vor: „Ich bin der Joachim.“ Aus gefühlten zwei Metern Höhe lachte er mich an. Ich sah, dass er doch ein paar Jahre älter war als seine Stimme ahnen ließ. Er hatte schöne, hellbraune Augen, schmal geschnitten mit dichten Wimpern, einen dunklen

Haarschopf und eine lange markante Nase. Er wirkte gelassen, so als hätte er einen Plan in der Tasche.

Joachim erzählte mir, dass er in der gleichen Kneipe gesessen habe wie mein Vater. Dessen Saufkumpane hätten ihn einfach auf der Sitzbank liegen lassen. Zum Glück habe er noch seine Adresse nennen können.

Er fragte mich nach zehn Mark, um mit dem Taxi wieder in die Südstadt fahren zu können. „Ich hab leider keinen Pfennig Bargeld mehr", gab er zu. Daraufhin stellte ich die ganze Wohnung auf den Kopf und fand tatsächlich einzelne Münzen in Jackentaschen und herumstehenden Tassen. Immer wieder zählte ich das Geld auf dem Küchentisch, aber ich kam über sechs Mark und ein paar einzelne Pfennige einfach nicht hinaus.

„Mein Vater hat heute schon alles zusammengesucht und versoffen", sagte ich verzweifelt.

Mangels anderer Möglichkeiten führte ich ihn in den Fahrradkeller. Peters Rad stand leider dort, wo ihn Joachim aufgelesen hatte, also musste dieser große Mann mit meinem Damenrad fahren. Draußen vor der Tür in der feuchtkalten Nachtluft drehte ich ihm den Sattel so hoch, wie es ging. Joachim fuhr eine Runde im Kreis mit wehendem Mantel und weit abgewinkelten Knien. Dabei alberte er herum, als ob das Ganze nichts weiter als ein großer Spaß wäre.

„Also, Ellie, jetzt gehst du schnell wieder ins Bett, bevor du dir den Tod holst, und ich komm morgen vorbei und bring dir dein Rad wieder. Ich kann ja dann mit der Bahn zurückfahren."

Am nächsten Tag war Sonntag und er kam mit einer Tüte Brötchen frisch vom Bäcker. Als ich mich für meinen Vater und all die Umstände entschuldigte, sagte er: „Du, das kann doch jedem mal passieren."

Theo und ich sprachen lange nicht über meine dritte Schwangerschaft, so als würden wir das jetzt nicht auch noch unterkriegen. Theo ließ mich nur mit Gesten wissen, dass er meinen Zustand ernst nahm. Es begann wieder die Zeit, in der er mir morgens ein

Müsli mit frischen Früchten und einen Kräutertee ans Bett brachte. Er ging später zur Arbeit, damit ich länger schlafen konnte, und kam sogar hin und wieder früher heim, um mit Darius und Kilian nach draußen zu gehen. Selbst wenn es schon dunkel war, liefen sie miteinander zum Spielplatz, damit die beiden ihrem Papa etwas vorturnen konnten. Wenn wir abends im Bett lagen, tröstete mein Mann mich mit seiner stabilen Umarmung. Manchmal streichelte er mich. Doch meistens hielt er mich nur schweigend fest, bis ich eingeschlafen war.

Ich war schon fast im fünften Monat, da brachte ich eines Freitagnachmittags die Jungs zu Charlotte, um meinen Untersuchungstermin wahrzunehmen. Ich hatte ein blödes Gefühl. Ein Kind, das von den Eltern totgeschwiegen wurde, war womöglich ein krankes Kind, eines mit einem Gendefekt oder eines, das schon gar nicht mehr lebte. Doch Frau Doktor Marbeck fuchtelte fröhlich mit dem Ultraschallstab in mir herum, deutete damit kreuz und quer und staunte, wie schnell der Embryo gewachsen war. Sie ahnte wohl meine Angst, dem dreifachen Kindersegen nicht gewachsen zu sein, und erzählte mir aus ihrer eigenen Erfahrung, dass das dritte Kind das Genusskind sei. Da habe man schon Routine, die beiden Älteren hätten sich gegenseitig und fühlten sich nicht ausgeschlossen, und meist wisse man ja, dass dies das letzte sein werde.

„Und das Geschlecht passt auch. Freuen Sie sich, Frau Schmidt!"

„Noch mal so ein Racker?", fragte ich.

„Noch mal ein Racker. Nur die weibliche Sorte."

„Sind Sie sicher?"

„Das ist ganz eindeutig. Die Kleine liegt zum Glück genau richtig, sehen Sie her."

Sie fuhr mit Zeige- und Mittelfinger an zwei länglichen Schatten auf ihrem Bildschirm entlang und erklärte mir, das seien Schamlippen.

Ich schwebte aus der Praxis. War es nicht das, wonach ich mich gesehnt hatte? Endlich Verstärkung für meine Weiblichkeit. Endlich mehr Frau sein, mit einem Kind, das einfach nur zart und bezaubernd sein würde.

Charlotte staunte über meinen plötzlichen Gefühlsüberschwang, als ich ihr den Ultraschallausdruck auf die Küchentheke legte, und stieg gleich darauf ein. „Das wird ein wunderhübsches Prinzesschen, Ellie. Sie muss natürlich Elisabeth heißen", rief die stolze Tante aus. „Nach der Oma und der Mama!"

„Wie? Eine Sie? Das Ding ist doch ein Drache", Kilian schüttelte ungläubig den Kopf über dem Bild.

„Wir wollen doch kein Mädchen!", rief Darius aus, und die beiden begannen einen ohrenbetäubenden Kriegstanz durchs Haus, der eine große Befreiung verriet. Endlich wurden über das mysteriöse Baby in meinem Bauch ein paar Informationen rausgegeben. Durften sie sich jetzt tatsächlich freuen? Würden wir sogar mit Papa darüber reden? Nicht nur bei der abendlichen Badeorgie zu dritt verschworen den Bauch begutachten, in dem das Geschwisterchen am Wachsen war?

Charlotte schrieb Theo übers Handy an, dass er schleunigst vorbeikommen solle, es gebe was zu feiern. Schließlich stand er mit einem Glas Sekt in der Hand vor Charlottes Küchentheke und wusste nicht, was von ihm erwartet wurde.

„Sag uns, was du siehst!", forderte Charlotte ihn auf und deutete auf unser ungeborenes Kind.

„Eine gesunde Nummer drei?", kam es vorsichtig von ihm.

„Ja genau. Das, mein lieber Bruder, ist Elisabeth", klärte Charlotte ihn auf.

Alte Schuld

Der gefährlichste Virus, der in einer Familie kursieren kann, ist die Schuld. Man kann sie lange im Herzen tragen, ohne dass sie aktiv wird. Doch irgendwann macht sie sich los und befällt die Zwischenräume. Man kann diesen Zustand immer noch überwinden, aber nur wenn die Schuld in Bewegung bleibt.

Theo wollte nicht akzeptieren, dass mein Bruder Claudius sich völlig der Verantwortung für seinen Vater entzog. Er wusste ja nicht, dass das Schuldmuster in meiner Familie festgeschrieben worden war, als meine Mutter meinen Vater verlassen hatte: Peter hatte das Glück des gemeinsamen Sohnes auf dem Gewissen. Bei meinem Vater durfte man deshalb Claudius nicht erwähnen. Jeder zweite Gin hatte die unmögliche Aufgabe, seine Existenz zu verdrängen, manchmal sogar jeder einzelne.

Elke hatte Peter verlassen, weil ihr der verwitwete Wirt vom Goldenen Lamm den Hof gemacht und sie zu seiner Gastwirtin hatte küren wollen. Mit ihrer zweiten Ehe tauschte sie den einen Alkoholiker gegen den anderen aus, aber wenigstens hatte ihr neuer ein wenig Besitz. Mir servierte sie die Erklärung, bei uns habe sie es nicht mehr ausgehalten, weil mein Vater Claudius in die Drogenabhängigkeit getrieben habe.

Meinem Bruder ging es ganz gut mit der Geschichte, dass sein Vater an allem Schuld sei, was er in seinem misslungenen Leben tun und lassen musste. Für seine diversen Therapeuten in den Entzugsanstalten schmückte er seinen Leidensweg lebhaft aus: der aus dem Osten geflohene Vater, der – dem Gesetz der Gleichschaltung gehorchend – seinen Sohn schon früh instrumentalisieren wollte, um seine eigene Stellung im System zu verbessern. Eine Geige in die Hand gezwungen, unter Androhung von Prügeln zum Üben genötigt. Einmal sogar den Notenständer über den Kopf geschlagen. Der strenge Vater hatte ihm das Essen von Butter verboten, damit er nicht noch mehr zunehmen würde, ihm irgendwann sogar das Butterbrot ins Gesicht geschlagen. Dann habe er den Frust über das mangelnde

Talent und die unästhetische Erscheinung des Sohnes im Alkohol ertränkt. Schließlich, als die schöne, schlanke Schwester Talent zeigte, habe der Vater nur noch sie gesehen und ihm jegliche Beachtung entzogen. Sein Vater sei blind gewesen für seine guten Anlagen, speziell sein Talent für's Kochen. Kochen sei bei Peter Becker nicht unter den Begriff Kultur gefallen, es mache nur dick.

Früh seines Selbstvertrauens beraubt, ging Claudius also nicht seiner Berufung – der kulinarischen Kunst – nach, sondern dem Muster, das ihm zuhause vorgelebt wurde: dem des Versagers, der trotz aller Bemühungen einfach vor die Hunde geht.

Als meine Mutter und Karl die an Claudius begangene Schuld wiedergutmachen und ihn zum Koch ausbilden wollten, wusste er das zwar zu schätzen, doch ließ er von Anfang an durchblicken, dass es ihm von seinem Krankheitsbild her nicht möglich sei, bestimmte therapeutische Maßnahmen zu ändern. Der Tag musste beginnen mit dem Inhalieren dessen, was im Kräutergarten des Goldenen Lamms seit Neuestem zwischen Thymian und Liebstöckl so unglaublich gut gedieh. Enden musste er, wie von beiden Vaterfiguren nicht anders aufgeprägt, im Suff. Dazwischen lag das, was in dem sozialen Dunstkreis von Claudius, der sich im Goldenen Lamm recht schnell ausbreitete, eben so angeschwemmt wurde.

Doch von all dem wusste Theo nichts. Da ich absolut nicht geneigt war, über meinen Bruder zu sprechen, ahnte er nur, dass er und ich nicht viel gemeinsam hatten. Ich wollte gar nicht wissen, was nach der Trennung von Elke und Karl aus ihm geworden war.

„Vergiss ihn. Der wird niemals einen Cent für unseren Vater übrig haben", sagte ich zu meinem Mann.

Aber Theo wollte das nicht einfach so schlucken. Selbst wenn Claudius nur fünfzig Euro im Monat zu zahlen imstande wäre, sollte er gefälligst tun, wozu er verpflichtet war.

Als wir von Charlottes Haus in Erlenbach nach Mosbach zurückfuhren, schliefen Darius und Kilian schon nach ein paar Minuten in ihren Sitzen und Theo nahm meine Hand. Wir sprachen nicht, aber die zärtliche Berührung unserer Hände ließ die Sehnsucht nach Einheit frei.

Theo parkte vorm Haus, damit wir jeder einen unserer Söhne hinein tragen konnten. Ich sollte Kilian auf die Couch legen, bis Theo das Auto geparkt hatte, weil es zu anstrengend für mich sei, Kilian ganz nach oben zu tragen.

„Wie machen wir das nur mit drei Kindern?", fragte Theo lachend, als er wieder auf dem Weg nach draußen war. Ich saß bei Kilian auf der Couch und strich ihm seine verschwitzten blonden Haare aus der Stirn. Dabei versuchte ich mir das kleine Mädchen vorzustellen. Würde sie Darius oder Kilian ähnlich sehen? Die beiden waren so verschieden. Nur die mandelförmigen braunen Augen verrieten, dass sie Geschwister waren. Darius hatte dicke dunkle Locken und die feinen, weichen Züge meines Vaters. Kilians Schopf war hell und seidig, sein Gesicht kantig und maskulin, bis auf die aristokratisch geschwungenen Lippen.

Als Theo aus der Parkgarage zurückkam, zogen wir unseren schlafenden Jungs die Jeans und Pullis aus und steckten sie in ihren T-Shirts unter die Decken. Dann gingen wir zusammen ins Bett. Wir waren beide ausgehungert nach Sex. Ich spürte, wie Theo mich förmlich inhalierte, jede Berührung, jede Bewegung und jeden Ton, den ich von mir gab. Ich versuchte, ganz bei ihm zu sein, doch mein Herz zog sich immer wieder zusammen vor Schmerz bei dem Gedanken an Joachim. Obwohl Frau Wagner davon gesprochen hatte, ich solle mich selbst lieben, um auch Theo bedingungslos lieben zu können, hatte sie in mir die Sehnsucht nach einem Mann geweckt, der mein gesamtes Wesen annehmen konnte, so widersprüchlich, wie es war. Anstatt mein Bündnis mit Theo zu stärken, hatte sie den Zweifel in mir genährt, ob es richtig war, bei ihm zu bleiben.

Ich schlief mit Theos Körper, denn ich brauchte ihn, doch im Geiste war ich bei Joachim und bat ihn um Verzeihung. Er fehlte mir wie eine Substanz meiner selbst. Nie hätte ich gedacht, dass er so drastisch mit mir brechen würde. Ich wollte ihn aus meinem System löschen. Aber er war einfach da. Theo flüsterte: „Ich liebe dich, Ellie", und schlief ein, aber ich lag noch wach, als der Morgen graute, so sehr quälten mich meine Gedanken. Dieser Mann neben mir war der Vater meiner Kinder. Selbst wenn es ein Fehler gewesen war, alles für ihn aufzugeben, konnte ich die Zeit nicht mehr zurückdrehen. Ich würde lernen, ihn wieder so zu lieben wie in unseren ersten Jahren.

Eines Abends im November kam Theo schon um fünf Uhr nach Hause. Er hatte Charlotte dabei. Darius, Kilian und ich saßen auf dem Teppich vor dem Kamin und spielten Memory. Doch als die geliebte Tante auftauchte, war es vorbei mit der Konzentration. Charlotte trug ein Blech mit Kartoffeln und Hühnerbeinen, das nur noch aufgewärmt werden musste. Die Jungs rissen ihr das Ding fast aus der Hand. Nichts auf der Welt war so lecker wie Tante Charlottes Hühnchen. Theo schickte mich nach oben, ich solle mich hübsch machen. Er wolle mir etwas zeigen und dann mit mir essen gehen.

Ich war bleich wie nie, meine Haare baumelten mir strähnig vom Kopf und mein Bauch war zu groß für das Stadium meiner Schwangerschaft. Aus dem Haus zu gehen, war das Letzte, wozu ich Lust hatte. Ich brauchte fast eine Stunde im Bad, um mich präsentabel zu fühlen. Theo klopfte ungeduldig an, es wurde schon dunkel draußen.

Erst fuhren wir nach Erlenbach, dann an Charlottes Haus vorbei ins Neubaugebiet, dann in Richtung Ortsrand. Schließlich standen wir in einer Sackgasse, die noch nicht asphaltiert war.

„Komm!", forderte er mich auf, stieg aus und nahm vom Rücksitz eine Papierrolle.

Jenseits des freien Feldes, vor dem wir standen, schimmerte der Wein auf weiten, sanften Hügeln rotgolden und südländisch in der Dämmerung. Die Weite war mit kleinen Wäldchen gespickt und von schmalen Wegen durchwoben. Der Ort lag hinter uns. Man vergaß, dass er überhaupt da war.

Theo rollte das Papier vor uns aus und zeigte mir Pläne.

„Hier bauen wir ein Haus."

„Ein neues Haus? Warum willst du denn umziehen, Theo?"

„Du willst doch nicht ernsthaft drei Kinder in einem Zimmer unterbringen, Ellie. Das geht vielleicht jetzt noch, aber nicht wenn sie heranwachsen."

Theo strahlte wie schon lange nicht mehr. Er freute sich auf das, was wir da planten. Ich spürte den Funken in ihm und wünschte, er würde überspringen.

Theo führte mich in unser kleines, provenzalisches Lieblingsrestaurant. Doch die einladend gewölbte Decke und dicken Wände, die duftenden Kräuter und die Herzlichkeit des Inhaberpaars, das uns mit großem Hallo persönlich begrüßte, löste heute keine Freude in mir aus. Ich war zu sehr damit beschäftigt, gegen meine Gefühle zu kämpfen, gegen meine Angst vor der Veränderung, vor dem Energieaufwand, den sie erfordern würde. In Mosbach konnten wir alle Einkäufe zu Fuß erledigen und inzwischen blind jeden Besorgungsgang machen. Wir – das hieß: ich und die Kinder, denn Theos aktives Mitwirken am Familienprojekt fand nur in kurzen Einlagen statt. In meinem neuen Leben würde es erst mal keine tröstende Routine mehr geben.

Als hätte er meine Gedanken gelesen, sagte Theo plötzlich: „Manchmal überlege ich, ob ich meinen Stromer-Job an den Nagel hängen sollte. Ich hab so lange auf Kinder gewartet und sie sind doch nur einmal klein."

Da spürte ich sie schließlich doch, die Idee eines Aufbruchswillens. Ja, das wäre die Lösung. Mehr gemeinsame Zeit würde unsere Liebe wieder aufleben lassen. Wir würden entspannt und zärtlich miteinander sein. Wir würden uns neu kennenlernen und erfinden.

In den nächsten Tagen fuhr ich mit den Jungs immer wieder in die Sackgasse, wo unser neues Haus gebaut werden sollte. Ich zeigte ihnen die Pläne und wir liefen unsere zukünftigen Zimmer auf der Wiese ab, auch das vom Drachen. Ich ließ meinen Blick über die Weinberge schweifen und sah sie dort auf den geschwungenen Wegen laufen, meine Jungs und mein kleines Mädchen, mit bunten Kapuzen. Viele Herbsttage würden kommen, an denen ich den herrlichen Rebenduft einsaugen und mit ihnen durch die kühle Weite schweifen würde. Das Leben würde leichter werden.

Es war ein warmer Winter und der Keller sollte schon bald gemauert werden. Ab April würde dann nach oben gebaut. Ich sollte mir noch meine Gedanken machen über den Schnitt, hatte Theo mir angetragen, und mir Details zur Innenarchitektur überlegen. Nächstes Jahr um diese Zeit würden wir schon hier wohnen.

Wir hingen beide am Mosbacher Haus. Der bevorstehende Abschied machte uns manchmal ein bisschen wehmütig. Aber die Vorstellung, dass unsere Kinder im eigenen Garten spielen würden, dass Theo in zwanzig Minuten drüben in der Firma wäre und ich auch eines Tages, wenn ich wieder arbeiten würde, sowie die einzigartige, unverbaubare Lage ließen die Vorfreude überwiegen.

Abendlich wartete ich auf Neuigkeiten von Theos Kündigung.

„Wäre das schön, wenn wir nach Elisabeths Geburt erst mal Zeit als Familie hätten“, sagte ich zu Theo. „Dann könntest du mir auch eine Weile den Stress mit dem Bau abnehmen.“

Er nickte und blickte gleich wieder auf den Bildschirm seines Communicators. Es gab gerade wieder mal so viele Baustellen, um die er sich kümmern musste. Da war die in Erlenbach, diejenige mit der geringsten Tragweite. Stromer expandierte in neue Märkte. Besonders auf dem nord- und südamerikanischen Kontinent gestaltete sich die Ausbreitung der Marke rasant. Theo war hier die treibende Kraft. Erst etablierte er Vertriebsnetze und investierte in Händlerschulungen, dann machte er Werbedruck. Seine Formel waren die kleinen, präzisen Schritte – nur keinen auslassen, nur keinen Zeitpunkt verpassen. Sie brachte ein Millionenwachstum. Die Holding belohnte ihn mit großzügigen Boni.

Die ehedem von Joachim und mir aufgesetzte Internetseite hatte in den letzten fünf Jahren einige Upgrades durchlaufen und war in neun Sprachen angelegt. Joachim hatte all das begleitet, doch seit Theo ihn bei Stromer rausgeschmissen hatte, musste Fabian, der mäßig motivierte angestellte Programmierer, alleine zurechtkommen. Aber es halfen alle Fortbildungen nichts, Fabian hatte einfach keinen Sinn für die Mikrostruktur und all die feinen Zusammenhänge, die im Backend für einwandfreie Funktion sorgten. Jede Veränderung in der Produktpalette warf ihn aus der Bahn.

„Herr Schmidt, vielleicht kann Ihre Frau uns ja ein paar Tipps geben, wie wir die neuen Produktlinien am sinnvollsten integrieren. Immerhin stecken ihre Gedanken ja in der Basis dieser Internetseite“, schlug Fabian in einer Sitzung vor.

„Meine Frau hat andere Sorgen, Herr Casparek. Lassen Sie Ellie bitte aus dem Spiel. Sie werden sich ja inzwischen selbst mit der Basis beschäftigt haben.“ Das kam so knallhart vom Vorstand Schmidt, dass keiner es je wieder wagte, mich zu erwähnen.

Ich erfuhr davon in einem heimlichen Telefonat mit Fabian, der sich nicht mehr zu helfen wusste und es trotz der Mahnung wagte, sich mit mir in Verbindung zu setzen. Doch ich konnte tatsächlich nichts mehr tun, weder einen Draht zu Joachim legen noch selbst beratend wirken, nicht in dem Dreiminutenfenster, das mir für dieses Gespräch zur Verfügung stand.

Schweizer musste eine große Agentur anheuern, um den Ausbau der Internetarchitektur zu übernehmen. Die Honorare müssen horrend gewesen sein, verglichen mit dem, was Joachim bekommen hatte, um immer auf Zuruf alle Probleme zu lösen. Es hätte ihm so gutgetan, zu erfahren, welche Schwierigkeiten sein Rausschmiss verursachte. Wie gern hätte ich es ihm erzählt, doch nichts schien so verboten und gefährlich zu sein wie das Wählen seiner Nummer.

Die Monate vergingen wie in einer Blase. Ich sah die Außenwelt, aber sie drang nur unscharf zu mir herein. Ich las keine Nachrichten mehr im Internet und den Fernseher machte ich nur für die Kinder an. Immer wieder schauten wir gemeinsam die gleichen DVDs an. Es war der größte Komfort, immer zu wissen, was passieren würde. Meine Emotionskurven schlugen trotzdem aus und bei jeder Heimkehr von Lassie liefen mir die Tränen übers Gesicht. Mein gewagtester Vorstoß in die Welt draußen waren die Ausflüge in den Buchladen gegenüber. Meine Freundin, die Buchhändlerin, wusste, was meine Kinder eine Weile beschäftigt hielt: große Pappbücher mit möglichst vielen Baggern drin. Währenddessen schaute ich die neu erschienene Belletristik durch. Als Dankeschön kaufte ich immer ein paar Kinderbücher, doch die Romane ließ ich liegen. Ich wollte sie gar nicht so genau kennen, all die Geschichten, in denen sich Frauen aus ihren kleinen Welten befreiten, um ihre wahre Erfüllung zu finden. Mein Hausfrieden war zu empfindlich, um rebellisches Gedankengut hineinzutragen.

In der entlegenen Melancholie von Chopin und Mendelssohn war ich besser aufgehoben. Wenn die Jungs in ihrem Zimmer vor ihrer Legokiste saßen, stieg ich ganz nach oben und ließ Klanginseln auf die unteren Räume regnen. Manchmal hörte ich die beiden dazu singen. Dann war ich sicher, dass dies alles Glück war, das ich brauchte.

Vor unseren Hausplänen zu sitzen, war dagegen eine Qual. Alles war zu neu, zu anders, zu nah an dem, was gerade angesagt war, zu offen, zu geradlinig. Es gab nur wenig abgetrennte Zimmer. Wo würden die Kinder und ich hier Geborgenheit finden? Würden sich all die dunklen Nischen unseres Familienlebens in dieser Exponiertheit einfach öffnen und ordentlich aufreihen?

Die Jungs wurden zappelig, wenn ich versuchte, sie auf das Baby vorzubereiten. Ich erzählte ihnen, dass die Kleine aus meiner Brust trinken würde, anstatt zu essen. Das fanden sie ekelhaft. Sie versuchten ihre Schwester nachzuäffen, indem sie an

Bällen saugten. Wenn Theo ihnen erzählte, wie wir unsere Prinzessin bald schon einpacken und mit nach Spanien nehmen würden, damit sie mit uns die Sonne genießen konnte, anstatt im nasskalten deutschen März zu frieren, nannte er sie „Klein Ellie". Daraus wurde Kleinellie, bis wir nur noch von Nellie sprachen.

Sie kam zwei Wochen zu früh am Nachmittag des achtzehnten Februar 2004 schnell und entschlossen zur Welt. Ihr Kopf sprengte mich, aber ich wusste diesmal ganz sicher, dass ich nicht sterben würde. Theo nahm seine Tochter in Empfang und bewunderte gemeinsam mit der Hebamme ihren dichten dunklen Haarschopf. Ich war noch am Luftholen und wollte nur von ihnen hören, dass sie atmete.

„Sie ist wunderschön, Ellie! Ganz dunkel. Und riesige blaue Augen hat sie." Schließlich legte er mir das Wunderwesen in den Arm.

Alle Babys haben helle Augen, aber keiner unserer Söhne hatte so leuchtend blaue Augen gehabt wie sie. Die kleine Porzellanpuppe hatte hohe, breite Wangenknochen wie Charlotte und Theos kesses, rundes Kinn. Rechts und links von ihrem fein geschwungenen Mund sah ich eine Andeutung meiner Grübchen. Sie blickte aufgebracht wie Kilian, riss ihre unglaublichen Augen weit auf, war aber am Körper still und schien fast träge in sich zu ruhen. Auch darin erinnerte sie mich an Charlotte.

Die beste Tante der Welt wartete draußen auf dem Gang mit unseren Jungs und ihren Mädchen. Theo durfte den frisch geschlüpften kleinen Drachen hinausbringen, um ihn zu präsentieren. Kilians Ausspruch, dass sie ausschaue wie das Kind von einem Eskimo und einer Robbe, sollte später noch häufig zitiert werden.

Als wir sie schließlich alle gemeinsam bestaunten, sagte ich: „Das ist keine Elisabeth. Und schon gar keine Klein-Ellie. Wir müssen uns was anderes überlegen."

Darius plädierte dafür, dass sie einfach weiterhin Nellie heißen solle. Doch ich wollte, dass ihr Name erwachsener klang.

Als ich mit ihr zwei Tage später das Krankenhaus verließ, trug sie den stolzen Namen Nell Charlotte Schmidt.

Theo holte uns ab und kündigte an: „Deine Eltern kommen morgen.“ Diesen zusammenfassenden Begriff für meinen Vater und meine Mutter hatte ich schon seit vielen Jahren nicht mehr gehört oder in den Mund genommen. Nun kamen sie also als Paar, um ihre Enkeltochter kennenzulernen. Und nicht nur das: Sie hatten das mit Theo so ausgemacht. Seit mein Mann den Geldhahn aufgedreht hatte, war ihm auch Elke plötzlich schwiegermütterlich zugetan - vor allem, weil sie das endgültig von den immer wiederkehrenden Schreiben vom Sozialamt entband, die sie daran erinnerten, dass sie ihrem Exmann noch eine Stange Geld vom Versorgungsausgleich schuldete.

Theo zog den Knaben ihre karierten Hemden an und kaufte Käsekuchen. Meine Eltern kamen in Elkes altem Ford angefahren und brachten Gummibärchen für ihre Enkelsöhne und ein gehäkeltes, rosafarbenes Mützchen für Nell.

Als die Gummitiere alle vernichtet waren, ließen Darius und Kilian ihren Opa nicht mehr in Ruhe sitzen und nötigten ihn zum Quatschmachen. Oma Elke war eine Fremde, an die sie sich nicht erinnern konnten.

Seit der Trennung von ihrem zweiten Mann Karl arbeitete sie als Bedienung. Ihre Beine waren stämmiger, ihre Hüften deutlich breiter geworden. Sie jammerte über böse Kniegelenke und ein schlechtes Herz. Lange würde sie es nicht mehr machen können, ihre Arbeitszeiten seien unmenschlich, die Belastung nicht auszuhalten, der Verdienst lächerlich. Es war nicht über die Runden zu kommen. Aber sie hatte ja keine Wahl.

Während sie uns ihren Untergang prophezeite, wiegte sie Nell in ihren Armen. Weitsichtiger Planer, der er ist, stellte Theo nach dem Kuchen einen Schnaps auf den Tisch, damit Peter, dem immer unkontrollierbarer die Finger zitterten, nicht in Verlegenheit kommen würde. Auch Elke genehmigte sich einen.

Inzwischen hatte sie sich warmgeredet, ihr Mundwerk stand nicht mehr still. Mit ihrer Wirtshausstimme übertönte sie problemlos die aufgeregt um Opas Schoß ringenden Jungs. Quasi ohne Übergang fing sie an, von Claudius zu erzählen, wie er zum stadtbekannten Koch avanciert war. Ich kannte das Lokal, in dem er jobbte. Es war ein Biergarten in der Südstadt mit schnellen Gerichten, hauptsächlich Gebratenes und Frittiertes. Aber laut Elke hatte Claudius dort die gehobene Küche eingeführt, und jetzt strömten die Menschen aus der ganzen Stadt dorthin, im Winter wie im Sommer.

Ich setzte die Jungs vor den Fernseher, damit Peter sich in Ruhe nachschenken und zuhören konnte. Denn es ging weiter: Der Wirt vom alten Engel habe Claudius eine Beteiligung angeboten. Er gehe auf die siebzig zu und habe keinen Nachfolger. Elke betonte, wie tüchtig ihr Sohn den Betrieb in den letzten Jahren nach vorne gebracht habe. Wenn sich jetzt ein anderer einkaufen würde, wäre der Lohn seiner Arbeit verloren. Dabei wäre es doch genau das, was Claudius endlich brauchen würde: etwas Eigenes. Hätte Peter damals nur nicht das ganze gemeinsam Ersparte mit seinem Fotoladen durchgebracht. Man habe Claudius ja nie unter die Arme greifen können. Jetzt sei es mal an der Zeit, auch ihm zu helfen. Ellie habe man ja alles ermöglicht.

„Wie bitte?", unterbrach ich völlig perplex ihr Manöver. „Wenn mir jemand ein Studium ermöglicht hat, dann Joachim. Aber mit Sicherheit nicht ihr beiden."

Jetzt schaltete Elke einen Gang hoch: „Die ewig sich selbst bemitleidende Ellie, so kennen wir sie! Du hast es nie zu schätzen gewusst, was wir für dich getan haben. Allein die ganzen Klavierstunden. Claudius musste auf alles verzichten! Ich finde, jetzt wäre er mal dran. Und euch täte es ja nicht weh."

Das Zittern von Peters Fingern war trotz mehrfachen Nachfüllens seines Schnapsglases, was inzwischen Theo übernommen hatte, in ein Schütteln übergegangen, das er nur eindämmen konnte, indem er die Hände fest im Schoß verschränkt hielt.

Ich stand auf, nahm meine Tochter aus dem Arm meiner Mutter und ging zum Stillen ins Nebenzimmer, wo Darius und Kilian „Wir Kinder aus Bullerbü" anschauten.

„Drachenfütterung!", schrie Kilian begeistert auf und äffte den Saugmund seiner Schwester nach.

„Von wegen. Der Drache sitzt da draußen, Kilian."

Meine Eltern wollten unseren Bau sehen. Jedenfalls sagten sie „Ja, unbedingt", als Theo sie fragte. Die Jungs wollten mit zum großen Kran. Ich blieb mit Nell zu Hause.

Als ich alleine war und erleichtert in den vom Keifen meiner Mutter befreiten Nachmittag hineinhörte, fiel mir ein, was Theo über Claudius berichtet hatte, nachdem er seine Recherchen beendet hatte: „Zahlreiche Strafdelikte wegen Handels mit Betäubungsmitteln. Einmal saß er für neun Wochen. Er hat eine siebenjährige Tochter. Die Mutter versucht regelmäßig, die Alimente einzuklagen, doch Claudius ist offiziell immer abgebrannt. Das meiste Geld verdient er illegal. Daher kommen wir ihm auch nicht bei in Bezug auf Hilfe für Peter."

Ich ging mit Nell nach oben, legte mich ins Bett und betrachtete meine wunderschöne Tochter. Ihr Haarschopf glänzte so seidig, als wäre da irgendwo ein Licht unter dem Schwarz. Ihre Haut schimmerte wie eine Perle. Winzig und in erhabener Stille lag sie neben mir. Ihre Augen, fein gerahmt von dunklen Wimpern und Brauen, waren so fest geschlossen, dass ich plötzlich Angst hatte, sie würden nie wieder aufgehen.

Drei Mal hatte ich schon so ein Wunder von Mensch hervorgebracht. Alles hatte ich diesen eigensinnigen Wesen untergeordnet, Tag für Tag, Nacht für Nacht. Doch ich spürte, dass meine Lebensschuld dadurch nicht geringer geworden war. Selbst wenn Theo mich bei Elke auslösen würde, stünde ich stattdessen bei ihm in der Kreide. Alle Hingabe würde daran nichts ändern.

Theo fand mich neben der schlafenden Nell in einem nassgeweinten Bett. Er konnte nicht bei mir bleiben, weil Darius und Kilian unten Radau machten. Die vielen Gummibärchen und die frische Luft hatten sie hungrig gemacht. Als ich auch am nächsten Tag nicht aufstehen konnte, rief er Charlotte an. Er war überfordert mit dem Verständnis für meinen Zustand und auch mit den Jungs. Außerdem war ab Montag bei ihm wieder jeder Tag randvoll mit Terminen.

„Du wirst niemals weniger arbeiten", schluchzte ich, als er versuchte mit mir über die Situation zu sprechen.

„Überleg dir doch mal, Ellie, welches Gehalt wir aufgeben würden."

„Das könntest du doch auch bei Schmidt verdienen!"

„Wir wissen doch beide, dass das nicht gut gehen würde."

Am Montagmorgen kam Charlotte und holte beide Jungs ab. Darius brachte sie in den Kindergarten, Kilian nahm sie mit nach Hause. Bis Theo spät abends kam, um ihn wieder abzuholen, versuchte Charlotte mit dem kleinen Tunichtgut zwischen den Füßen ihren Haushalt zu bewältigen und ihre Küche in Gang zu halten. Nachmittags brachte Iris Darius zu mir, den sie vom Kindergarten abgeholt und mit zum Mittagessen in die Firma genommen hatte. Theo hatte das ganze System aktiviert. Meine Schwägerin schlich im halbdunklen Schlafzimmer besorgt um mich und Nell herum. Sie stellte keine Fragen. Alles, was sie wissen musste, sah sie mit eigenen Augen: Das Kind war gesund, ruhig und satt. Die Mutter war lethargisch, unglücklich und stumm.

Mir fehlte jegliches Zeitgefühl. Ich sah nur die Nacht kommen und gehen, und mein Kind neben mir atmen, quengeln, schlafen und schauen. Ich wollte sie vorzeigen. Nicht nur Theos Familie sollte sie bewundern, auch meine eigene Familie. Sie sollten stolz einen weiteren Spross unserer Linie betrachten. Doch sie waren stumpf, süchtig und spielten den Begriff Familie nur noch nach, um an Geld zu kommen.

„Ich fühle mich wie ein Fremdkörper unter den Schmidts", teilte ich im Stillen meine Verlorenheit mit Joachim.

Vor meinem inneren Auge ließ ich ihn auftreten und mit seiner nachdrücklichen Gestik zu mir sagen: „Stell dich einfach auf deinen Platz und sei da für alle, die dich brauchen. Mehr Zugehörigkeit gibt es nicht in diesem Leben."

So führte ich meine Dialoge mit ihm, während ich Nells Händchen immer wieder öffnete und meine Finger einen nach dem andern in ihren sanften Griff legte.

Der kühle Kopf

Als beide Tanten in ihren Rollen als Notnagel nicht mehr weiter wussten, sah Theo keine andere Möglichkeit, als sich selbst um uns zu kümmern. Endlich buchte er den lange geplanten Spanienurlaub. Zwei Tage vor der Abreise brachte er mich zu unserer Familientherapeutin. Zwar war ich wieder auf den Beinen und bemühte mich um meine Kinder und meine Aufgaben, aber er fand, ich wirke immer noch abwesend.

Als läge eine Schicht Isolierwolle um meinen schmerzenden Kern, empfand ich Reize von außen als seltsam gedämpft. Wenn die Jungs sich zankten, dann war das nur noch halb so laut. Wenn Nell nach Milch und Aufmerksamkeit schrie, wies mir mein Autopilot den Weg zu ihrem Stubenwagen, um sie zu trösten und zu stillen, aber beunruhigt war ich nie. Meine Gefühle waren entweder gar nicht mehr erspürbar oder sie rollten über mich wie Blitz und Donner. Dann heulte ich, ohne Luft zu holen, und Theo hatte Mühe, Darius und Kilian schnell genug und weit genug fortzubringen, damit sie so wenig wie möglich von der Gewalt meines Ausbruchs mitkriegten.

Frau Wagner kam mir in ihrer Behandlungsmethode ebenso automatisiert vor wie ich bei meiner Kinderpflege. Sie saß mit dem Kugelschreiber in der Hand an ihrem Massivholzschreibtisch, als müsste sie eine wissenschaftliche Studie über mich verfassen. Sie predigte Selbstwahrnehmung und Eigenliebe. Ich solle mich nicht minderwertig fühlen, weil ich Hilfe brauchte. Dann kam sie zum praktischen Teil und verschrieb mir sowohl ein Kindermädchen als auch eine Haushälterin, um mehr Raum für mich in meinem Leben zu schaffen. Schließlich sei sowohl meine musische als auch meine berufliche Seite ein so wichtiger Teil von mir, dass es an Raubbau grenze, sie zu vernachlässigen. Obwohl ich fünfundvierzig Minuten lang ununterbrochen heulte und Frau Wagner zwanzig Jahre Erfahrung im Heilen von Seelen hatte, spürte ich keine direkte Wirkung ihrer Worte und aufmerksamen Blicke auf mich. Sie kamen von zu weit her, von jenseits einer Wand, die die Therapeutin um sich errichtet hatte, um nicht selbst durchzudrehen. Aber sie drückte gekonnt die richtigen Knöpfe, um die Schleusen zu öffnen. Dann ließ sie mich mit den aufgewirbelten Substanzen im Herzen gehen. Theo holte mich in ausgeweintem, aber deutlich zugänglicherem Zustand wieder vor der Tür des Ärztehauses ab. Alle drei Kinder zappelten hinten in ihren Autositzen. Überglücklich, sie wiederzuhaben, drückte ich sechs kalte Händchen. Wir fuhren von Heilbronn zurück in unser Haus. Dort begannen wir, den Koffer zu packen. Nur einen für die Kinder. Theo und ich würden wie immer nur mit Handgepäck reisen, das würde Zeit sparen. Zeit, die wir nötig hatten.

Eine Ladung schäumendes Salzwasser schwappte mir ins Gesicht. Der Ozean zeigte mir seinen wunderbaren Gegenwillen. Ich sah nur noch die Konturen der Küste, so weit war ich hinausgeschwommen. Meinen Mann und meine Kinder konnte ich nicht mehr orten. Ich schwebte, planschte und tauchte in eiskalter Freiheit. Als mir die Tiefe unheimlich wurde, wechselte ich die Richtung und schwamm an der Küste entlang. Nach dem felsigen Streifen würde wieder ein Strand kommen, den ich anpeilen konnte. Dort würden dann andere Kinder umherlaufen, und andere Väter, die endlich mal Zeit für sie hatten, kriegten ihre Mikroproblemchen ab.

In der unglaublichen Fülle von Möglichkeiten, mit Sand und Wellen zu spielen, nahmen Darius und Kilian ihren Papa nur am Rande wahr. Theo schlich mit dem Baby auf dem Arm um sie herum. Hoffentlich würde Kilian nicht in seinen Rebellenmodus geraten und plötzlich ins Wasser rennen. Während ich schwamm, stellte ich mir vor, wie Theo die kleine Nell in den Sand legen musste, um Kilian zurückzuholen. Der stand im gefährlich tiefen Wasser und rief „Mama!" auf die weite See hinaus. Nell lag vor Darius' Miniburgenland. Ganz im Baufieber wirtschaftete ihr Bruder mit der Schaufel. Die Kleine bekam

Sand in ihre zauberhaften Augen und begann jämmerlich zu schreien.

An diesem Punkt drehte ich um und schwamm wieder in die Richtung, aus der ich gekommen war. Mit rasendem Herzen kämpfte ich gegen die Strömung, bis ich sie wieder alle erkennen konnte: Theo mit Nell auf dem Bauch friedlich auf dem Liegestuhl ausgebreitet, die beiden Jungs mit ihren Schwimmflügeln wedelnd, begeistert über ihr weiteres Bauvorhaben debattierend. Sie drehten den Kopf, als sie mich aus dem Wasser kommen sahen. Da bist du ja schon wieder.

Es war ein warmer, blitzblauer April auf der Insel. Wir hatten keine Sorgen, nur drei sonnige Kinder. Für die Buben war jeder Tag eine neue Aufregung, auch wenn wir nichts unternahmen und sie zwölf Stunden lang nur um den Pool tobten. Theo und ich waren immer in ihrer Nähe, um sie aus dem Wasser zu ziehen, wenn sie hineinfielen. Einer von uns hielt Nell, die mit ihren riesigen Augen ihre Brüder verfolgte und die Arme hochriss, wenn einer auf sie zugerast kam, um sie zu drücken und ihr etwas Wichtiges zu erzählen, zum Beispiel, dass wir die aufblasbare Schildkröte für sie gekauft hatten und dass sie bald schon damit übers Wasser sausen würde. Manchmal kuschelten Theo und ich mit Nell in der Hängematte und hatten dort innerhalb von wenigen Minuten alle drei Rangen um uns gewunden.

Theo ging einkaufen. Theo kochte jeden Abend für uns. Er fischte die Zwiebeln aus meinem Essen, damit sie Nell über meine Milch nicht belasten würden. Sie fing an durchzuschlafen. Wir konnten sie um acht ins Bett legen und hörten erst am nächsten Morgen wieder von ihr. Was für ein sensationell liebes Kind, schwärmten wir. Wie die Mama, sagte Theo. Wie die Tante, erwiderte ich. Aber die Augen, wo hatte sie die bloß her.

„Wenn sie blau bleiben, dann kommen sie von Liesel“, sagte Theo.

Ich rief mir Liesels Gesicht, wie ich es von alten Fotos kannte, in Erinnerung. Was meinte Theo nur? Liesel hatte doch braune

Augen gehabt, auf denen schwer die gewölbten Lider lagen, die sie Theo und Lothar vererbt hatte. Da war keine Spur von Nells kugelrunden, freiliegenden Augäpfeln.

Da Theo nie viel über seine Mutter sprach, ließ ich die Sache auf sich beruhen.

Wenn Nell abends gestillt war und das große, lustige Getöse unserer Söhne nach dem zehrenden Akt des Ins-Bett-Steckens erwachsener Ruhe wich, hörten wir das alte Gemäuer erleichtert aufatmen. Endlich konnte die Nacht die Geräuschkulisse übernehmen. Erst saßen wir auf der Steinbank vor der Küche und warteten, bis hinter dem Fenster über uns wirklich der Tiefschlaf eingetreten war. Dann lauschten wir dem Zirpen und leisen Heulen der Wesen um uns herum. Nachtigall, Zikade, streunender Hund. Die ganze, lange, einsame Nacht lag vor ihnen, ein weit offener Raum.

Es wurde kühl und Theo ging hinein, um im Kamin nachzulegen. Das Feuer flackerte und lud mich durch die Fensterscheibe ein, hereinzukommen, in meinem Sessel die Füße anzuziehen und den Tag loszulassen. Theo genehmigte mir ein Glas Rioja und ich trank es, ohne einen Augenblick des Genießens zu verpassen. Doch ich war den Wein nicht mehr gewohnt, er machte mich gesprächig. Als Theo mich ermutigte, von meinen Eltern zu erzählen, legte ich tatsächlich los.

Zwei Dinge hatten meinen Vater immer davon abgehalten, abzurutschen, als er noch im Alltag funktionierte: Anerkennung und Versenkung. Bestenfalls kamen sie Hand in Hand.

Ich war vierzehn, als er anfing, professionell zu fotografieren. Unser Badezimmer wurde spät abends zur Dunkelkammer. Stinkende Becken standen auf der Badewanne, Abzüge hingen an der Wäscheleine darüber und keiner durfte mehr aufs Klo. Doch meine Mutter und ich beschwerten uns nicht, sondern schlichen im Dunkeln auf die Hundewiese hinter unserem Wohnblock und pinkelten dort hinter Bäume. Peter verdiente schließlich Geld mit seinen Tauchbädern. Er arbeitete fürs städtische Kulturmagazin und fotografierte Veranstaltungen und Konzerte. Bald musste er nicht mehr die zweite Geige spielen. Andere Magazine und Agenturen kamen auf ihn zu. Er kaufte sich immer besseres Equipment. Schließlich mietete er sich ein Studio in der Innenstadt. Wir sahen nicht mehr viel von ihm. Meine Mutter ging abends aus und ich war frei wie ein Vogel. Meinen ersten Freund, mit dem ich monatelang jeden Tag zusammen war, bekamen meine Eltern nicht ein einziges Mal zu Gesicht.

Meinen Fortschritt als Pianistin präsentierte ich meinem Vater auf den Vorführabenden des Konservatoriums. Meine Mutter saß nicht mehr im Publikum. Ich begleitete Geiger, Cellisten und Trompeter und fühlte mich zu Hause in der zweiten Reihe.

In Fachkreisen hielt man meinen Vater für ein Genie. Er war technisch versiert und hatte zudem das künstlerische Auge und das feine Gespür für die Musik in der Konzertfotografie. Er war begehrt, er wurde bewundert, und das trieb ihn zum höchsten Einsatz. Nachdem er zwei Jahre lang ein stolzes Einkommen verbucht und ein Startkapital erspart hatte, ging er zur Bank und nahm einen Kredit auf für seinen Traum: sein eigenes Fotogeschäft. Er wollte einen Angestellten haben für den Verkauf, während er weiterhin mit seinen Engagements Geld verdienen würde. Mit diesen zwei Standbeinen überzeugte er die Kapitalgeber.

Er hatte in seine Leidenschaft investiert, die analoge Fotografie. Viel zu lange wollte er nicht wahrhaben, dass sie von der digitalen Technologie von der Bildfläche gewischt werden würde. Die Branche befand sich in Wartestellung, der Markt für analoge Kameras brach drastisch ein. Seinen Angestellten konnte mein Vater nicht lange bezahlen, die Decke wurde zu dünn. Unter dem massiven Druck der Bank gab Peter seine Tätigkeit als Fotograf auf und versuchte verzweifelt zu verkaufen, was da wie Blei in seinem Lager lag, bis zum bitteren Ende. Elke war schon mit Karl verheiratet, als Claudius und ich unserem im Suff versinkenden Vater halfen, seinen Laden zu räumen.

Ich war kurz vorm Abitur und achtzehn Jahre alt, als mein Vater zum Klotz an meinem Bein wurde.

„Mit Ideen allein kann man eben leider kein Geschäft aufbauen", sagte Theo. „Künstler haben zwar die Begeisterung und den Glauben und oft auch den Wahn, um eine gewisse Ausdauer aufzubringen. Doch leider fehlt ihnen das Kalkül. Man braucht einen kühlen Kopf im Business. Manchmal muss man sich hinsetzen und umplanen. Dann muss die Emotion raus."

„Aber ohne Emotion macht doch alles keinen Sinn! Wir sind doch keine Maschinen! Mein Vater hatte Geist und Mut. Nur weil all das gebrochen ist, gilt er als Verlierer, während Leute wie Lothar, die nie wirklich etwas geschaffen haben, den großen Macher raushängen lassen."

„Dein Vater hätte sich einfach einen Partner suchen müssen, der rechnen und zielführend handeln kann", entgegnete Theo ungerührt.

„So einen wie dich?"

„Genau. Leute wie du brauchen Leute wie mich."

„Warum ich?", wunderte ich mich. „Ich will doch kein Geschäft aufmachen."

„Aber du musst ein paar Entscheidungen treffen, Ellie. Hast du dir schon mal überlegt wie das weitergehen soll mit deinen Eltern?"

„Warum sollte ich? Ich kann doch sowieso nichts ändern."

Doch Theo hatte überlegt, und er konnte etwas ändern.

Alles, was ich von meinem weiteren Leben wollte, war Stabilität. Keine Ausbrenner und keine Durchbrenner mehr. Das würde keiner von uns mehr verkraften. Ich gab Theo recht, als er feststellte, dass unser Alltag mehr Struktur brauchte. Kilian würde im September in den Kindergarten kommen, das würde alles leichter machen.

Dann war da der Bau. Ich sollte mich jetzt intensiv darum kümmern. Auch damit die Kinder lernten, dass ich andere Verpflichtungen hatte, als sie zu versorgen. Wir würden ein geschultes Kindermädchen einstellen, erst für drei Tage in der Woche, später für mehr. Denn sobald Nell ein Jahr alt sein würde, sollte ich Fortbildungen besuchen, um mich fit zu machen für einen Geschäftsführerposten bei Schmidt. Theo fand, dass es an der Zeit für mich sei, Verantwortung zu übernehmen. Franck würde in wenigen Jahren in den Ruhestand gehen und Theo wollte eine Vertrauensperson bei Schmidt haben, mit der er eng zusammenarbeiten konnte - nach der Formel: „Kreativer Schwung kombiniert mit kühlem Kopf". All das sollte jetzt Schritt für Schritt in die Wege geleitet werden.

Außerdem gab es dringende finanzielle Dinge zu regeln. Wir würden Verträge machen müssen, auch miteinander. Meine Eltern waren eine tickende Zeitbombe - mein Vater würde früher oder später ein Pflegefall werden, meine Mutter irgendwann nicht mehr arbeiten können oder wollen und ebenfalls Unterhalt einfordern. Man würde mein Einkommen dafür vermutlich komplett pfänden, denn Theo verdiente ja mehr als genug, um den Lebensstandard der Familie zu sichern.

„Möchtest du das, Ellie? Nur für deine Eltern arbeiten?"

„Um Gottes Willen, nein. Die haben ja noch eine Rente."

„Die reicht nicht für den Pflegeaufwand, der da zu erwarten ist. Das Sozialamt wird dich heranziehen, um alles zu finanzieren, was die Rente nicht abdeckt. Glaub mir, ich hab mich mit diesen Dingen beschäftigt."

Der Umkehrschluss war: Ich musste arm bleiben. So arm wie möglich. Daher würden wir einen Ehevertrag aufsetzen, in dem mein Anspruch auf den Zugewinn, der durch das Wachstum des Unternehmens Schmidt entstand, ausgeschlossen wurde.

Geplant war, meiner Mutter zwölftausend Euro zu überweisen, verbunden mit einer Vereinbarung, in der festgehalten war, dass sie diese Zuwendung für ihre Alterssicherung und den eventuellen Pflegeaufwand auf die Seite legen solle. Dann konnte sie selbst entscheiden, ob sie das Risiko eingehen wollte, Claudius das Geld für seine Kneipe zu leihen. Sollte sie jemals

Unterhalt von mir in Anspruch nehmen, würde das Sozialamt diesen Betrag anrechnen müssen.

Bei all den abendlichen Konferenzen nach dem Schema „Hinsetzen, Umplanen, Emotion raus" wünschte ich mir meinen Mosbacher Alltag zurück, in dem mein Mann keine Zeit hatte, um meine Zukunft um Jahrzehnte voraus zu berechnen und zu erwartende Probleme strategisch zu lösen.

Sobald wir im neuen Haus wären, würde ich ein Kindermädchen einstellen, mir Joggingschuhe kaufen, um lange, einsame Runden durch die Weinberge zu drehen, und ich würde ganz viel Klavier spielen. Kein Raubbau mehr an meiner Substanz.

Es war, als hätten wir das Haus um den Flügel herum geplant. Er stand auf der Galerie, die über den offenen Wohn-Ess-Bereich hinausragte. Sein orchestraler Klang strömte in alle Richtungen. Mein Spiel gewann an Raum und Reife. Die Sehnsucht, die Chopin beschwor, schien mir plötzlich ziellos. Hier faszinierte mich eher die aufgeregte Getriebenheit von Gershwin. Darius und Kilian feierten meine Ragtime-Interpretationen und tanzten wie kleine Teufel um den Flügel herum. Nell schlief nachmittags in ihrem Zimmer, egal wie laut ich in die Tasten drosch und die beiden herum stampften.

In meinem ganzen Leben hatte ich noch nie so viel Wohnraum gehabt. Es dauerte ein paar Wochen, bis mein Geist in diese große Fläche hineingewachsen war: das Wohnzimmer mit dem eleganten, hellen Holzboden und der ausgedehnten Couchlandschaft; dann die offene, helle Küche mit dem ovalen Esstisch, auf dem nie der Platz ausging. Am einen Ende war er immer voll gepflastert mit Buntstiften, Bastelbögen, Xylofonen und Blättern mit bauchigen Noten drauf, einem bunten Beißring und kleinen rosa Haarklammern, die sich Nell aus ihren wilden, dunklen Haaren gezerrt hatte. Am anderen Ende fanden unsere Mahlzeiten zu viert statt. Kilian nannte es immer noch Drachenfütterung, wenn ich Nell ihren Gemüsebrei in den Mund löffelte. Er wusste, wie er es anstellen konnte, dass sie ihn wieder hervorlachte: ein paar doofe Grimassen und ein Monstergeräusch, untermalt von krampfenden Handbewegungen.

Wenn ich nachts im Dunkel meines Zimmers lag, sah ich „mein Haus“, wie es da stand an seinem Platz. Links wuchsen wohl sortiert die Ranken einer gebändigten Natur, rechts dröhnte in der Ferne die Stadt und gab die ganze Nacht Zeichen menschlichen Fortkommens von sich. Alles war richtig, wie es angelegt war. Ich fand großen Frieden darin, wie sich die kleine Routine meiner Familie hier täglich neu abspielte. In diesem Frieden schlief ich ein, meistens allein.

Theo sorgte derweil für die Verfügbarkeit erschwinglicher Gartengeräte in Südafrika oder Argentinien. Doch es war seine eiserne Regel, den Samstag und Sonntag ungestört mit uns zu verbringen. Wenn er vor Donnerstag heimkam, stopfte ich in einer Blitzaktion all den herumfahrenden Krempel in die aufklappbare Eckbank. Kam er erst am Donnerstagabend, hatte Marion schon alles blitzsauber gemacht. Sie war eine Frau aus dem Dorf, Mitte vierzig mit erwachsenen Kindern und sicherer Hand in allen Aufgaben rund um Haushalt und Kinderversorgung. Sie kam an drei Tagen in der Woche. Mittwochs war ich alleine und genoss am Vormittag die Zweisamkeit mit Nell. Manchmal schob ich sie im Buggy hinüber zu Charlotte, drückte meiner Schwägerin die Kleine in den Arm und braute Latte Macchiato, während Tante und Nichte entzückt miteinander kuschelten, spielten und kicherten.

„Ich muss dir was zeigen, Ellie“, sagte Charlotte eines Tages und kramte ein schweres altes Fotoalbum aus einer Schublade im Wohnzimmer. Drei artig gekleidete Kinder in typischen Sechzigerjahre-Strickwestchen. Eine große, vollbusige Mutter legt beide Hände auf die Schultern eines ihrer Kinder, damit es sich grade hält. Das Ganze im akkurat geschnittenen Vorgarten eines Einfamilienhauses mit schwäbisch kleinen Fenstern. Mit den Kindern wächst auch das Haus und wird irgendwann moderner. Als Teenager sieht man sie dann mal am Strand auf Handtüchern aufgereiht, alle drei schlank und attraktiv, die

Zwillinge immer eng beieinander, die Schwester mit Abstand daneben. Jetzt taucht auch der Vater auf und einer der Zwillinge fehlt im Bild. Eine dicke Hornbrille und tiefe Furchen im Gesicht, sitzt Albrecht in einem Strandkorb und hält ein süßes Baby auf dem Schoß. Auf den folgenden Seiten wird das Baby zum Kleinkind, die Fotos lösen sich höher auf, das Gesicht kommt klarer hervor. Schließlich sieht man ein wunderschönes Kindergartenporträt von ihm. Es macht das Phänomen unverkennbar.

„Schau dir das an." Charlotte zeigte auf den dunkelhaarigen Jungen mit den Schmidt-untypischen, weichen Gesichtszügen und mir stockte der Atem. Da waren sie, Nells leuchtend blaue, kugelrunde Augen.

„Wo ist er? Wo ist Matthias heute?"

Charlotte schüttelte den Kopf. „Keiner weiß es", sagte sie.

Erst als Nell acht Monate alt war, besuchte ich meinen Vater mit ihr. Wir saßen an seinem Esstisch und ich fütterte Nell zuckersüßen Apfelkuchen. Es machte ihren Opa so glücklich, wie sie immer wieder ihr kleines Mündchen aufriss, dass ich es ihm zuliebe fortsetzte, obwohl ich ihr sonst außer Muttermilch nur Obst und Gemüse gab.

„So süß warst du auch. Wenn nicht sogar noch süßer. – Tolle Kinder habe ich", fuhr er fort. „Gute Menschen. Der Schmidt hätte ja nicht jede ausgesucht. Der achtet schon auf Intellekt und Fleiß. Das war mir immer das Wichtigste, dass du tüchtig wirst. Da war ich hinterher. Und der Claudius ist jetzt auch auf dem besten Weg, ein guter Geschäftsmann zu werden."

Peter war wohl ein paar Mal dort gewesen im „Alten Engel" und hatte sich von seinem Sohn ein paar Schnäpse spendieren lassen. Ich konnte mir meinen Bruder dort bestens vorstellen. Er redete gern und viel. Er konnte es mit Menschen jeder Couleur, vor allem mit denen, die gern ein Bierchen mehr tranken. Claudius schien seinen Platz gefunden zu haben. Zudem hatte mein Vater eine Anlaufstelle in der Stadt.

„Wenn wir ganz eingerichtet sind, komm ich mit der ganzen Bande“, versprach ich ihm, als ich mich wieder auf den Weg nach Heilbronn machte. „Dann gehen wir alle zu Claudius zum Essen.“

Aber in mein aufgeräumtes neues Leben und die endlich erlangte familiäre Stabilität im neuen Haus passten mein trinkender Vater und mein Bruder mit seiner Kneipe nirgends hinein.

Irgendwann kam der Spätherbst und die Biergartenzeit war vorbei.

Wenn sich Marion vormittags um Nell kümmerte, machte ich Besorgungen. Dinge, die in unserem Haus noch fehlten. Jedes war ein Projekt für sich: ein Schreibtisch für Darius' Zimmer, Nachttische fürs Gästezimmer, Bilder und Accessoires. Das war mein Auftrag. Manchmal machte es mir großen Spaß, aber meistens kam ich mit leeren Händen zurück, weil mir der Sinn dieser Gegenstände unterwegs entfallen war. Es lebte sich auch ohne.

Der November war grau und neblig. Ich konnte nicht mehr in die Weite schauen. Das Leben außerhalb meines Refugiums war ausgegraut und eintönig. Es lockte mich nicht. Doch wir brauchten einen neuen Toaster und noch ein paar hübsche Lampen, vor allem in den Kinderzimmern. Eines Vormittags, als ich im Auto in Richtung Heilbronn unterwegs war, drehte ich das Radio auf. Wann war die Popmusik eigentlich so unerträglich geworden? In den Lokalnachrichten erzählten sie von einem Drogenring in Karlsruhe, der gesprengt worden sei. Kiloweise sei Marihuana aus einigen Wohnungen in der Südstadt transportiert worden. Handel im großen Stil, zwei Männer saßen in U-Haft. Vor ein paar Jahren hätte ich jetzt Joachim angerufen, um zu erfahren, ob wir jemanden kannten, der da mit drin hing.

Ich stellte fest, dass es in Heilbronn nur alberne Kinderlampen gab. Also stand ein Ausflug nach Karlsruhe an, da gab's einfach die besseren Läden. Den Toaster kaufte ich bei Tchibo.

Theo war ein Meister darin, Nell ihren Brei ohne große Kleckerei zu füttern. Sein Ziel war es, den Latz nach der Mahlzeit wieder schön zusammenzufalten und in die Schublade zu stecken. „Schau, so geht das." Wie immer, wenn ihr Papa sich samstagmorgens beim Frühstück so geduldig mit ihr beschäftigte, sprühte die Kleine vor Charme und schlug immer wieder ihre betörenden Augen zu ihm auf. Du weißt doch ganz genau, wer diese Augen hat, lieber Theo, dachte ich.

Kilian meinte, dass es jetzt langsam reichen würde mit dem Füttern. Nell solle lernen, selbst zu essen. Andere Kinder in ihrem Alter könnten das schon längst.

Da klingelte das Telefon.

Agnes Henke war dran, die Suchtbetreuerin meines Vaters. Ich hatte sie erst einmal getroffen, aber ich erkannte ihre metallische Stimme mit dem tiefen badischen Einschlag sofort. „Ihr Vater liegt im Städtischen auf der Intensiv. Sie sollten kommen."

„Was ist passiert?"

„Überdosis Antidepressivum. Er hätte eigentlich wissen müssen, dass das nicht reicht zum Sterben, selbst wenn man noch so viel Gin hinterher schüttet. Ich musste heute Morgen mit der Polizei seine Tür aufbrechen. Er wird überleben."

Meine Käseglocke brach in tausend scharfen Splittern über meinem Kopf zusammen. Hatte ich wirklich geglaubt, sie würde mich schützen vor seinem Elend? Als stünden meine Kinder und ich nicht in unauflöslicher Verbindung mit seinem grauenvollen Dasein. Wie unerträglich es in letzter Zeit gewesen sein musste. Niemals zuvor, nicht mal nach seinem Bankrott, hatte er versucht sich umzubringen.

Ich rannte sofort zum Auto. Theo trug mir mein Handy hinterher. Ich solle ihn anrufen, wenn ich Weiteres wisse.

Das war's mit unserem Familiensamstag, dachte ich. Mein Mann tat mir leid.

Mein Vater hing an Infusionen, leichenblass und mit verschwitzten Haaren. Er war bei sich, rührte sich aber nicht. Es war nicht mal mehr die leiseste Absicht in ihm zu erkennen, sich je wieder zu rühren. Ich hielt stundenlang seine Hand und konnte seine Lethargie kaum ertragen. Ich wünschte mir seine Weinlaune herbei, in der er eine Story nach der anderen auftischte, immer kreisend um seine unterschätzte Geistesgröße. Ab und zu kam ein Arzt und prüfte die Geräte, zog ihm das Augenlid hoch und schoss ein Licht aus einem kugelschreiberartigen Ding. Um sieben baten sie mich zu gehen. Da verstärkte sich Peters Griff um meine Hand plötzlich.

„Sie lassen mich nicht bleiben, Papa", sagte ich entschuldigend.

Durch seine müden, wässrigen Augen ließ er mich in die Leere blicken, die in ihm herrschte. Keine gleichgültige, sondern eine finale Leere, ohne eine winzige Lichtspur.

Er sprach nur zwei Worte: „Claudius sitzt."

Die Krise der anderen

Mein Vater hatte überlebt, aber Selbstmord war plötzlich ein Thema in meinem Leben: Ein Geschäftsfreund von Theo aus Paris war der Erste. Ich holte immer mehr Details aus Theo heraus. Jean-Marc Claudeville war ein stolzer Mann gewesen, der Inhaber einer großen Ladenkette. Er hatte gerade expandiert, da zog die Handelskrise auf. Während seine Frau zuhause mit dem Abendessen auf ihn wartete und seine Tochter, die mitten in ihren Hochzeitsvorbereitungen steckte, versuchte ihn telefonisch zu erreichen, um mit ihm das Festmenu zu besprechen, saß er in seinem Büro vor der offenen Schatulle seiner edel gravierten Smith & Wesson. Ein Telefonklingeln, dann Stille. Die Sirenen der Stadt wurden noch einmal laut, bevor er die Waffe in die Hand nahm und lud. Seine Mitarbeiter waren schon alle im Feierabend. Keiner hörte den Schuss. Für mich gab es nur eine Erklärung: Mit dem gewaltigen Brandmal des Scheiterns auf der Stirn erwartete ihn die Demütigung einer gnadenlos dem Erfolg verschriebenen Gesellschaft. Das wollte er sich und seinen Lieben nicht antun.

Christinas jüngere Schwester Carola rasierte sich den Schädel und schnitt sich dann die Pulsadern auf. Ich hatte Carola vor mehr als zehn Jahren das Notenlesen beigebracht. Es war ihr Seelenwunsch gewesen, Gitarre spielen zu lernen. Überhaupt war die ganze Carola ein einziger Seelenwunsch gewesen. Mich hatte es nicht gestört, dass sie sich nie mit mir unterhielt, aber Christina hatte ihre introvertierte Schwester nicht leiden können. Jetzt sollte ich Satie auf ihrer Beerdigung spielen. Ich hörte aus der Trauergesellschaft heraus, dass Carola unglücklich verliebt gewesen war.

Mir schien, die wahre Ursache des Selbstmords läge in der Natur des Lebens: Es brauchte mehr Kraft, als es Sinn hatte. Selbstmörder ebenso wie Suchtkranke scheiterten daran, genügend Sinn aus den belanglosen Requisiten ihres Daseins herauszudestillieren, um die Energie für den Alltag aufzubringen.

Rückschläge und ihren Anteil daran empfanden sie als überwältigend groß. Die bankrotte Ladenkette oder die unglückliche Liebe waren nur Zeichen dessen, was diese Menschen längst wussten: dass sie da draußen Unstimmigkeiten auslösten, die die Welt nicht brauchte.

Claudius hätte das Drogengeschäft nicht so florierend aufbauen können, wenn Peter nicht sein schwiegerväterliches Verhältnis zu Theo genutzt hätte, um Elke mit ihrem Anliegen nach Mosbach zu bringen. Denn daraufhin hatte Theo Elke die zwölftausend Euro gegeben, die meine Mutter in unerschütterlichem Glauben an ihren Sohn weitergereicht hatte. Solange Peter trunken, aber tatenlos gewesen war, hatte sich die Welt wie immer gedreht. Doch sobald er sich in Umstände außerhalb seines Suffs eingemischt hatte, war das Übel ausgebrochen. Vor seinem Selbstmordversuch war er zwei Tage lang trocken geblieben und hatte sein schädliches Wirken mit fünf Schachteln Zigaretten inhaliert.

Anstatt sich und ihre Spuren auszulöschen, rissen die Lebensmüden ihre Hölle weithin sichtbar auf, sodass keiner, der ihnen nahe war und da hinunterschauen musste, jemals wieder ein unschuldiges, unbeschwertes Leben führen konnte. Mein Vater hatte mich letztlich doch nicht zurückgelassen, aber nichts – nicht mal die Erinnerung an unsere besten Tage – war jemals wieder wie vorher.

Es kam ein neuer Aspekt der Demut in meine Ehe. Aber erst, nachdem ich meine Wut auf Theo überwunden hatte. In meinen dunkelsten Nächten hatte ich ihm eine Mitschuld gegeben. Wie hatte er es formuliert, als er Elke das Geld überwiesen hatte? „Der beste Weg, Menschen loszuwerden, mit denen du nichts zu tun haben willst, ist, ihnen Geld zu geben. Weil es ihnen nicht bequem ist, sich verpflichtet zu fühlen, werden sie sich nie wieder melden. Das wirst du sehen."

Ich trauerte meiner Mutter nicht nach. Aber hatte Theo womöglich auch seinen Schwiegervater loswerden wollen?

Nach seiner Entlassung aus dem Krankenhaus brachten wir meinen Vater auf Anraten der Ärzte nach Freudenstadt in eine Entzugsklinik. Dann kündigten wir seine Wohnung und mieteten ein helles Zweizimmer-Apartment mit Balkon im Fasanenweg in Heilbronn. Aus Karlsruhe holte ich nur die Geige, die Notensammlung und das Rennrad. Alles andere stellte ich zur Abholung auf die Straße. Meine kinderfreie Zeit verbrachte ich mit der Einrichtung von Peters neuem Zuhause. Eine schwarze Couchgarnitur aus Kunstleder vor einem neuen Flachbildfernseher. Viele schlanke, weiße Stehlampen, weil sie den leeren Boden mit lichten Formen füllten. Ein weißer Esstisch mit weißen Holzstühlen. Bunte Schalen und Tassen. Kein einziges Mal entfiel mir unterwegs der Sinn der Dinge, die ich heranschaffte. Am Tag bevor ich meinen Vater aus der Klinik holte, schleppte ich mithilfe von Marion und Darius noch mein E-Piano aus den Frankfurter Zeiten hinauf.

Vielleicht weil ich Angst hatte vor seiner Ablehnung, nahm ich Nell mit, als ich ihn abholte. Er würde protestieren, uns nicht zur Last fallen wollen, nicht so weit von seinem Karlsruher Freundeskreis leben wollen, auch wenn sich seit Jahren keiner mehr bei ihm meldete. Sein Therapeut hatte uns geraten: neue Umgebung, neue Gewohnheiten, möglichst wenig Anknüpfung an sein altes Leben.

Er würde Anschluss finden müssen. Ich hatte bei der Musikschule in Heilbronn gefragt, ob sie einen Aushilfslehrer brauchen könnten für Geige und Klavier. Wir hatten einen Termin bei der Musikschulleiterin, schon in ein paar Tagen. All das würde ich ihm auf der Fahrt beibringen müssen.

Seine sonnige Laune war mir zunächst unheimlich. Er drückte Nell an sich und wollte sie gar nicht mehr hergeben, als ich sie in ihren Sitz schnallen musste. Der Arzt hatte mir erklärt, dass mein Vater noch mit Medikamenten eingestellt war. Ohne Psychopharmaka würde er noch nicht auskommen. Einmal in der Woche solle er zur Apotheke gehen und das Mittel abholen.

Höhere Dosen dürfe er nicht mehr bekommen. Wir sollten darauf achten.

Für meinen Vater hatte es immer nur Aufbruch oder Zusammenbruch gegeben. Letzteres war das vorherrschende Thema in den letzten fünfzehn Jahren gewesen. Aber davor hatte ich immer wieder seinen Pioniergeist erlebt. Es hatte Zeiten gegeben, da hätte sich niemand vorstellen können, dass Peter Becker jemals aufgibt. Doch jetzt, als ich ihm von seiner neuen Wohnung erzählte, ergriff ihn tatsächlich wieder der Zauber eines Anfangs.

„Dieses Jahr werde ich fünfundsechzig", sagte er. „Und ich weiß eines, Ellie: Ich möchte sehen, wie meine Enkel erwachsen werden."

Vorsichtig erklärte ich ihm, dass ich ab April verschiedene Fortbildungen machen würde, um dann in das Familienunternehmen einzusteigen und dort meinen Mann zu vertreten.

„Ich werde dich nicht immer besuchen können, Papa."

„Das ist gut, mein Mädchen. Du musst weiterkommen. Ich werde dir mit den Kindern helfen."

Als ich abends mit Theo telefonierte, erzählte ich ihm von diesem überraschenden Gespräch.

„Manchmal muss man dem Leben vertrauen, Ellie", sagte Theo, der die Spuren der Angst aus dem Raum um mich herauslas, ohne dass er bei mir war. Da liebte ich meinen Mann mehr denn je.

Ganz nach Plan begann ich im April zwei Tage in der Woche bei Schmidt zu arbeiten. Das Marketing war schwach besetzt und ich übernahm ein paar Aufgaben, mit denen ich mich auskannte: Messeplanung, Anzeigenplatzierung und Internetpflege. Iris und Lothar verhielten sich mir gegenüber wie alte Vertraute. Sie freuten sich über Fragen, erklärten mir die Abläufe in der Fertigung und gaben mir sehr viel Literatur und technische Dokumentationen mit nach Hause. Ich wartete fast auf den Tag, an dem sie mich abfragen würden.

Im Spätsommer begann mein Aufbaustudium im internationalen Management. Drei Abende in der Woche fuhr ich nach Stuttgart. Der Flügel wurde bis Weihnachten nur noch von Darius und meinem Vater bespielt, der seine Klangentwicklung in den höchsten Tönen lobte. Meine Laufschuhe blieben sauber. Die Weinberge sahen mich nur noch, wenn Theo und ich mit den Kindern am Sonntag frische Luft tanken gingen. Es plagte mich das schlechte Gewissen Nell gegenüber. Sie musste so viel auf mich verzichten. Oft beneidete ich Marion und Charlotte, die nachmittags mit ihr auf ihrer Krabbeldecke kuscheln durften und zuschauen, wie ihre weichen Babyhändchen mit Puzzleteilen hantierten, während ich mich in Managerschale werfen und nach Stuttgart fahren musste.

Doch die Lage zog auch gute Wendungen nach sich: Mein Vater wurde zur unverzichtbaren Größe. Er kam mehrmals in der Woche mit dem Bus aus Heilbronn, um mit den Jungs auf Radtouren und Wanderungen zu gehen. Nichts war schließlich so wichtig wie Bewegung im Freien, damit die zwei ihre Körperkraft ausbilden konnten. Anschließend setzte sich der Opa mit Darius ans Klavier und war begeistert von der Spielfreude seines Enkelsohns. In der Musikschule wiesen sie meinem Vater schon nach kurzer Zeit feste Schüler zu. Als ich Darius im Juni dort für den Klavierunterricht anmeldete, erzählte mir die Schulleiterin, dass mein Vater vor allem mit den älteren Jungs besser zurechtkomme als die meisten anderen Lehrer.

Im Sommer 2007 schloss ich mein Studium ab. Nell kam in den Kindergarten, Kilian in die Schule, und wie vereinbart trat ich in Vollzeit bei Schmidt ein. Dankbar fügte ich mich in die Strukturen. Endlich ein verlässlicher Tagesablauf. Neun Monate später ging Franck in den Ruhestand und ich wurde als Geschäftsführerin eingetragen. Ich hatte so viele Pläne. Theo, Lothar und Iris ließen mich vorpreschen. Doch sobald ich konkrete Pläne diskutieren wollte, erlebte ich live und in Farbe, wie unmöglich es war, bei Schmidt etwas zu verändern.

Ich versuchte eine Internetseite zu konzipieren, die einigermaßen lebendig war. Das war schwierig, denn alles bei Schmidt war Gewebetechnologie. Die Agentur schlug vor, Fotos zu kaufen: ein strahlendes Baby für den Hygienebereich, eine glückliche Familie in ihrem Wagen für die Automobilsparte und so weiter. Doch ich wollte Schmidt authentisch darstellen und schlug Porträts und Zitate der Menschen vor, die sich hier tagtäglich für die Kunden einsetzten. Ein paar Manager aus der mittleren Ebene sollten sich Zeit nehmen für das Fotoshooting und für ein Interview. Doch Lothar rechnete mir die Stundensätze hoch und meinte, das wäre doch rausgeschmissenes Geld.

„Ich weiß, das würde dir Spaß machen, aber wir sind nicht im Consumerbusiness, Ellie. Wegen unseren ollen Gesichtern auf der Internetseite ziehen wir bestimmt kein Projekt an Land."

Wenn ich Hilfe bei Theo suchte, reduzierte er wie Lothar alles auf Zahlen. Meine Konzepte klangen auch in seinen Ohren nach Ausgaben, die den Profit schmälern würden, ohne Garantie, den Umsatz zu steigern. Um die Diskussionen zu vermeiden, in denen meine Ideen totanalysiert wurden, verfiel ich in einen Trott, in dem ich möglichst wenig Wirkung verursachte.

Doch dann kam der Tag, an dem mir klar wurde, dass eine Situation, in der sich Theo und Lothar im Wesentlichen einig waren, der reine Luxus war.

Im Mai hatten wir fünfundsechzigstes Firmenjubiläum. Das war nichts, was man einfach auslassen konnte, nur weil man angesichts des schlechten wirtschaftlichen Klimas keine große Neigung verspürte, zusätzliche Ausgaben zu generieren. An einem Freitagnachmittag wurden die Mitarbeiter zu Kaffee und Kuchen in die Versandhalle eingeladen. Die erhabene Ladefläche diente als Bühne und ein paar Hobbymusiker aus dem Kollegenkreis erfreuten die Belegschaft mit schlecht einstudierter Blasmusik.

Schließlich übernahm Theo die Empore und hielt eine ausgedehnte Rede. Jahrzehntelang hätten sein Vater und Großvater den Zusammenhalt geprägt, der auch heute noch in jeder Abteilung spürbar sei. Und nach wie vor gründe die Motivation der Mitarbeiter auf der Sicherheit, die sie hier genossen, und auf dem Vertrauen in die Inhaberfamilie. Aber auch der Innovationsgeist und die Offenheit Neuem gegenüber zeichneten den Schmidt-Geist aus …

Theo war ein brillanter Redner und steigerte sich in eine Euphorie hinein, die eher untypisch für ihn war. Sie hing wohl mit dem Publikum zusammen, das ihm gebannt an den Lippen hing, während er weit oben auf der Wolke seines Charismas schwebte. Dabei vergaß er vollkommen, seinen Bruder ans Mikrofon zu rufen, mit dem er sich eigentlich die Aufmerksamkeitsspanne des durchschnittlichen Zuhörers von zwanzig Minuten hätte teilen sollen.

Charlotte saß aufrecht auf der Bierbank und flocht sich die Haare zu einem dicken Zopf. Als der Zopf fertig war, löste sie das Geflecht wieder und begann von Neuem. Miriam zerrte an ihrem Arm, um sie davon abzuhalten. Sie mochte es überhaupt nicht, wenn ihre Mutter in diesem zappeligen Zustand war.

Wir alle beobachteten durch die nebulösen, unguten Vorahnungen hindurch, wie Lothar sich von seinem Platz auf der Bierbank erhob und die Treppe hinauf auf Theo zu schritt. Ungeachtet der Tatsache, dass sein Bruder mitten im Satz war, baute er sich frontal vor ihm auf und hielt ihm als Aufforderung, das Mikro abzugeben, seine offene Hand unter die Nase.

„Entschuldigung, Lothar“, erklang Theos sonore, souveräne Stimme aus den Lautsprechern. „Lass mich bitte meinen Satz beenden.“

Dann nahm er sich noch mal Zeit, um in gebührender Breite seine Wünsche für ein stets fruchtbares Betriebsklima in den kommenden fünfundsechzig Jahren zu formulieren, bevor er Lothar das Feld überließ.

„Genug der Worthülsen, wenn sie auch sehr schön anzuhören waren, lieber Bruder, vielen Dank dafür“, begann Lothar, „aber jetzt kommen wir zu den konkreten Themen …“

Charlotte, Iris und ich hatten vermutlich alle drei den gleichen Gedanken: Hätte Lothar mit der Kuschelnummer begonnen, was er ebenso gut drauf gehabt hätte, hätte Theo anschließend Tacheles geredet, um ihn ins Lächerliche zu ziehen. Wichtig war allein, die Glaubwürdigkeit des anderen zu schwächen.

Eine Woche verging als wäre nichts gewesen, alle schwiegen über die Vorfälle. Mit dem folgenden Freitag kam die nächste Teamsitzung, an der Theo seit Francks Pensionierung immer teilnahm. Iris hatte eine noch relativ neue Mitarbeiterin im Key Account Management, Tina Preiß, die mit am Tisch saß, um ihre negativen Erfahrungen mit den Projektmanagern anzuführen, die nie rechtzeitig zurückmeldeten, wenn ein Job finanziell aus dem Ruder lief. Unser technischer Leiter, Herr Mang, war ebenfalls da, denn der gestörte Informationsfluss fiel letztendlich auf ihn zurück.

Die junge Tina war viel zu beschäftigt damit, sich als Botschafterin der Kundenseite zu positionieren, um zu erspüren, dass die Schmidt-Brüder beide nur darauf warteten, jemandem am Tisch mit größtmöglichem Show-Effekt über den Mund zu fahren. Der erfahrene Herr Mang, seit zwölf Jahren im Betrieb, machte so wenig wie möglich auf sich aufmerksam und beschränkte sich aufs Antworten. Er wusste bereits, was Tina in der nächsten halben Stunde schmerzlich würde lernen müssen: dass es hier heute nicht um die Sache ging, sondern darum, welcher der Brüder als stärkere Autorität wahrgenommen wurde.

Mit einem im Laufe meiner Ehe speziell dafür herausgebildeten siebten Sinn durchmaß ich Theos aufgekratztes Gemüt, während er überlegene Ruhe herauskehrte. Ich versuchte, ihn mit einem intimen Lächeln zu besänftigen, doch er schien mich gar nicht auf dem Schirm zu haben. Also blickte ich aus dem Fenster. Ich machte den freien Himmel draußen zum Ausgangspunkt meines Blickwinkels und schaute auf das Schmidt-Gebäude hinunter, in dem die Zwillingsbrüder mit ihrer aggressiven Rechthaberei die junge Tina in angstvolles Schweigen versetzten und dann dazu übergingen, mit harter Munition aufeinander zu schießen. Irgendwo auf diesem Planeten passiert gerade etwas wirklich Großes, dachte ich. Und da sitzen wir in diesem angegrauten Bau und tun so, als wären die Stofffetzen, die wir hier verwalten, das Zentrum des Universums.

Ein lautes Donnern riss mich von meiner imaginären Rettungsinsel. Lothar hatte mit der Faust auf den Tisch gehauen.

„Ich lasse nicht zu, dass die Ingenieure den Verkäufern unterstellt werden. Wo kommen wir denn da hin, wenn wir uns von den Kunden in unsere Verfahren reinreden lassen! Das wäre das Ende! Das kann nur jemand vorschlagen, der vom Tagesgeschäft meilenweit entfernt ist!"

Er brüllte wie ein Affe, man kann es nicht anders beschreiben.

„Wir reden von Transparenz, Lothar. Ich weiß ja nicht, welchen Teil der neuen Zeiten du verschlafen hast. Deine Lücken sind jedenfalls erschreckend ..." Theo sprach leiser als Lothar, die Sprengkörper, die er auf ihn spuckte, waren aber nicht weniger hässlich.

Von da an schaukelte sich das Gefecht der beiden ins Unerträgliche hoch. Bis zum Finale: „Okay, Theo. Kannst ja deine Frau ranlassen. Die kann ihre Markengurus fragen, wie man sich der Kundschaft gegenüber CI-konform verhält. Dann bin ich gespannt, wie lange wir überhaupt noch Kunden haben. Ich wünsche uns einen fröhlichen Ruin!"

Damit rannte er hinaus und warf die Tür so heftig ins Schloss, dass das Geschirr auf dem Serviertischchen klirrte.

„Wo waren wir?", setzte Theo eiskalt wieder an.

Daraufhin verließ auch Iris den Raum.

„Ich würde vorschlagen, wir setzen die Diskussion nächsten Freitag fort", warf ich mit zitternder Stimme in die verbliebene Runde, die in eine Schockstarre verfallen war. Dann stand ich ebenfalls auf und ging, ohne mich noch einmal umzuschauen – erst in mein Büro, um meine Jacke zu holen, und dann auf den Parkplatz. Ich wollte Theo nicht verärgern und tippte mit zitternder Hand eine SMS an ihn: „Musste los, Medizin kaufen für Peter, bevor die Apotheke schließt. Wir sehen uns daheim."

Die Dimension der peinlichen Szene, der ich da gerade beigewohnt hatte, sickerte während meiner kurzen Fahrt zur Wohnung meines Vaters tropfenweise in mein Bewusstsein. Das Schicksal der ganzen Firmengruppe lag in der Hand von zwei Brüdern, die aus den Sandkastenschlachten nicht heraus fanden, und denen es nicht gelang, über die Barrikaden ihres Hasses zu blicken. Wie traurig war das. Und wie inakzeptabel.

Mein Vater stellte ein gusseisernes Teekännchen auf ein Stövchen, in dem ein Teelicht brannte, und erzählte von seinem Geigenschüler Luka, einem stillen Zwölfjährigen, dessen Talent er entdeckt hatte. Ich wusste, dass er in den wöchentlichen Sitzungen der Anonymen Alkoholiker lernte, sein Leben mit Taten und Verantwortung zu füllen. Er fand große Befriedigung darin, junge Menschen zu fördern. Seine Erzählung war herzerfrischend. Voller Stolz beobachtete ich, wie er uns Tee einschenkte. Er hatte es heraus geschafft aus den dunklen Abgründen der materiellen Welt. Er hatte die Ruhe desjenigen, der weiß, wie selbstverliebt und flüchtig sie ist.

Seine Medizin hatte er schon längst selbst besorgt, in der verordneten Menge, wie er mir zeigte.

„Bald werde ich ohne das Zeug auskommen", versicherte er mir.

„Wie geht's dir in deinem Job?", wollte er wissen.

„Oh je, Papa", antwortete ich. „Lass uns von was anderem reden."

„Gib nicht auf, Ellie." Er prostete mir zu mit seiner kleinen, buddhistisch anmutenden Teetasse. „Denk immer daran: So schlau wie die Schmidts bist du längst. Die machen nur mehr Spektakel um sich."

Das fröhliche, befreite Lachen, das aus mir herausbrach wie aus einem tiefenentspannten buddhistischen Mönch, erstaunte mich selbst. „Wahre Worte, lieber Papa."

Mit einem immer noch verhärteten Knoten im Magen, aber einem neuen, kleinen Schein im Herzen, der den großen Hohlraum in mir wärmte wie das winzige Teelicht den schweren Bauch von Peters Teekanne, ließ ich meinen Vater seine Linsensuppe kochen und fuhr nach Erlenbach.

„Ich hab mit Frau Preiß und Herrn Mang ein Regelpapier aufgesetzt, das die Lage endgültig lösen wird", empfing mich Theo. „Ich frage mich, warum das nicht schon längst passiert ist. Wenn man nicht alles selbst macht! Hättest ruhig noch dableiben können, solche Prozesse sind wichtige Lehreinheiten für dich, Ellie."

Ein Gutes hatte das erneute Zerwürfnis zwischen den Schmidt-Brüdern: Theo war von nun an immer auf meiner Seite. Er begrüßte es sogar, wenn ich ihm einen Grund lieferte, mir gegen Lothar den Rücken zu stärken.

Als im Spätsommer 2008 die Finanzkrise volle Fahrt aufnahm und das Automobilgeschäft immer wackliger dastand, erhöhte man die Produktion fürs Militär. Hier konnte man gar nicht genügend Großserien fahren. Wir hatten zwei Repräsentanten, die in der ganzen Welt herumreisten und unsere Schutzwesten verkauften, vom Fernen über den Nahen Osten bis nach Südamerika. Die Nachfrage schien weltweit permanent zu steigen. Auch die Schmidtsche Isolierfaser hatte Hochkonjunktur. Armeebekleidungs-Hersteller im In- und Ausland hatten immensen Bedarf.

Albrecht Schmidt hatte die Endlosfaser-Technologie einst als Dämmmaterial für Maschinen eingeführt. Unser Entwickler Heinz Brenner hatte sie in den Achtzigern zum Futter für Bekleidungstextilien verfeinert. Das war ein genialer Zug gewesen, denn unser Faserstoff hatte die Fähigkeit, Körperwärme einzuschließen. Das brachte mich eines Tages auf die Idee, für Mitarbeiter und Kunden eine Schmidt-Jacke fertigen zu lassen mit einem Logoaufnäher über der linken Brust. So hätten wir ein attraktives Werbegeschenk, das gleichzeitig Träger unserer Produktqualität war. In die Jacke würden wir ein Label einnähen: „High-Tech Insulation Fiber made by Schmidt". Das positive Erlebnis unserer leichten, aber effizienten Isolierung am Körper würde sich unmittelbar in einen Imagegewinn für unsere Dämmstoffe verwandeln. Theo unterstützte meinen Plan in der Hoffnung, dass es dem Bausektor einen Schub geben würde. Ich ließ von einem dänischen Hersteller einen Frauen- und einen Männerschnitt entwerfen. Die Frauenjacken waren dunkelrot, die für Männer dunkelblau.

Die Lieferung kam im November, als die ganze Wirtschaft unter dem Schock von Börsensturz und Bankeninsolvenzen stand. Keiner hatte mehr etwas zu verschenken. Doch Schmidt versandte warme, kuschelige Weihnachtsgrüße an besondere Kunden und Lieferanten. Die Begeisterung war groß. Im neuen Jahr verlangten wir eine Schutzgebühr von hundertzwanzig Euro pro Jacke und ich setzte eine Online-Bestellfunktion auf. Im Verkaufsteam staunte man, wie viele Winterjacken mit Werbeaufnäher man inmitten einer Konsumflaute an den Mann und die Frau bringen konnte, sogar mein Schwager, der sonst nie viel übrig hatte für meine Aktivitäten.

Endlich spürte ich eine Wirksamkeit meiner Arbeit. Ludwig Spielmann, ein Journalist aus der Fachpresse, der auf alle unsere Pressekonferenzen kam, verriet mir, dass man mich draußen den „Schmidtschen Staubaufwirbler" nannte. Das ehrte mich und trieb mich zum nächsten Schritt: der Einführung unserer Isolierfaser in der aufblühenden Outdoorbekleidungs-Industrie. Wir hatten die beste Technologie im Land. Jetzt musste nur noch die beste Marke entwickelt werden, damit die großen Outdoor-Labels stolz ihre Produkte damit ausstatten und auszeichnen würden.

Ich nannte unseren textilen Kälteschutz Isopur und ließ den Namen weltweit schützen. Nachdem ich meine Markenstrategie vor dem gesamten Entscheidungsgremium von Schmidt präsentiert hatte und die Marktstudie einer externen, von Lothar beauftragten Unternehmensberatung positiv ausgefallen war, hatte ich fast nur noch Mitstreiter. Zu den heißesten gehörten Charlotte und Anna, ihre älteste Tochter.

Anna war im Herbst 2008 bei uns eingestiegen, nachdem sie ihr Studium des Wirtschaftsingenieurwesens mit Bravour abgeschlossen hatte. Sie war sechsundzwanzig und kam oft zu mir, um mir von ihrem täglichen Kampf zu erzählen, als Ingenieurin bei Schmidt ernst genommen zu werden. Ich ließ mich bei ihr aus darüber, wie Lothar und Iris hinter meinem Rücken gegen mich operierten. Jetzt hatte ich eine Verbündete.

Im gesamten Betrieb herrschte eine große Freude darüber, dass Schmidt endlich wieder da stehen würde, wo wir zu Albrechts Zeiten gestanden hatten: im Licht der Öffentlichkeit, als eines der innovativsten deutschen Unternehmen. Isopur würde ein Aushängeschild werden und uns aus der zweiten Reihe herausholen, in der wir als reiner Zulieferbetrieb standen. Unsere Weltmarke würde uns einen Imagevorsprung gegenüber unseren Wettbewerbern verschaffen, den globalen Giganten, die uns stückzahlenmäßig in den letzten Jahren in allen Feldern überholt hatten, mit Ausnahme der Schutzwesten. Jetzt strauchelten sie alle in der Krise und wurden unbeweglich. Währenddessen konnten wir die Gunst der Stunde nutzen und ein neues Standbein aufbauen, das uns durch Markenpower bereichsübergreifend Stabilität geben würde. Ressourcen waren gerade günstig. Ich startete im Frühjahr 2009 mit der Suche nach einer Agentur, die nicht nur unsere Consumermarke konzipieren, sondern auch endlich einen neuen Gesamtauftritt für Schmidt auf die Beine stellen sollte.

Anna war eine feierlustige Person und zudem der Meinung, wir Schmidts müssten uns ab und zu mal blicken lassen da draußen in der Geschäftswelt. Plötzlich fand ich mich mit ihr im Jungunternehmerinnen-Kreis und im Industriemarketingverein. „Netzwerken" nannte Anna das. Immer öfter nahmen wir auch ihre Eltern, ihren Freund David und Theo mit, um auf dieser Gala und jenem Sektempfang aufzukreuzen. Wir waren eine fröhliche, entspannte Runde. Das nannte Anna dann „Bonding“. Der ganze schwäbische Industrieadel konnte sich davon überzeugen, dass es funktionierte.

„Albrecht wäre stolz auf uns“, sagte Theo zu Charlotte und mir, als wir alle auf der Preisverleihung für Industriekommunikation in Stuttgart einen VIP-Tisch belegten. „Endlich zeigen wir uns wieder als Familie, die zusammenhält.“

Lothar und Iris wurden dabei einfach ausgeblendet. Und wie schmerzfrei die Schmidts dabei waren! War das mit Matthias vielleicht ähnlich gewesen? Entschuldigung, lieber Bruder, du passt nicht mehr in die Gesamtaufstellung. Bitte verlass mal eben die Bildfläche.

Wir schauten uns die Präsentationen der Agenturen an, um eine Vorauswahl zu treffen. Theo und Charlotte gefiel die Gewinnerkampagne, in deren Mittelpunkt eine schwere Eisenkette in Großaufnahme mit einem grünen Verbindungsteil den „Link“ von der Technologie zum Markt darstellte. Mir war sie zu kühl und gewollt. Dagegen war ich fasziniert von den Motiven einer kleinen Karlsruher Agentur, die Menschen aus der Fertigung eines Maschinenbauers porträtierte und sie erzählen ließ, wie sie täglich dazu beitrugen, dass ihre Kunden reibungslos und erfolgreich operieren konnten. Das war ja im Ansatz meine Idee. Aber sie war viel besser umgesetzt, als ich mir das hätte vorstellen können. Allein schon die Gesichter sprachen Bände. Hier ging es um Authentizität, nicht um irgendeine ausgeliehene Symbolik.

„Das sind unsere Kreativen!“, sagte ich zu Theo, Anna und Charlotte.

Kälteschutz

Geschäftlicher Erfolg ist eine wirksame Waffe gegen Einsamkeit. Plötzlich ließ mir mein Umfeld Unterstützung und Aufmerksamkeit zukommen. Das verstärkte meine Motivation. Den ganzen Tag lang sprudelten Ideen aus mir, und sie fielen auf fruchtbaren Boden.

Wenn Theo abends zu Hause war, bohrte er, sobald die Kinder im Bett waren, meinen Arbeitstag auf. Ich brauchte seinen Rat eigentlich nicht. Doch ich ließ mich hinreißen, ihm Details zu erzählen, um dann auch von ihm zu hören, wie clever meine Lösungen waren. Stattdessen schilderte er mir allerdings, was schiefgehen könnte, und wie ich Fehlentscheidungen verhindern könnte, indem ich auf seine Erfahrung zurückgriff. Als es mit Stromer in eine neue Expansionsphase in Richtung Russland ging, war ich froh, ihn für eine Weile los zu sein.

Ich spielte wieder romantische Melodien auf dem Flügel, bis die Kinder eingeschlafen waren. Danach legte ich mich in eine heiße, duftende Badewanne und checkte aus meinem Alltag aus. Anschließend im Bett lauschte ich in die Weinberge und dachte an meine drei Engel, was sie alles Gescheites gesagt hatten heute und wie bezaubernd sie waren.

Darius mit seinem inzwischen ganz dunklen Schopf und seinen schönen, schrägen braunen Augen. Nach außen schien er unaufgeregt mit seinem versonnenen Blick, aber ich kannte ihn besser. Oft konnte er dem Geschehen um ihn herum keine Ordnung entlocken. Dann setzte er sich ans Klavier oder spielte mit Nell „Fang den Hut", nur um in einem System aufgehoben zu sein, das ihm begreiflich war.

Dagegen ging bei Kilian nichts ohne Kontrolle. Wenn er bei einem Spiel mal nicht in Führung lag, manipulierte er die Regeln. Er sehnte sich nach Heldentum. Stundenlang musste ich ihm Abenteuerromane vorlesen. Dabei holte er sich die Nähe von mir, die er brauchte.

Und die kleine Nell, das überirdische Wesen, das mit den großen leuchtenden Augen ihres verschwundenen Onkels und der Grazie einer Balletttänzerin Charlottes Krausekopf spazieren trug, war mehr Mädchen als ich es jemals gewesen war. Sie stand gern mit mir in der Küche auf ihrem Hocker und belegte Pizza. Ihre Stofftiere und Barbiepuppen stellten in jeder Ecke des Hauses eine Szene aus dem häuslichen Leben nach. Sie träumte und lebte den Traum von Einheit in der Familie. Und tatsächlich ließen Theo und ich viele Unstimmigkeiten zwischen uns einfach verrauchen, weil wir beide wussten, wie stark es unsere Tochter belastete, wenn es Streit gab.

Mit dem Frühjahr kamen wieder zahlreiche gesellschaftliche Anlässe, bei denen ich präsent sein musste. Je mehr einflussreiche Menschen ich kennenlernte, desto mehr bewegte sich in meinem Arbeitsfeld. Mein Leben drehte sich immer schneller.

Als wir in den Osterferien mit den Kindern für zehn Tage auf die Insel flogen, kam ich dort irgendwie nicht zur Ruhe und nutzte jede sich bietende Gelegenheit, um in ein WLAN-Netz zu kommen und meine E-Mails abzurufen. Anstatt wie früher mit den Dreien am Strand und im Wasser zu toben, lag ich wie erschlagen im Sand, während meine Gedanken Pirouetten drehten. Wenn Darius und Kilian in ihren Superman-Spielen aufgingen, hatte ich ihnen sonst immer Nell vom Hals gehalten, indem ich mit ihr Barbieburgen baute und Muscheln suchte. Aber ich war Welten entfernt von meinem eigenen inneren kleinen Mädchen, das vor noch nicht allzu langer Zeit an diesen Dingen Freude gehabt hatte. Die Kleine versuchte es bei ihrem Papa, doch dessen Ausdauer hatte dramatisch abgenommen. Also heftete sie sich an die Fersen ihrer großen Brüder, denen Theo und ich schlichtweg den Befehl erteilten, ihre Schwester mit einzubeziehen. Das Ergebnis war ein täglich sich wiederholendes Protestgeschrei und eine frustrierte Sechsjährige, die ihren sonst so unwiderstehlichen Charme verlor und die ganze Familie piesackte. Wir kamen gestresst wieder nach Hause und ich war froh, mich ins Büro verziehen und meine Projekte forcieren zu können. Ich hatte ja Marion, meinen Vater und Charlotte für die Kinder. Die hatten mehr Zeit als ich.

Immer öfter kam ich nachts betrunken mit dem Taxi von einer Veranstaltung oder einem Geschäftsessen heim. Ich löste dann meinen Vater ab, der die schlafenden Kinder hütete, und schickte ihn mit dem gleichen Taxi nach Heilbronn zurück. Dann schminkte ich mich ab und legte mich ins Bett. Ich sehnte mich nach Sex, nach einem Mann, der meinen Körper neugierig begehrte. Ich schwang mich in lustvolle Vorstellungswelten auf. Dabei warf ich mich wild im Bett hin und her, als würde ein imaginärer Liebhaber in leidenschaftlicher Umarmung an mir zerren.

Mein Kopf wollte keine Ruhe geben. Weder der Friede der Weinberge noch der verlässliche Motor der Stadt in der Ferne hielten noch ausreichend Impulse für ihn bereit, denn er war auf pausenloses Bombardement eingestellt. Ich holte mir noch ein Glas Wein, legte mich wieder ins Bett und schlief immer noch nicht ein. Der Teufelskreis endete erst, wenn ich mit dem letzten Schluck aus meinem Glas eine von Theos Schlaftabletten hinunterspülte. Was blieb mir übrig, ich musste am nächsten Tag aufstehen.

Der Morgen brachte eine planlose Leere. Ich schickte die Kinder aus dem Haus, ermahnte die zwei Jungs, geradewegs zum Kindergarten zu laufen und ihre kleine Schwester dort abzugeben, setzte mich ins Auto, fuhr ins Büro und war extrem genervt von den roten Ampeln und dem Verkehrsaufkommen davor. Als ich sie alle überwunden hatte, saß ich vor meinem ungeordneten Schreibtisch und wusste nicht, welches Fragment ich zuerst aus dem Chaos fischen sollte. Bis ich mit der mir eigenen Drastik den Tag quasi wegmanagte.

Auch wenn ich nicht ausging, kam ich abends ohne Alkohol nicht mehr aus. Der Wein wärmte mich kurz an, dann lief er einfach wieder aus dem Leerraum heraus, in den ich ihn hineingeschüttet hatte. Ich war zwar weniger einsam als vor meinem Durchbruch bei Schmidt, aber je mehr ich auf meine Agenda packte, desto größer wurde die Angst, zu scheitern und die Zustimmung wieder zu verlieren, die ich mir so hart erarbeitet hatte. Da für Theo ebenso wie für mich das Standing im Managementkreis von den Erfolgen meiner Projekte abhing, nutzte er jede Gelegenheit, mich zu dirigieren: „Bau jetzt schon Partnerschaften auf bei den Markenherstellern. Du musst dich raustrauen, Ellie, solche Geschäfte macht man nicht vom Schreibtisch aus. Die Welt wartet nicht auf deine Thermofaser, es gibt schon Tausende."

Bei der Kreativagentur Chinz in Karlsruhe gab es großen Jubel, als ich dort anrief und fragte, ob sie sich gerne bei mir vorstellen würden. Das Inhaber-Ehepaar Rainer und Lydia Kappler kam angereist. Ich führte sie überall herum und freute mich darüber, wie aufmerksam sie waren und wo sie überall Motive sahen. Beim anschließenden Mittagessen erfuhr ich, dass er der kreative Kopf war und sie die Managerin, die keinen Faden aus der Hand ließ. Die beiden hatten zwei Töchter im Alter von Darius und Kilian, von denen sie gern und viel erzählten, in dem wunderschönen Sprechgesang der Karlsruher Eingeborenen.

„Wie viele Agenturen fragen Sie an?", wollte Lydia Kappler wissen.

„Nur zwei", log ich. Ich wollte Chinz und sonst keine. „Eine Bedingung hätte ich allerdings: Ich möchte den Fotografen, der die Maschinenbau-Kampagne geshootet hat."

„Auf jeden Fall", versprachen sie mir beide. „Wir arbeiten sowieso mit keinem anderen."

Er wäre ein Stiller, nicht ganz einfach, erzählten sie frei heraus, aber unschlagbar in seinem Können.

Zwei Wochen später zeichnete ich ihre Angebote ab und fuhr zum Kick-off-Meeting in meine Heimatstadt.

Nirgends duftet der Sommer so verheißungsvoll wie in Karlsruhe. Ich fuhr einen Umweg durch die Südstadt und ließ die altbekannte, staubgedämpfte Klangkulisse und die träge Luft durch mein Autofenster wehen. So viel Leben und Verzweiflung, Alltag und Bleiben, Liebe und Loslassen hingen an jeder Straßenecke und steckten in den Schluchten zwischen den alten Mietshäusern. Ich konnte dem Sog kaum widerstehen. Ich wollte aussteigen und umherlaufen, doch ich war spät dran und bei Chinz warteten sie auf mich.

Das kleine Agenturteam hatte noch nie einen Preis gewonnen, aber sie hatten alle ihre Kunden nach vorne gebracht, das demonstrierten sie mir in einer kurzen Präsentation ihrer Referenzen. Sie würden nichts aus dem Hut zaubern, sondern hart arbeiten. Wir merkten schnell, dass wir auf einer Wellenlänge waren. Ich sprach über die vielen Aufgaben, die vor uns lagen. Der Fotograf Henry Thiess klappte sein schickes, schlankes Notebook auf und begann rasant mit vier Fingern darauf zu tippen. Er schien froh darüber zu sein, dass er das Protokoll schreiben durfte, und nicht zum Gespräch beitragen musste. Die Kapplers und ihr Art Director Carlo stellten mir viele Fragen. Mein Stromer-Hintergrund und die Tatsache, dass ich mit Joachim Färber, dem stadtbekannten Internet-Pionier, eine der ersten größeren CMS-Seiten im Land aufgebaut hatte, löste allgemeine Bewunderung aus. Nein, auf Web-Ebene konnte man mir nicht viel vormachen, gab ich zu.

Färber sei ja leider inzwischen unbezahlbar, sagte Rainer Kappler. Sonst hätte man ihn vielleicht auch einbinden können.

„Passt schon", meinte ich. „Ich glaube, der würde jetzt nicht Hurra schreien, wenn er es wieder mit mir zu tun kriegen würde."

Der Fotograf verließ mit mir um vier Uhr das Büro. Er raste über drei Stockwerke vor mir die Treppe hinunter, als wäre ich hinter ihm her.

„Danke fürs Protokollieren!", rief ich ihm zu, als er unten vor dem Haus sein Fahrradschloss löste.

„Gern geschehen. Übrigens kenne ich Joachim gut, ich trink ab und zu ein Bier mit ihm." Er musste gegen den Verkehrslärm auf der Kriegsstraße anschreien, damit ich ihn verstand.

„Oh. Dann grüßen Sie ihn von mir beim nächsten Bier!“, rief ich zurück. Mein Herz klopfte heftig bei dem Gedanken, dass es vielleicht wieder eine Verbindung zu Joachim geben könnte.

„Das mach ich. Er hat mir schon mal von dir erzählt.“ Er duzte mich, als hätte auch ich schon mal ein Bier mit ihm getrunken.

Dann kam er sein Fahrrad schiebend auf mich zu, damit wir uns besser unterhalten konnten. Er war nicht größer als ich, schlank und sportlich, maximal Ende zwanzig, hatte strubbelige mittelblonde Haare, die in der Mitte vom Kopf schon dünn wurden, und weit auseinander liegende grünliche Augen. Hübsch war er nicht, aber auf den zweiten Blick sicherlich interessant. Und plötzlich war er alles andere als wortkarg.

„Er hat dir, glaub ich, schon länger nachgetrauert.“

„Ich hab ihn Jahre nicht mehr gesehen“, gab ich neutralisierend zurück. „Sag ihm bitte, er soll sich mal wieder melden.“ Ich reichte ihm meine Visitenkarte und winkte ihm zu, damit er endlich auf sein Fahrrad steigen würde. Nichts lag mir ferner, als in dieser Scheinvertrautheit über Joachims und meine Vergangenheit zu sprechen.

Doch Henry Thiess fiel durchaus noch mehr ein: „Es ist übrigens ein Riesending, hier mitten in der Flaute so einen Auftrag liegen zu lassen. Alter! Und dann auch noch ordentliches Geld zu bezahlen, wo überall nur noch Ausverkauf herrscht. Warum Chinz? Ich komm nicht mit.“

„Weil ich glaube, ihr könnt das. Und weil ich nicht irgendeiner Star-Agentur die teuren Partys zahlen will. Bei euch weiß ich, dass es euch um Ergebnisse geht. Und wenn die nicht richtig gut werden, dann habt ihr ein ernsthaftes Problem. Klar?“

„Alles klar, Frau Becker-Schmidt! Freu mich drauf!“

„Und jetzt Ciao! Ich muss echt los“, sagte ich.

Mit einem Seemannsgruß radelte er davon. Was für ein Kauz, dachte ich.

Von nun an standen wir täglich in Kontakt miteinander und die seltsame Vertrautheit vertiefte sich in unseren E-Mails.

„Konzept für Isopur ist am Werden. Es würde mir helfen, wenn du einen Präsi-Termin festmachen und mich ein bisschen unter Druck setzen würdest", schrieb er.

„Okay, kein Problem. Morgen 7.15 Uhr hier in Heilbronn."

„Was? Bist du so früh auf den Beinen? Sagen wir doch 7.30 Uhr."

„Im Ernst, da sind ja selbst meine Kinder noch im Tiefschlaf. Lass uns nächste Woche anpeilen."

Sie kamen im Vierergespann zur Erstpräsentation. Ich nahm Lothar, Iris und Anna mit dazu. Henry hielt sich wie immer sehr zurück und ließ den Art Director Carlo Voigt an die Front. Aber ich kannte inzwischen seine Handschrift, und die war nicht zu übersehen. Er hatte Fotos im Studio geschossen, Menschen im Outdoor-Outfit, sehr hart angeschnitten, aber immer war ihr Entdecker-Blick im Bild und ein paar Muskeln, die ihre körperliche Hochform verrieten. Die Personen waren freigestellt und in eisig klare Polar-Landschaften projiziert. Ein Teil der Jacke oder Hose war herausgezoomt und als technische Illustration angelegt, die ganz nah an die Isopur-Technologie heranführte. Sie zeigte sogar, wie die Faser die Körperwärme einschloss und dabei atmete. „Keep Your Energy In", lautete der Claim. Alles war gesagt.

„Das sind erst mal Studien", warf Henry vorsichtig ein. „Wenn das Konzept genehmigt wird, shooten wir das richtig."

Ich blickte in die Runde. Anna und Iris gaben sich schwer beeindruckt. Wir drei klopften ein paar Mal anerkennend auf den Tisch. Da bat Lothar um eine kurze Besprechung unter uns, also entschuldigten wir uns und gingen in die Kaffeeküche.

„Okay, jetzt erst mal herunterkommen, meine Damen", startete Lothar eine Standpauke. „Seid ihr noch ganz sauber? Mag ja sein, dass ihr hin und weg seid, aber das könnt ihr doch nicht so rauslassen! Wollt ihr, dass die sich denken, sie könnten alles verlangen?"

„Wir arbeiten in einem beauftragten Angebot, Lothar. Die Preise sind festgeschrieben", konterte ich.

„Das mag sein, aber ich kenne diese Gauner. Die finden immer ein Schlupfloch für Nachberechnungen. Außerdem wollen wir ja länger mit ihnen arbeiten. Das heißt, wir dürfen sie auf keinen Fall wie die großen Stars feiern. Du hast wenig Erfahrung mit Lieferanten, Ellie. Ich zähle auf dich, dass du mich von jetzt an in jeden Vorgang einbindest, sonst steigen die dir ruckzuck aufs Dach …"

„Glaub mir, Lothar, ich kann durchaus selbst mein Projektbudget überwachen."

„Du bist viel zu emotional, Ellie. Ich hab die Angebote doch gesehen. Da stecken mindestens noch dreißig Prozent Verhandlungsspielraum drin, die du hättest sparen und für andere Projekte einsetzten können. Wo soll diese unbedeutende Firma denn sonst solche Aufträge herkriegen in diesen Zeiten?"

„Chinz ist mehr als gut beschäftigt, Lothar. Schau dir doch erst mal die Referenzen an, bevor du mir so dazwischenfährst!"

„Lothar hat Recht, Ellie", unterstützte Iris ihren Mann. „Es fehlt dir an Erfahrung. Diese Leute haben tolle Ideen, aber du musst aufpassen, dass sie dich nicht melken."

So schickten wir das Chinz-Team mit verhaltenem Zuspruch aber immerhin mit grünem Licht wieder nach Karlsruhe.

Abends suchte ich Henrys Handynummer aus seinen E-Mails und rief ihn an. Er war innerhalb von Sekundenbruchteilen dran.

„Geht's grade oder bist du unterwegs?", fragte ich.

„Unterwegs auf dem Fahrrad. Aber schieß los."

„Ich wollte dir nur noch sagen: Ich wusste ja, dass da was Großes kommt, aber es ist noch besser, als ich es mir vorstellen konnte. Jetzt sind wir ganz warm angezogen für den globalen Markt. Hut ab, Herr Thiess."

„Okay." Er klang überrumpelt. „Warum so zeitversetzt mit dem Enthusiasmus?"

„Damit ihr nicht abhebt mit eurer Abrechnung. Das bleibt unter uns."

„Kannst dich drauf verlassen", versprach er. Dann fügte er an: „Weißt du, ich würde mir so manche Nacht um die Ohren schlagen, nur um dich zu beeindrucken."

Ich nahm das als Scherz, da ich im Moment nicht wusste, wie ich es sonst nehmen sollte, und lachte. „Jetzt aber gut!"

Es herrschte ein paar Atemzüge Stille in der Leitung.

„Bis die Tage", beendete ich das Gespräch.

Es war ein wunderbar heißer Juli. Die Kinder wollten abends nicht rein. Sie bildeten eine riesige Rasselbande mit den Nachbarskindern und rasten auf Rädern, Rollern und Inlineskates auf den Straßen unserer Siedlung umher. Manchmal gingen sie auf gemeinsame Exkursionen in die Weinberge. Die Mädchen kamen mit Schneckenhäusern und Wundersteinen zurück, die Jungs mit angeblichen Versteinerungen urzeitlicher Frösche. Sie alle wollten nicht einsehen, dass man zum Abendessen reinkommen sollte, wo es doch noch taghell und so traumhaft warm war.

Als ich am Dienstagabend um sechs Uhr heimkam, um Marion abzulösen, und die breite Sackgasse vor unserem Haus so fröhlich bevölkert vorfand, überkam mich die Trauer darüber, dass ich diesen ausgelassenen Erlenbacher Sommer unwiederbringlich verpasste. Darius, Kilian und Nell kannten das halbe Dorf und freuten sich schon morgens beim Aufstehen darauf, ihre Freunde in der Schule und im Kindergarten wiederzusehen und dann den ganzen langen Tag mit ihnen zu verbringen, bis sie abends hungrig und ausgetobt beim Abendessen saßen und mir aufgeregt erzählten, was wer mit wem erlebt hatte. Viel zu spät trotteten sie in ihre Betten, aber intelligente Menschen brauchen schließlich nur vier Stunden Schlaf, wie mir Kilian erklärte. „Schlafen ist was für Langweiler!", verkündete er, als er über die Galerie vom Bad in sein Zimmer stampfte. „Was für Faule, die nichts zustande bringen in ihrem Leben!"

„Ruhe jetzt, ihr Kobolde!", rief ich vom Flügel aus in das hohle Dach hinein und begann zu spielen.

Die Romanze von Liszt, die ich das letzte Mal gespielt hatte, als wir noch in Mosbach gewohnt hatten, flog mir zu. Sie verwandelte meine Sehnsucht in etwas Neues. Plötzlich spürte ich einen tiefen Glauben an die Schönheit in mir. Ich spielte ihn von innen nach außen, in einer Interpretation so emotional und irrational wie ich eben war. Meine Musik war selbstbewusst und bezaubernd, die Kinder still wie Mäuschen. Mitten im finalen Pianissimo wurde mir klar, wo diese Euphorie herkam, dieses plötzliche, schwindelerregende Wissen um die Kostbarkeit meines Wesens. Nicht erst seit dem heutigen Telefonat, sondern im Grunde seit Wochen steckte Henry in fast jedem meiner Gedanken, fühlte ich mich in permanenter Verbindung mit ihm. Aus unserem Austausch, so banal er war, aus unseren Begegnungen und aus der Art, wie er seine gesamte Aufmerksamkeit auf mich konzentrierte, zog ich genau dieses Gefühl des Wertvollseins, das jetzt wie Balsam auf meinen Wunden lag.

Am folgenden Freitag trafen Theo und ich uns in Friedrichshafen. Er hatte die Woche bei der Stromer Niederlassung in Oslo verbracht und kam direkt von dort eingeflogen. Ich holte ihn vom Flughafen ab, dann checkten wir ins Airport-Hotel ein, um am nächsten Tag auf der Outdoor-Messe Isopur vorzustellen. Beim Abendessen zeigte ich ihm die Präsentationsmappe, die Henry und Carlo in den vergangenen drei Tagen für mich erstellt hatten. Bis tief in die Nacht hatten wir telefoniert, hin und her gemailt, optimiert, formuliert, bis wir alle drei zufrieden waren. Ich war stolz auf das Ergebnis. Doch Theo war nicht glücklich. Die Darstellungen waren ihm zu plakativ, die Fotos zu künstlerisch, das Wording zu soft.

„Das sind Techniker, mit denen wir es hier zu tun haben. Die wollen Daten, Ellie. Mir fehlt's hier ein bisschen an der Substanz. Da hättest du mich ruhig mal draufschauen lassen können vor dem Druck."

Ich zeigte ihm die Liste mit Messeterminen, die wir mit den Produktmanagern einiger Markenhersteller für Kälteschutzbekleidung hatten. Ich hatte mir seit Wochen die Finger wund telefoniert und keine Ruhe gegeben, bis ich die Terminbestätigungen in den Händen hielt. Zwei große Marken fehlten. Da war einfach nichts zu machen gewesen, ich würde aber weiter dranbleiben.

„In solchen Fällen musst du vielleicht dann doch mal Lothar ranlassen. Als Mann kommt man da, glaub ich, weiter", schlug Theo vor. „Ich werde es einfach persönlich am Stand probieren."

Ich hatte mich gefreut auf ihn. In Hotelbetten hatten wir immer guten Sex. Aber nach diesem Abend hätte ich ihn am liebsten wieder in Richtung Oslo geschickt – oder noch weiter hinaus in die polare Wüste.

In der Regel hatten wir nach außen hin eine gute Chemie. Aber in den Meetings am Samstag auf der Outdoor war Theo verkrampft. Er stand unter Erfolgsdruck und wollte mir offenbar demonstrieren, wie unersetzlich er hier war. Alles an ihm wirkte aufgesetzt. Schon sein Maßanzug passte so gar nicht hierher, alle trugen Karohemden und Jeans.

Stolz und väterlich stellte er mich vor und lobte meinen Marketingverstand, als hätte ich sonst nichts zu tun mit dem Produkt, das wir hier anboten. Ganz ähnlich hatte mein Vater immer meine musikalische Begabung angepriesen, damals als ich zwölf Jahre alt war, ein Alter, in dem es noch normal ist, lächelnd und stumm neben seinem Vater zu stehen, während man selbst Gegenstand des Gesprächs ist. Es gibt keine vernünftige Art, sich da zu äußern, egal ob man zwölf oder achtunddreißig ist.

Verzweifelt riss ich ein paar Gesprächsminuten an mich, um durch meine Mappe zu gehen und fachlich zu überzeugen. Aber Theo ließ mir zu wenig Spielraum und textete unser Gegenüber immer wieder mit völlig daten-befreiten Lobeshymnen auf das Unternehmen Schmidt zu. Was er nicht verstand, war, dass er es hier mit einer neuen Generation von Managern zu tun hatte, auf die diese Old-School-Machtdemo eher befremdlich wirkte, wenn nicht sogar abstoßend.

Wäre ich nur alleine auf diese Messe gegangen. Doch das hätte für Theo bedeutet, ein Wochenende zu Hause alleine mit den Kindern zu verbringen und mich laufen zu lassen. Und das auf dieser jungen und legeren Messe, wo man sich entspannt gab, den ganzen Tag Bier trank und nach Möglichkeiten Ausschau hielt, nachts den Stress rauszulassen. Das war nicht vereinbar mit seinem Risikomanagement.

Dass es selbst dem legendären Theo Schmidt nicht gelang, bei den ganz großen Herstellern spontan einen Termin zu kriegen, trug nicht unbedingt zu einem guten Klima auf der Heimfahrt bei. Ich war völlig am Ende. Die enorme Anspannung den ganzen Tag, der fehlende Schlaf in der gesamten vergangenen Woche und die anhaltende Trauer um die Zeit, die mir mit den Kindern fehlte, summierten sich zu einer mittelschweren depressiven Verstimmung. Mit Theo darüber zu sprechen, wie er mich herabgesetzt und übergangen hatte, wie er mir alle Chancen genommen hatte, mich tatsächlich für die Sache und für Ergebnisse einzusetzen, nur um sich selbst und den Schmidt-Mythos aufzubauschen, wäre sinnlos gewesen, das wusste ich. Es hätte nur in einer ermüdenden Debatte über meine Unerfahrenheit geendet. Er raste durch die sternenklare Nacht. Wer immer ihm auf der linken Spur in den Weg kam, wurde als Penner verflucht und mit dem Blinker verscheucht. Irgendwann kurz vor Ludwigsburg merkte er, dass ich weinte.

„Morgen machen wir uns einen ganz ruhigen Tag", tröstete er mich und drückte meine Hand.

Als am späten Sonntagabend die Kinder im Bett waren, lag ich mit meinem Laptop auf der Couch und schrieb Gesprächsberichte. Da kam eine E-Mail von Henry rein: „Hi Ellie, wie ist es gelaufen am Samstag?"

Ich blickte zu Theo, der in seinem Sessel vor dem Kamin eingeschlafen war. Er war heute trotz des wunderschönen Wetters nicht mit uns spazieren gegangen, hatte mich mit den Kindern alleine losgeschickt. Stattdessen hatte er mit einer Decke draußen auf unserer Terrasse im Schatten gelegen und ausgesehen wie ein Greis. Er hatte wieder Schmerzen im Nacken. Stress, hatte der Arzt gesagt. Theo sollte langsamer machen.

„Hi Henry, hatte mir mehr erhofft. Wir starten halt als No-Name. Aber die Mappe hat funktioniert. Alle, die aufgepasst haben, waren danach gut angewärmt."

„Schade. Dachte, du bezirzt sie sicher alle mit deinem Charme."

„Nicht so einfach, wenn mein Mann daneben sitzt", gab ich zurück.

„Verstehe. Dann hattest du ja Verstärkung."

„Ich fürchte, wir haben uns eher gegenseitig behindert. Aber ich fass nächste Woche mal nach. Wird schon werden ..."

„Und wie geht's dir?", fragte er da zusammenhanglos.

„Gut gut. Passt schon. Dir?"

„Auch. Schlaf gut!"

Wie es mir geht. Wie lange hatte mich das schon keiner mehr gefragt?

Irrlicht

Als Theos Nackenschmerzen schlimmer wurden, verordnete ihm sein Arzt mehr Bewegung, weniger Fernreisen und Autofahrten und viel weniger Stress. Doch mein Mann tat sich schwer damit, runterzuschrauben, schließlich sah er sich als Expansionsmotor von Stromer. Die Niederlassungen im Ausland schliefen ein, wenn er nicht regelmäßig vor Ort aufs Gas drückte.

„Ich wünschte, ich hätte bei Stromer jemanden wie dich, Ellie, der den Ball einfach am Rollen hält", schmeichelte er mir. Das tat mir zwar unendlich gut, aber gleichzeitig wusste ich, dass er mir nur aus Eigeninteresse eine Motivationsspritze setzte. Die positive Entwicklung, die der Textilsektor von Schmidt in den letzten Monaten verzeichnet hatte, entzündete seinen Wachstumswahn. Er wollte mehr. Und er hatte gelernt, dass ich unermüdlich für seine Ziele im Einsatz blieb, wenn er die Korrektur meiner Vorgehensweise und die Anerkennung meiner Leistung in der Balance hielt.

Eines Abends präsentierte ich ihm stolz die Großbestellung eines weltweit erfolgreichen skandinavischen Outdoor-Ausstatters, der Isopur in seinem gesamten Sortiment verarbeiten wollte, einschließlich der Schlafsäcke.

Theos Reaktion war: „Du weißt, dass diese Firma auch viele Armeen ausstattet. Ich hoffe, du hast auch unser Schutzwestenprogramm erwähnt. Du musst wieder mehr spartenübergreifend denken, Ellie. Konzentriere dich nicht nur auf Isopur. Schließlich vertrittst du mich als Inhaber … "

Den Tag, an dem Theo zufrieden sein würde, würde ich niemals erleben. Das wusste ich spätestens jetzt.

Ich machte mir Sorgen um meinen Mann. Er hatte zwar seine Reisetätigkeit stark eingeschränkt, aber er fuhr morgens um sieben Uhr los nach Stuttgart, saß fast zwei Stunden im Verkehr fest und machte sich abends um sieben wieder auf, um noch mal fast neunzig Minuten im Auto zu sitzen. Dazwischen Meetings über Meetings. Wenn er heimkam, standen ihm der Schmerz und die Müdigkeit im Gesicht geschrieben. Ein Kollege bot ihm eine Einliegerwohnung in seinem Stuttgarter Haus an und ich redete ihm zu, sie zu nutzen, um von Montag bis Donnerstag nicht heimfahren zu müssen.

Mit Isopur ging es unterdessen in großen Schritten vorwärts. Neben der skandinavischen Firma hatte ich auch mit Bekleidungsherstellern aus der Schweiz und Süddeutschland Verträge gemacht. Sie hatten sich anhand unserer Demo-Jacken von der Leichtigkeit und Effizienz unserer Thermofaser überzeugt, mit mir die Schmidt-Werke besichtigt und in uns einen verlässlichen Partner erkannt. Nicht zuletzt waren sie alle begeistert von den Entwürfen der Werbekampagne, die im September an den Start gehen sollte.

Ferien in Spanien waren nicht drin, auch wenn sie Theo sicherlich gutgetan hätten. Die Kinder waren erst enttäuscht, doch dann freuten sie sich auf die Wochen der Freiheit in ihrem erschlossenen Terrain. Sie würden mit Opa die lange geplante Radtour zum Breitenauer See machen und dort ein paar Tage zelten. Dann würden Theo und ich abwechselnd eine Woche zuhause bleiben. Die fünfzehnjährige Miriam wollte ein bisschen Geld verdienen und bot sich an, als Animateurin einzuspringen und im Haushalt zu helfen, wenn Marion Urlaub hatte.

Mir selbst fiel nichts so schwer, wie abzuschalten. Ich war überzeugt, dass keiner meine Bälle auffangen würde, die ich da oben in der Luft hielt, wenn ich nicht allzeit in Stellung blieb. Und ich war süchtig geworden nach den andauernden Reizen des Gebrauchtwerdens in der Geschäftswelt. Wenn ich mit den Kindern im Garten Badmintonturniere spielte, nutzte ich jede Pause, um hineinzulaufen und meine E-Mails zu checken.

Mitte August hatte Chinz alle Models zusammen für das Fotoshooting, bei dem ich auf Henrys und Carlos Wunsch dabei sein würde. Schon am Vorabend fuhr ich mit meinem Vater und den Kindern nach Karlsruhe, wir hatten zwei Zimmer im Tiergarten-

Hotel gebucht. Für die Zeit, in der ich im Studio sein würde, hatte der weltbeste Opa für die Kinder ein Programm aufgestellt, bei dem für jeden etwas dabei war: Zoo für Nell, Geschichtsmuseum für Darius, Frisbee spielen im Schlosspark für Kilian.

Carlo war einige Stunden im Studio dabei, aber er merkte bald, dass die Stimmung so produktiv war und Henry so zielsicher agierte, dass er kein Auge auf die Einstellungen haben musste. Da wir uns den Assistenten gespart hatten, übernahm ich die Aufgabe, Licht und Reflektoren nach Henrys Anweisung zu positionieren, ihm Objektive, Filter und Karten zu reichen und sie wieder entgegenzunehmen. Es war offensichtlich, dass er Berührungen suchte, ausdehnte und genoss. Ich ließ mich auf das Spielchen ein und spürte, dass das Streifen über meine Finger und der sanfte Druck auf meine Hüften, um mich aus dem Weg zu schieben, eigentlich als Zärtlichkeiten gemeint waren. Nach einer Weile sehnte ich den nächsten Körperkontakt herbei und empfand die Spannung zwischen uns als luxuriös. Wie anziehend doch ein quasi fremder Mann sein kann, dachte ich.

Um sechs Uhr kam mein Vater mit den Kindern, um mich abzuholen. Aber wir hatten noch eine ganze Serie vor uns. Die vier schauten uns eine Weile lang zu, bis Kilian ungeduldig wurde.

„Wie kann man's nur hier drin aushalten den ganzen Tag. Man kriegt ja kaum Luft!", schimpfte er. „Mama, du hast das ganze schöne Wetter verpasst, nur weil der Fotograf hier nicht alleine klarkommt."

In der Pause verwickelte mein Vater Henry in ein Gespräch über Kameratechnik, Blenden und Brennweiten. Es ergab sich ein typisch männliches Kräftemessen. Wer hatte mehr Ahnung, der Fotograf alter Schule oder der junge Selfmademan? Doch Henry ließ sich nur im Ansatz darauf ein und ermöglichte es dann Peter, alle Punkte zu machen.

„Dein Vater ist ja ein echter Nerd!", stellte er beeindruckt fest.

Peter bot sich an, als Assistent dazubleiben, also zog ich mit den hungrigen Kindern zum Marktplatz. Wir saßen in der Abendsonne nahe der Pyramide. Das Zentrum der Stadt präsentierte sich im sanft goldenen Licht. In und um die Straßencafés beobachtete ich Pärchen, die sich zärtlich berührten und leise Gespräche führten.

Die Kinder nahmen sich gegenseitig das Wort ab, um mir von den Waranen im Zoo zu erzählen und von den Trampolinen im Schlosspark. Ich musste Darius und Nell Redezeit zuteilen und Kilian währenddessen am Arm halten, damit er sie nicht laufend unterbrach. Wir waren laut, aber es störte niemanden. Ich genoss jede Sekunde und inhalierte das fröhliche Geplapper gemeinsam mit dem Vogelgezwitscher und dem Quietschen der Straßenbahnen. Ich war zu Hause, glücklich, entspannt und im Reinen mit mir. Dieses kostbare Gefühl bestaunte ich wie ein Juwel, als wüsste ich, dass ich es an diesem Tag noch für immer verlieren würde.

Alle Aufnahmen waren im Kasten und unser letztes Model nach Hause gegangen, als wir mit zwei Pizzaschachteln in das Studio in der Adlerstraße zurückkamen. Kilian wartete demonstrativ in dem kleinen Hinterhof, um nicht wieder den unzumutbar stickigen Raum betreten zu müssen. Darius, Nell und ich fanden Peter und Henry vor dem großen Bildschirm sitzend, den Henry an sein Notebook angeschlossen hatte. Sie wählten Bilder aus.

„Wow, es gibt was zu essen!“, rief Henry erfreut, als er uns hereinkommen sah. „Und wo ist das Bier?“

Daraufhin bestach ich Kilian draußen mit drei Euro, damit er im Biergarten ein paar Häuser weiter Cola für Peter und uns und ein Bier für Henry holte. Dann saßen wir alle im Hof und genossen die allerletzten Sonnenstrahlen. Die beiden Männer aßen die Pizza aus der Hand und die Kinder spielten Hüpfspiele auf den Betonkacheln, auf die Darius mit einem spitzen Stein Zahlen geritzt hatte. Nell bestand darauf, dass ich mitmachte, und ich ließ sie nicht lange betteln. Auf einem Bein hüpften wir durch die Felder, bis uns der Schweiß von der Stirn lief. Lange hatte ich mich nicht mehr so jung und lebendig gefühlt. Ein kurzer Gedanke blitzte in mir auf, dass ich mich in meinem gefühlten Alter meinem Mann angepasst hatte, und das, obwohl er in meinem Alltag fehlte.

„So, meine Lieben. Ich browse jetzt noch ein paar Stunden durch hunderttausend Fotos", sagte Henry schließlich, als gäbe es nichts Verlockenderes auf der Welt. „Wenn du willst, kannst du ja ein bisschen mit gucken, Ellie."

Mein Vater bot sich an, mit den Kindern ins Hotel zu gehen, doch Kilian protestierte: „Das kann ja wohl nicht wahr sein, Mama. Jetzt warst du doch schon den ganzen Tag da drin, willst du hier auch noch übernachten? Das würde ich dem Herrn Fotografen aber in Rechnung stellen."

„Wenn ich das jemandem in Rechnung stelle, mein lieber Kilian, dann der Firma Schmidt!" Ich lachte.

„Ein ganz schönes Früchtchen, dein Sohnemann", sagte Henry, als wir im Halbdunkel vor dem Bildschirm saßen.

„Ich sag's dir. Dieses Kind ist meine schwerste Prüfung."

„Schwerer als sein Vater?", fragte er.

„Ich würde sagen, die nehmen sich nicht viel."

Ich packte eine deutliche Dosis Ironie in meinen Unterton. Und schickte hinterher: „Sie sind mein Leben. Alle vier. Alle fünf! Mein alter Herr natürlich auch."

„Na, das ist doch schön", sagte er. „Da weiß man wenigstens jeden Tag, warum man aufsteht. Bei mir gibt's da nichts als Arbeit."

„Sieh es doch so, Henry: Du bist frei. Genieß es. Die Liebe kommt früh genug zu dir, von ganz allein. Du bist ein toller Typ. Es gibt keinen Grund, dir nicht zu verfallen."

„Findest du?"

„Absolut. Du bist der erste Mann seit Jahren, der mir im Kopf herumgeht", beichtete ich ganz nebenher.

„Du glaubst nicht, wie mich das jetzt umhaut, Frau Becker-Schmidt. Ich fürchte, ich muss dich küssen", meinte er und scrollte weiter.

„Lass das mal besser."

Um den Ausschuss zu eliminieren, deuteten wir abwechselnd auf geschlossene Augen und verzogene Münder der Models. Irgendwann, als ich mich schräg über ihn hinweg lehnte, um auf einen unschön über den rechten Jackenärmel fallenden Schatten zu zeigen, strich er mir durchs Haar und über die Wange. Ich nahm seine Hand aus meinem Gesicht, denn ich wollte nicht wahrhaben, wie wunderschön sich das anfühlte. Unsere Hände verhakten sich und wir blickten uns an.

Eine Ewigkeit lang schauten wir uns in die Augen, mitten in die verbotene Erkenntnis hinein, dass wir uns da gerade gemeinsam in einer unergründlichen Tiefe verloren. Ich sah mir regelrecht dabei zu, wie ich im freien Fall in ihn hineinstürzte. Er war ein Kosmos aus warmem Licht, mit seinem Blick, der lachte und gleichzeitig verzweifelte. Er flößte mir solche Ladungen davon ein, dass ich ihn nie wieder loslassen wollte.

„Ich hab noch nie so was Wunderbares gesehen wie dich, Ellie."

„Jesus, Maria", stöhnte ich. „Küss mich und dann lass mich gehen!"

„Nein", sagte er. „Ich möchte lieber, dass du bleibst."

Dann tat er es doch, weil ich ihn nicht entkommen ließ, und war so unerhört zärtlich dabei. Hatte mich jemals jemand so geküsst? Ich brauchte lange, um aufzuwachen und mich loszureißen. Schließlich nahm ich meine Tasche und taumelte zur Tür.

„Henry, du musst mir was versprechen."

„Alles."

„Sei nicht unglücklich wegen mir."

„Nein", sagte er. „Ich bin glücklich."

„Komm mir nie wieder so nahe", fügte ich an.

„Nicht, wenn du nicht willst."

„Ich will das nicht. Ich liebe meinen Mann."

Ich fuhr mit der Straßenbahn ins Hotel. Die Kinder lagen mit Opa im Doppelbett, kreuz und quer, und schauten einen alten Schwarz-Weiß-Schinken an. Ich kuschelte mich zwischen all die Beine und Arme und lachte, wenn alle lachten. Doch von der

Handlung nahm ich nichts wahr. Ich war zu beschäftigt, dem seltsamen Jungmädchenglück hinterher zu spüren, das durch meinen Körper pumpte.

Die nächsten Tage verbrachte ich in nicht abreißender Geschäftigkeit. Bloß nicht stillstehen, bloß keinen Raum lassen für Träume oder für das große Entsetzen. Die Kinder und ich verstrickten uns bis Mitternacht im Monopoly, das immer mit Kilians Geldrausch endete, wir gingen mit Taschenlampen in die Weinberge und spielten Verstecken hinter Reben oder wir liefen hinüber zu Charlotte und Miriam zum Eisessen. Charlotte und ich tranken dazu eine Flasche Prosecco. Das machte meine Gedanken etwas leichter. Ich umgab mich pausenlos mit Menschen, als bräuchte ich Zeugen dafür, dass ich die Alte war. Was immer da im dunklen Studio mit mir passiert war, war nicht in meinem Universum passiert. Und das, was da Tag und Nacht hinter meiner aufgekratzten Fassade ablief, konnte zum Glück keiner sehen. Ich umkreiste mich selbst wie ein böses schwarzes Loch, in das ich nur nicht hineingeraten durfte.

Am Donnerstagmittag bat ich Miriam, ein paar Stunden lang die Kinder zu übernehmen, und fuhr ins Büro. Auf der Heimfahrt nahm ich einen Umweg durch das Stadtzentrum, schlenderte ziellos durch den Tumult und setzte mich schließlich in ein Straßencafé. Am anderen Tisch saß ein junges Pärchen. Sie redeten aufgeregt, waren sich über irgendetwas nicht einig, ließen aber nie die Finger voneinander. Da wurden Arme, Haare, Ohren, Hälse und Knie sanft gestreichelt und gedrückt. Das Ganze lief offenbar in einer anderen Seinsstufe ab als die Unterhaltung. Es war, als könnten sie nicht in Reichweite des anderen sitzen, ohne sich zu berühren, selbst dann nicht, wenn sie den Plan für den Küchendienst diskutierten.

Vor ein paar Tagen hätte ich noch gedacht: Was für eine lächerliche Vorstellung sie da abgeben, als wären sie die einzig verliebten Menschen auf der Welt. Doch jetzt war mir klar, dass ich genau so dasitzen und nicht von ihm lassen würde, wäre ich diese junge Frau, die hier schräg gegenüber von mir ihr Glück versprühte, vor einem völlig verpeilten jungen Mann, der für sie die Sterne vom Himmel holen würde.

Als ich wieder im Auto saß, lief ein Sommerhit im Radio, den ich schon hundertmal gehört, der mich aber noch nie erreicht hatte. Offenbar war die Popmusik wieder besser geworden. Zum ersten Mal hörte ich hin und konnte nicht glauben, was das Mädchen da sang. Ojemine, ich glaube ich hab mich verliebt, ich möchte es niemandem sagen, aber ich denke ständig nur an dich. Was soll ich nur tun?

Der Song wühlte den ganzen Bodensatz in mir auf, all die Sehnsucht nach dem simplen Sein, dem wilden, puren Leben, in dem man seine Gefühle laufen lässt und ihnen folgt.

Würde Theo das nicht am Ende sogar verstehen? Ich liebte ihn ja nach wie vor und würde ihn niemals verlassen. Aber ich konnte mir einfach nicht helfen, ich fühlte mich wie ein neuer Mensch, wie aus einem schlechten Schlaf erwacht. Was mir widerfahren war, war wie die wundersame Heilung meiner schleichenden Lebensverdrossenheit. Ich hatte den Glauben an die Kraft der Liebe zurückgewonnen. Wie hatte ich mich jemals so in Belanglosigkeiten verstricken können? Die Liebe bewegt die Welt, sie ist das Paradies, das wir überall suchen. Wir klammern uns an Gütern und Erfolgen fest und treten in unserem ausstaffierten Dasein auf wie in einer Realityshow. Doch ohne Liebe ist alles blankes Füllwerk gegen die Leere der Zeit.

Erfüllt von diesen erhabenen Erkenntnissen lief ich in unserer Garage in Theo hinein, der früher als sonst nach Hause gekommen war. Er sah ungewohnt entspannt aus und zwinkerte mir schelmisch zu.

„Oh, du hast gute Laune“, freute er sich und nahm mich in die Arme. „Als hätte ich's gewusst hab ich genau deshalb das letzte Meeting heute abgesagt.“

Es folgten ein harmonischer Familienabend und eine heiße Nacht, ohne dass mich meine gedankliche Verschmelzung mit Henry auch nur eine Sekunde losgelassen hätte.

Die Entwicklung der Isopur Kampagne lief reibungslos. Nachdem die Motivwelt aufgesetzt war, waren jetzt Grafiker, Texter und Webentwickler gefordert. Der Fotograf hatte sein Bestes getan und war jetzt raus. Dennoch lief zwischen Henry und mir eine unsichtbare Leitung heiß. Ich wusste, es ging ihm nicht gut. Mit jedem Atemzug zog es mir mindestens einmal das Herz zusammen und es öffnete sich diese Unterwelt, in der Glück und Schmerz ein und dasselbe waren. Das steigerte sich bis zu einem Moment, in dem ich bei Schmidt mit meinem Handy zur Toilette lief, weil es nicht mehr auszuhalten war. In der Sekunde, in der ich die Türe abgeschlossen hatte, kam eine Nachricht herein: „Wie tief kann die Hölle sein? Ruf mich an." Ich löschte sie sofort und raste in mein Büro zurück, als könnte ich damit unterbinden, dass noch so eine Zeile kam.

Als abends um viertel nach sieben alle Kollegen auf meiner Etage das Gebäude verlassen hatten, rief ich Charlotte an und fragte sie, ob die Kinder zu ihr zum Abendessen kommen könnten. Theo war in Stuttgart und Miriam hütete bei uns das Haus und die Bande. Ich müsse noch schnell ein paar Webtexte korrigieren, log ich, damit die Agentur den Launch-Termin einhalten könne. Anschließend nahm ich den Hörer ein zweites Mal in die Hand und wählte mit schweißnassen Händen Henrys Handynummer.

„Thiess", antwortete er knapp.

„Becker-Schmidt."

„Da bist du ja. Wie geht's dir? Ich kann nicht mehr, Ellie. Und dir geht's nicht anders, ich weiß es."

In seiner Stimme hörte ich sein Herz pochen, als würde er einen Berg hoch laufen.

„Wir dürfen uns nicht gewaltsam voneinander fernhalten, das ist Folter …"

Die Wucht seiner Wortwahl verschlug mir die Sprache. Ich prüfte meinen Terminkalender. Morgen Vormittag würde ich nicht weg kommen, da war Projektleitersitzung. Aber den Nachmittag könnte ich freischaufeln. Henry und ich verabredeten uns um vier in der Gegend von Bretten. Er schlug eine Weinlaube vor, so abgelegen, dass uns dort hundertprozentig keiner kennen würde.

Auf der Fahrt zu Charlotte überlegte ich mir mein Alibi. Es musste etwas sein, das selbst mit aufwendiger Recherche nicht zu widerlegen war.

Folgendes Szenario schwebte mir vor: Eine alte Freundin meiner Mutter wolle sich mit mir treffen. Sie habe mich schon seit Monaten immer wieder kontaktiert und mir erzählt, wie schlecht es meiner Mutter gehe. Sie traue sich offenbar nicht, selbst mit mir in Verbindung zu treten. Ich würde die Frau Heidi taufen, Nachname unbekannt. Charlotte solle bitte Theo nichts erzählen, das würde nur alte Geschichten aufwühlen und uns beiden Kraft rauben.

Am Empfang bei Schmidt würde ich angeben, dass ich mir wegen der Kinder den Rest des Tages freinehmen müsse. Wenn Theo das nachprüfen würde, womit ich immer rechnen musste, würde die andere Version greifen – mit Charlotte als Backup. Theo hatte prognostiziert, dass wir nie wieder von Elke hören würden. Also konnte ich darauf zählen, dass auch meine Mutter selbst mir nicht in die Quere kommen würde.

Nein, ich würde mich nicht in Lügen verstricken. Dies würde eine einmalige Angelegenheit bleiben. Henry und ich mussten in Ruhe reden, damit ich ihm persönlich erklären konnte, warum es keine heimliche Verbindung zwischen uns geben würde. Ich würde ihm aber auch sagen, dass ich ihn über alle Maßen gern mochte. Das sollte er wissen. Das würde ihm helfen.

In unsere von Reben und anderen Ranken verwachsene Laube wehte ein warmer Sommerwind, der nach erdiger Weite roch. Ich hatte mir meine Haare im Nacken zusammengebunden, aber es lockerte sich immer wieder eine Strähne, die mir Henry aus dem Gesicht streifte. Seine Handfläche war rau vom Fahrradfahren. Ich genoss ihre Wärme und den zarten Druck auf meiner Haut. Manchmal schaute ich in die Stube auf die große Standuhr. Wenn ich die Zeiger anstarrte, drehten sie sich langsamer. Doch der Abend würde unweigerlich vergehen und am nächsten Tag würde ich wieder diesen Schmerz unter den Rippen mit mir herumschleifen und dazu Kopfweh vom Württemberger Wein. Könnte ich doch nur die Zeit stoppen, dachte ich. Als die Sonne langsam hinter die Weinberge rutschte, war es, als würde mein Herz dort versinken.

Es wurde kühl und immer dunkler, aber Henry war ins Erzählen gekommen, wie er nicht weit von hier aufgewachsen war. Sein Vater war Bühnenbildner, er war nach Berlin gezogen, als Henry und sein großer Bruder noch nicht mal in der Schule waren. Seine Mutter war eine sehr begabte Schuhmacherin gewesen. Aber der ständige Kampf ums Geld hatte sie mürbe gemacht. Heute fristete sie ein Dasein als Schuhverkäuferin.

Immer wieder landete Henrys Geschichte bei Nina, mit der er während seiner Goldschmiedelehre in Pforzheim zusammengelebt hatte. Als sie ihn nach drei Jahren verließ, wollte er kein Goldschmied mehr werden.

„Seither hab ich eine Sollbruchstelle im Herzen", erklärte er mir.

Er habe Visionen von einer Reise nach Bhutan, um dort das Leben in den Klöstern zu fotografieren, aber dafür müsse er noch ein bisschen sparen. „Und ich träume davon, dass du mitkommst."

„In meinem nächsten Leben", versprach ich. „Dann heirate ich dich und trag dir immer dein Licht hinterher."

Da nahm er unter dem Tisch meine Hand. „Man soll nichts aufschieben, Ellie. Nach heutigem Wissensstand gibt es nur ein Leben."

Ich lachte. „Dann werde ich halt Buddhist", sagte ich.

Um halb acht schickte ich Charlotte eine Nachricht, dass ich angesichts des Feierabendverkehrs später losfahren würde, ob Miriam nicht bei uns übernachten könne.

„Wir sind beide da. Lass dir Zeit", kam zurück.

„Lass uns ein Zimmer nehmen", schlug Henry vor. „Hier ums Eck ist eine Pension."

Er ging zuerst. Ich parkte noch mein Auto um, sodass es von der Straße aus nicht mehr zu sehen war, dann folgte ich ihm. Es geschah ohne eine Sekunde des Zweifelns. Als würde etwas außerhalb meiner Macht mich wie an einer Schnur ziehen, um ihm so nahe wie möglich zu kommen.

Es war ein traditionelles Bauernzimmer mit zwei zusammengeschobenen massiven Holzbetten. Wir lagen quer auf den großen, bauschigen Decken und schmusten, bis wir beide glühten. Er zog mir mit so geschickten Handgriffen meine drei Schichten aus - Bluse, Trägertop und BH –, dass ich gar nicht wusste, wie mir geschah, als ich halb nackt vor ihm lag. Dann kamen meine Hose und seine. Da war es plötzlich, als wären wir uns gegenseitig im Weg.

Der Flow war raus. Wir waren nicht mehr von Gefühlen geleitet, sondern von Absichten. Sobald Henry auf mir lag, kam es mir vor, als wollte er nur noch beeindrucken, als wäre kein Platz mehr für Zärtlichkeit zwischen uns. Dann fiel mir Theo ein. Nacheinander traten sie alle auf: Darius, Kilian, Nell, Charlotte, mein Vater und sogar Anna, Laura, Miriam, Iris. All die Tage und Jahre hatte ich immer alles gegeben, um ihnen zu beweisen, dass ich die bestmögliche Besetzung meiner Rolle war: fleißig, treu, eine gute Mutter, eine gute Frau, eine Schwester, Freundin, Tochter, immer da, immer einsatzbereit. Jetzt verriet ich sie alle und mich selbst dazu.

Mir fiel auf, dass in meinem ganzen Verzehren nach Henry bis vor ein paar Stunden noch nie eine konkrete Vorstellung von Sex aufgetaucht war. Es war seine Anbetung, die mich nicht losließ, die mein Wesen verschlingen und mein Leben durchdringen wollte. Im Gegenzug wollte ich mit allen meinen Mitteln Licht in sein Dunkel bringen. Küssen, reden, berühren, festhalten, all das war die Erfüllung davon gewesen. Aber nicht das, was hier geschah. Irgendwann sehnte ich mich nur noch nach dem vertrauten Körper, der meinen Rhythmus kannte, mein

Innen, mein Außen, jede Stelle, jede Kurve, jeden Nerv. Theos Körper.

Doch ich konnte Henry nicht stoppen. Ich durfte seine Sollbruchstelle nicht belasten. Ich liebte ihn zu sehr.

„Bist du gekommen?", wollte er wissen, als er wieder neben mir lag, und ich log, als ich nickte.

Er hatte noch nicht mal verschnauft, da war ich schon wieder angezogen.

„Wann sehen wir uns wieder?", wollte er wissen.

„Ich melde mich. Bitte nicht schreiben oder anrufen", ermahnte ich ihn.

Das versprach er mir.

Nackt wie er war, stand er auf, um mich noch mal in den Arm zu nehmen. Wie fremd er sich plötzlich anfühlte.

Alle Tempolimits missachtend, raste ich über die Landstraßen nach Erlenbach, als müsste ich permanent die Erkenntnis überholen, dass ich mein Leben an die Wand gefahren hatte. Doch sie war schneller und tauchte immer wieder vor mir im Scheinwerferlicht auf. In nicht einmal vierzig Minuten war ich daheim.

Offene Wunden

Auf unserer Couch fand ich nur Charlotte vor. Sie saß mit einem Buch in der Hand an einen Berg von Kissen gelehnt vor einem halb leeren Glas Chardonnay.

„Hallo! Ist Miriam schon heim?", begrüßte ich sie.

Sie antwortete nicht, sondern schaute mir nur zu, wie ich meine Tasche achtlos über die Sofalehne warf. Die hellgrauen Strähnen in ihren Locken rahmten edel ihre markanten Wangenknochen. Sie sah weise aus. Das war sie auch, ich wusste das. In ihrer Dauerstellung als Friedensstifterin hatte sie gelernt, all die feinen Zeichen menschlicher Gemütsbewegung zu lesen und ausgleichend auf sie einzuwirken, wenn sie Ärger verhießen. Sie musste gesehen haben, dass ich ihrem Blick auswich und dass ich meine Erschöpfung etwas zu dramatisch darstellte. Ich ließ mich neben ihr aufs Sofa fallen.

„Wie lief's mit den Kindern?"

„Wunderbar. Ich hab Miriam um neun abgelöst, da waren sie noch am Basketballspielen. Vor einer halben Stunde habe ich sie erst zum Schlafen gebracht. Und wie lief's bei dir?"

„Wie erwartet. Sie hat ein großes Drama aufgezogen ..."

„Ellie!", unterbrach mich meine Schwägerin. „Willst du mir nicht erzählen, wer er ist?"

„Wer?"

Anstatt zu antworten hielt sie geradeaus ihren besorgten Blick auf mich gerichtet.

„Schau mich nicht so an, Charlotte!"

„Doch, ich schau dich an. Ich weiß, was vorgeht, geliebte Schwägerin. Du hast dir doch nicht für Heidi die Augenbrauen gezupft und einen aufgepolsterten BH angezogen. Ich weiß es, Ellie. Ich habe gelernt, es zu erraten. Sie hat uns immer diese Geschichten aufgetischt."

„Charlotte, was unterstellst du mir? Von wem redest du?"

„Von der anderen Elisabeth. Sie hatte diese Affärchen und mein Vater kam nie drauf. Einmal meinte er, ihr auf die Schliche gekommen zu sein. Das war das größte Drama, das sich in unserer Familie jemals abgespielt hat. Doch wir wissen heute, dass er ihr genau da wahrscheinlich unrecht getan hat."

„Wer ist wir?"

„Lothar, Theo und ich. Seit sechs Jahren wissen wir etwas, was wir vorher nicht wussten."

Ich schüttelte den Kopf in kompletter Verwirrung.

„Ich erzähl dir die Geschichte, Ellie. Aber erst erzählst du mir deine. Vielleicht beruhigt es dich, dass nie eine Menschenseele von mir erfahren hat, was ich über unsere Mutter weiß. Blöderweise hatte sie sich einmal meinen Lehrer ausgesucht. Es war mein zweites oder drittes Jahr im Gymnasium. Meine Mutter war plötzlich so überengagiert als Elternvertreterin. Als sie einmal ziemlich aufgemöbelt das Haus verließ, bin ich ihr gefolgt. Sie fuhr mit dem Bus, ich mit dem Fahrrad hinterher. Sie und mein Lehrer liefen in Heilbronn in so ein Hintergassenhotel. Erst er, dann sie. Seit diesem Tag wusste ich Bescheid über ihre Ausflüge. Alle glaubten, dass sie die Blinden im Heim besucht. Ich hab sie immer gedeckt, damit bloß mein Vater und die Zwillinge nichts erfahren. Vielleicht hatte sie mich sogar durchschaut. Wer weiß. Also, wer ist der Mann?"

Ich saß in der Falle.

„Anna kennt ihn. Es ist der Fotograf von Chinz."

„Und wo wart ihr?"

„In Bretten. Schreckliche Pension, furchtbar unbequeme Betten und alles andere als guter Sex. Ich schwör dir, ich hab so was noch nie gemacht, ich weiß nicht, was mich geritten hat."

„Ich kann dir nur raten, Ellie, tu es nie wieder. Wir Schmidts waren eine unglückliche Familie. Grundunglücklich. Da war immer diese Qual in der Luft. Liesel ließ uns alle spüren, dass sie uns ihr wahres Leben opferte. Mein Vater war rasend eifersüchtig auf alle Männer, die ihr nahekamen, als hätte er es im Urin gehabt. Sie sollte nichts ohne ihn unternehmen, aber gleichzeitig war er ja auch nie da. Vielleicht kann man ihr keinen Vorwurf machen. Ich weiß nur eines: Hätte Liesel ihr Herz bei uns gelassen, wüssten wir heute, was Familienfrieden ist. Ein Kind spürt, wenn die Mutter nicht mit Herz und Seele bei ihm ist."

„Wem erzählst du das, Charlotte?", unterbrach ich sie.

„Offensichtlich liebte sie keiner ihrer Freunde genug, um sie mitsamt ihren Kindern aus ihrer Ehe herauszuholen – und ich hab keine Ahnung, wie viele es waren", fuhr Charlotte fort. „Weißt du was, Ellie? Es ist immer der gleiche Typ: Sie sind fasziniert davon, wie du deinen Mann und deine Kinder liebst, und sie wollen all das für sich haben. Meistens sind es einsame Schlucker, die ein trauriges Beziehungsleben hinter sich haben. Sie wollen dich am liebsten aus deiner gesamten Vergangenheit herauslösen und dein großes reines Herz soll mitkommen. Aber in dem Moment, wo sie dich haben, bist du schon nicht mehr die treu liebende Frau. Dann bist du genau die Frau, die sie schon hinter sich haben."

Ich bat sie, mir mehr von ihrer Mutter zu erzählen.

Sie war eine große, schlanke Schönheit. Dunkelblondes, volles Haar fiel in sanften Wellen um ihr eigensinniges Gesicht. Man sagte ihr Ähnlichkeit mit Lauren Bacall nach. In ihrem edlen, verschmitzten Lippenschwung sah ich auf den Fotos aber eher das lässige Über-den-Dingen-Schweben eines Paul Newman, das mir an Theo so gefiel. Lothar hatte zwar die gleichen Lippen, aber sie waren immer unschön verzerrt.

Mit fünfundzwanzig hatten sich Liesel und Albrecht in der Tanzschule kennengelernt. Liesels Vater war Witwer und riet seinem einzigen Kind: Nimm den Schmidt, das ist ein Mann mit Zukunft. Liesel war schon vor der Hochzeit schwanger. Vier Monate danach brachte sie zwei Jungs zur Welt. Sie kamen viel zu früh und mussten wochenlang in der Klinik bleiben. Die Eltern durften sie nur durch eine Glasscheibe betrachten. Es war wie ein Wunder, dass beide als gesunde Babys nach Hause kamen. Liesel stand viele Monate die doppelte Schreibelastung durch. Es dauerte vier Jahre, bis sie wieder Kraft für ein weiteres Baby hatte. Sie wollte noch eine Tochter, und Charlotte kam wie bestellt.

Albrechts Fabrik wuchs in rasantem Tempo. Er war ein überzeugter Alleinherrscher und stolz darauf, seine Geschäfte ohne Assistenten zu führen. Es verstand sich von selbst, dass auch Liesel ohne Hilfe im Haushalt auskommen musste.

Einmal im Jahr fuhr sie für zwei Wochen alleine in ein Kloster nach Koblenz, um dort zu schweigen, dreimal täglich einen Gottesdienst zu besuchen, Gymnastik und Wanderungen zu machen und zu entgiften. Es wurde empfohlen, in dieser Zeit keinen Kontakt zur Außenwelt zu haben. Albrecht rief sie am ersten Tag über das Telefon im Gemeinschaftsraum an, um zu erfahren, ob sie gut angekommen war. Am Tag vor ihrer Abreise rief er noch einmal an, um zu hören, dass sie sich gut erholt hatte. Dazwischen fand kein Kontakt statt, aber Albrecht wusste ja, dass die Nonnen seine Frau sicher verwahrten.

Als die Söhne zum Studium in Stuttgart eingeschrieben waren und Charlotte langsam zur Frau wurde, wurde Liesel überraschend noch einmal schwanger. Der Arzt hatte ihr angesichts schlechter Leberwerte zum Absetzen der Pille geraten, die sie seit Charlottes Geburt immer verlässlich eingenommen hatte. Albrecht hielt seine Vaterschaft zunächst für gesetzt. Doch als der kleine Matthias da war, betrachtete er ihn kritisch: Dieses Kind war kein Schmidt. Es hatte kaum Ähnlichkeit mit seinen Geschwistern. Die großen blauen Augen, das liebliche Näschen – nicht einmal Liesel war in ihm zu erkennen. Doch Albrecht behielt seine Verdachtsmomente für sich.

Matthias brachte so viel Lebensfreude ins Haus. Beide Frauen, Liesel und Charlotte, waren in ständiger Verzückung über den kleinen Sonnenschein. Er war ein waches und sehr schlaues Kerlchen und gedieh gut in diesem Überschwang an Liebe.

Als Liesel an Brustkrebs erkrankte, war Matthias sechzehn Jahre alt, Charlotte war schwanger mit ihrem zweiten Kind. Die Zwillinge waren inzwischen in unterschiedlichen Bereichen im Betrieb tätig, Lothar als Ingenieur und Theo im Verkauf. So hatte es der Vater schon vor ihrem Studium arrangiert, damit jeder sein Territorium haben würde. Beide waren verheiratet. Ein- bis zweimal im Monat gab es ein gemeinsames Abendessen. Mit ihrem kleinen Bruder hatten die beiden Ältesten noch nie unter einem Dach gelebt, aber sie freuten sich immer an seiner Gesellschaft, fragten ihn aus und gaben ihm Ratschläge für den Umgang mit Frauen.

Charlotte war es, die Liesel zu ihren Behandlungen in die Klinik fuhr, sie dort besuchte und auch bei ihr zu Hause blieb, wenn sie zu schwach war, um sich selbst zu versorgen. Matthias verbrachte viel Zeit in der Schule. Er hatte eine Leidenschaft für Biologie und Chemie entwickelt, gab jüngeren Schülern Nachhilfe und engagierte sich in Forschungsgruppen. Wenn er nach Hause kam, löste er Charlotte ab. Als nach acht Monaten klar war, dass Liesel ihre Krankheit nicht überleben würde, überließ Albrecht seinen Söhnen die Führung in der Firma und begleitete seine Frau ins Kloster, wo sie ein letztes Mal Frieden finden wollte. Dort beteten sie viel und wurden vom Seelsorger in ihrem schweren Los begleitet.

Als Albrecht Pater Paulus erstmals gegenüberstand, bekam er weiche Knie. Der Mann hatte hypnotische, hellblaue Augen. Seine Gesamterscheinung war äußerst charismatisch und sein heilsames Wesen das eines Engels. Unweigerlich drängte sich Albrecht die Frage auf, ob der Pfaffe trotz aller Gelübde seine Frau auf mehr als nur seelsorgerische Weise betreut hatte. Er rechnete nach: April war der Monat, in dem Liesel immer ins Kloster ging. Matthias war Anfang Januar 1969 geboren.

Liesel Schmidt starb im Oktober 1985 im Alter von sechzig Jahren, nur wenige Tage nach der Geburt von Charlottes zweiter Tochter Laura. Das Morphium hatte sie von den Schmerzen weitestgehend erlöst, aber Charlotte hatte nicht den Eindruck, dass ihre Mutter in Frieden starb. Verzweifelt hatte sie sich an jeden Atemzug geklammert, wahrscheinlich in der Hoffnung, noch etwas klarstellen zu können. Ihr Mann hatte sich rar gemacht in ihren letzten Wochen.

„Ich fürchte, er hat sie mit seinem Verdacht konfrontiert, dass Matthias das Kind von Pater Paulus ist. Liesel muss gewusst haben, dass er Matthias das Leben schwer machen würde."

Und tatsächlich: Albrecht verlangte nach Liesels Tod einen Vaterschaftstest. Doch der Test darf nur durchgeführt werden, wenn das angebliche Kuckuckskind zustimmt, und Matthias weigerte sich. Er verabscheute es, wie Albrecht seiner verstorbenen Mutter Beschuldigungen ins Grab hinterherwarf, und sagte ihm das auch auf den Kopf zu. Daraufhin setzte Albrecht seine anderen Kinder in Kenntnis darüber, dass er Matthias enterben werde, und erläuterte die Gründe dafür. Doch Matthias war clever. Er zog gegen seinen Vater vor Gericht und klagte seinen Pflichtteil ein. Gesetzlich war er Albrechts Kind, daran ließ sich nichts rütteln. An seinem achtzehnten Geburtstag bekam er sein Erbe ausbezahlt, rund zwei Millionen D-Mark.

Als Charlotte mit einer großen Torte, einer Kühltasche mit Sekt und ihren beiden Kindern in ihr Elternhaus fuhr, um mit ihrem kleinen Bruder Geburtstag zu feiern, war sein Zimmer schön aufgeräumt und das Bett abgezogen. Es standen einige Müllsäcke neben der Tür mit einer Notiz „bitte entsorgen". Der Schreibtisch und alle Schränke waren leer. Es fehlte jede Spur von Matthias. Charlotte ließ ihn suchen. Die Polizei sagte ihr nach Wochen, dass ihr Bruder wohl von Hamburg aus mit unbekanntem Ziel das Land verlassen habe.

Seit Jahren recherchierte Charlotte Spuren von Matthias Schmidt im Internet. Aber es gab keine.

„Liesel hat uns immer erzählt, Matthias habe die Augen ihrer Mutter geerbt, die mit nur vierundzwanzig Jahren bei einer Totgeburt gestorben war. Liesel war selbst erst zwei Jahre alt gewesen, aber es gab ein paar Fotos und die Schilderungen ihres Vaters."

Charlottes Stimme war leiser und leiser geworden. Sie weinte. Dann redete sie wieder wie ein Uhrwerk weiter. „Und dann kommt vor sechs Jahren eure Tochter zur Welt, nach fünf Enkelkindern das erste, das diese Augen hat. Dabei ist sie Theos Kind.

Theo wiederum ist ein Schmidt. Seither wissen wir drei, dass Albrecht seiner Frau und seinem Sohn wahrscheinlich unrecht getan hat, und auch dem armen Pater Paulus, der wohl niemals sein Zölibat gebrochen hat - und wenn, dann nicht mit Liesel. Wir wissen es, aber wir reden nicht darüber. Du glaubst nicht, wie das alles schmerzt, Ellie."

Ich wollte sie in den Arm nehmen, doch meine Knochen waren so schwer, ich konnte mich nicht aus meiner Sofaecke rühren. Wie tief diese Geschichte verschüttet gewesen war! Erst jetzt, aus Angst, es könnte sich ein Trauma ihrer Kindheit wiederholen, grub Charlotte sie aus.

Auch Theo hatte den Tatsachen in die Augen sehen müssen, genau genommen in Nells Augen. Er war immer noch ein eifersüchtiger Ehemann, aber hatte er seine wahnhaften Gefühle nicht seit Nells Geburt viel besser im Griff? Die Einsicht, dass Liesel womöglich in ihrem Todeskampf von ihrem Mann einer furchtbaren Sünde bezichtigt worden war, die sie gar nicht begangen hatte, muss ein Schock gewesen sein. Er wusste ja nicht, was Charlotte wusste, nämlich dass seine Mutter tatsächlich untreu gewesen war. Mit seiner eigenen Psychose konfrontiert, muss Theo schließlich und endlich an der Sinnhaftigkeit und Rechtschaffenheit seines Verhaltens mir gegenüber gezweifelt haben.

Und ich war zielsicher losgezogen, um seinen alten Verdacht, dass ich einfach nicht aufrichtig sein konnte, zu bestätigen.

Mir graute vor mir selbst.

Teil 5

Spanien,
April 2013

Domino

Die Insel sprießt und mir ist, als hätte es noch nie so viele Früchte gegeben. In der Küche laufen die Gefäße über mit Orangen und Zitronen. Mir tut schon die rechte Hand weh vom Saftpressen. Ich kann diese Pracht einfach nicht auf dem Boden unter den Bäumen vergammeln sehen, daher musste ich heute alles auflesen und verarbeiten. Der März ist nicht so warm, wie ich ihn in Erinnerung habe. Der Wind bläst der Sonne kreuz und quer durch ihren Plan vom Frühling und lässt dabei die Palmen laut rasseln. Mit Pulli und Decke sitze ich vor dem frisch gereinigten Pool und staune über das leuchtende Grün um mich herum, das bis zum Horizont reicht, unterbrochen von alten Steinmauern. Sie zeugen von bäuerlichen Mühen, folgen aber keinerlei Struktur. Ich war schon zu lange nicht mehr hier.

Heute Morgen bin ich glücklich in einem Paar wärmender Arme aufgewacht und habe mich daran erinnert, wie ich nach Theos Tod hier in diesem Haus drei Tage in Einsamkeit verbrachte. Ich habe wieder die Macht gespürt, mit der die Ruhe damals in meine innere Verwüstung ein paar klare Gedanken hämmerte. Nur ein paar wenige, grundlegende Dinge, auf denen ich anschließend, wie auf Säulen balancierend, der Sturmflut trotzte.

Damals, im Dezember 2011, hatte ich großes Glück gehabt, dass ich nach der Feier in der Felsenbucht wieder heil in der Finca angekommen war. Die Familie, die mich in ihren Kreis eingeladen hatte, war sich wahrscheinlich nicht bewusst, dass ich schon lange nicht mehr fahrtüchtig war, als ich kurz vor Mitternacht durch den Sand zu meinem Mietwagen wankte. Keiner hatte mitbekommen, wie oft ich mir selbst nachgeschenkt hatte. Dass ich die Fahrt über die kurvenreichen Bergstraßen überlebt hatte, lag wahrscheinlich einzig daran, dass es keinerlei Verkehr gab. Zurück im leeren Haus betrank ich mich restlos mit Theos wertvollsten Weinraritäten.

Am nächsten Tag wachte ich auf im Elend des Trinkers, der weiß, dass er am Abgrund steht. Ich zwang mich, immer wieder in den eiskalten Pool zu springen. Ich betrachtete meine jämmerliche Erscheinung im Spiegel. Ich weinte mir die Augen aus. Schließlich machte ich mir ein Feuer, setzte mich mit drei Wolldecken davor und zog Bilanz.

Es gab nur noch zwei Möglichkeiten: mir selbst zu verzeihen und weiterzuleben oder mich endgültig da draußen zu ertränken. Mit Letzterem würde ich den Menschen wehtun, die ich liebte, das kam also nicht infrage. Dann wurde mir klar, dass ich mit der Sabotage meiner selbst rein gar nichts besser machte. Warum also nicht damit aufhören?

Schließlich sickerte in meinen schweren Kopf, dass ich von nun an einfach tun konnte, was richtig war, ohne mich ständig selbst für meine Fehler in der Vergangenheit zu strafen. Zum Glück wusste ich da noch nicht, wie schwer es sein würde, herauszufinden, was richtig ist.

Heute Morgen beim Frühstück kam die Idee auf, ein paar neue Küstenstreifen zu erkunden. Ich sagte: „Das ist eine gute Idee. Ich wünsche euch ganz viel Spaß. Mir könnt ihr keinen größeren Gefallen tun, als mich einfach hier zu lassen." Ich wollte der Ruhe wieder begegnen, die mir damals den Kopf gewaschen hatte. Und da sitze ich nun mitten drin und feiere sie mit all meinen Sinnen. Doch diese Ruhe ist auch eine Einladung an den Schmerz, mich noch einmal heimzusuchen. Ich möchte es noch einmal in aller Deutlichkeit sehen, wie blind und ausgeliefert der Mensch ist, wenn er Angst vor dem Leben hat. Oder Angst vor dem Tod.

Es war im Frühling 2011. Wir wussten noch nicht, wie wenig Zeit Theo blieb. Angefangen hatte das Jahr mit seinem Knochentumor. Seine Nacken- und Rückenschmerzen waren immer schlimmer geworden. Schließlich ließ er sich in der Heilbronner Klinik eingehend untersuchen.

Als er das Wort Krebs erstmals in den Mund nahm, war das erste Bild, das ich vor Augen hatte, seine Beerdigung. Danach meine Freiheit. Ein Leben mit Henry, einfach, überschaubar und ohne all die Gefechte in meinem Berufsleben, bei denen es immer um unvorstellbar viel Geld ging. Ich hasste die absolute Herrschaft des Geldes. Wir Schmidts hatten doch nur einen einzigen Lebenssinn: das Mehren des Familienvermögens. Henry würde sich dem Geld nie unterwerfen. Nichts schien ihn weniger zu interessieren.

„Irgendwas kommt immer", hatte er einmal zu mir gesagt. „Notfalls kann ich immer noch Hochzeitsfotos machen. Je schlechter die Zeiten, desto mehr wird geheiratet. Ist das nicht verrückt?"

Nach dem Gespräch mit Charlotte hatte ich ihn erneut eindringlich gebeten, mich nie wieder anzurufen. Doch sein geschundenes Herz wollte nicht still sein. Ich stand Höllenängste aus, dass Theo meine Telefone abhören könnte. Eines Nachmittags, als mein Vater in der Musikschule war, telefonierte ich von seinem Festnetzanschluss aus:

„Wenn du mich wirklich liebst, Henry, erspar mir bitte diese Qualen. Du weißt, ich kann meine Familie nicht verlassen. Ich würde zugrunde gehen."

Danach rief er nicht mehr an. Doch das änderte nichts daran, dass ich mich nach ihm sehnte. Sein Leid suchte mich täglich heim. Wenn nicht sogar stündlich.

Ich schämte mich abgrundtief für meine Gedanken, als mir Theo so schonend wie möglich beibrachte, dass er um sein Leben fürchtete, und dass wir beide sehr stark sein müssten in der nächsten Zeit. Aber mein Kopf machte einfach, was er wollte mit mir.

Zum Glück war der Tumor operabel. Eine Woche nach Neujahr kam Theo auf den Operationstisch. Anschließend folgte eine Chemotherapie. Ich sah meinen Mann schwach und machtlos in seinem Krankenhausbett liegen und es tat mir endlos weh, ihn leiden zu sehen. Ich wusste, dass er seine Angst und Verzweiflung vor mir zu verbergen versuchte, und war vor Liebe zu ihm schon selbst ganz krank.

Warum ist es nie genug für mich, nur meinen Mann zu lieben? Ich schrieb diese Frage auf einen Zettel und warf ihn auf der Heimfahrt vom Büro in den Neckar. Mein Gemüt schaukelte zwischen Abscheu vor meinem schwachen Wesen und Sehnsucht nach erfüllter Liebe, nach dem alten Theo, nach Henry, nach Joachim, dem Mann, den ich für immer verloren hatte. Ich konnte mich nicht mehr konzentrieren. Der barbarische Sturm tobte Tag und Nacht.

Dann kam Henry ins Werk, um Aufnahmen zu machen. Ich verbrachte den ganzen Tag mit ihm, vermied es aber, mit ihm alleine zu sein. Doch ich schwelgte in seiner Präsenz, genoss es, ihn zu beobachten, bewunderte die Sicherheit und Intelligenz, mit der er vorging, und verzehrte mich nach seinen Berührungen und Blicken. Am Abend widerstand ich nur knapp dem Reflex, ins Auto zu springen und ihm hinterher zu fahren nach Karlsruhe, um dort sein Leben mit ihm zu leben.

„Na, Ellie, was macht die Fotografie?“, fragte mich Charlotte regelmäßig und blickte mich dabei eindringlich an.

„Mit Fotografie hab ich nichts mehr am Hut“, sagte ich dann.

Sechs Wochen blieb Theo nach seiner Entlassung zu Hause. Wir stellten unsere Ernährung um, schleiften bergeweise Grünzeug heim, verbannten rotes Fleisch, Weißmehl und Zucker und gingen sonntags auf lange Wanderungen, denn Theo sollte sich so oft wie möglich bewegen. Die Kinder waren ihm dabei zu anstrengend. Zum Glück war der Opa immer für uns da.

Wenn ich abends aus dem Büro kam, musste ich Theo über jeden Punkt meines Tagesprogramms Bericht erstatten. Einmal kam ich nach einer langen Sitzung in der Agentur erst um neun Uhr nach Hause und fand Theo und Kilian auf der Couch vor dem laufenden Fernseher.

„Na, wo warst du, Mama?", fragte Kilian mit eigenartigem Sarkasmus im Unterton, als ich mich neben ihn setzte und müde die Füße anzog.

„Agenturmeeting. Wo soll ich sonst gewesen sein?"

Theo starrte auf den Bildschirm. Ich wartete auf die üblichen Fragen, doch sie kamen nicht. Den ganzen Abend kam kein Ton mehr von ihm.

Ab März fuhr Theo wieder zwei bis drei Tage in der Woche nach Stuttgart. Ich machte drei Kreuze. Doch seine Befragungen setzte er übers Telefon fort. Tagsüber rief er mich mindestens zweimal in der Firma an, abends zu Hause auf dem Festnetzanschluss. Ich kannte diese Taktik von früher: Sicherstellen, dass ich dort bin, wo ich hingehöre.

Wenn mein Mann zu Hause war, verfiel er in seine alte Kritiksucht. Bei allem, was ich anfasste, gab es Optimierungsbedarf. Sei es der Eintopf, den ich mit konventionell angebautem Paprika kochte, die Pressemeldung, die ich rausgab, ohne ihn in cc zu setzen, oder die E-Mail, die ich sonntagabends auf der Couch sitzend seinem Bruder schrieb, um die Themen für die Montagsbesprechung mit ihm abzustimmen. War ich mir in etwas mit Lothar einig, mutmaßte Theo, ich könne mich nicht durchsetzen. Stimmte ich in einer Sache gegen Lothar, wies er mich auf meine mangelnde Erfahrung hin.

Der Krebs war überstanden, aber es schien, als würde das Geschwür von Theos Skepsis mir gegenüber immer weiterwachsen.

Ende März landete ein dickes Kuvert von einer amerikanischen Anwaltskanzlei auf meinem Schreibtisch. Es war bereits geöffnet und mit einem Klebezettel versehen: „Bitte Rücksprache, Lothar."

Kaum hatte ich den dicken Packen Papiere aus dem Umschlag geholt, stand er auch schon vor mir.

„Ich glaube, da haben wir ein kleines Problem, liebe Schwägerin."

Zunächst verstand ich nicht, welche Unrechtmäßigkeit hier auf fast vierzig Seiten ausgebreitet wurde.

„Es geht um Isopur", klärte mich Lothar auf. „Ein amerikanisches Unternehmen namens Thermo Balance Inc. in Seattle verlangt die sofortige Einstellung der Vermarktung. Sie behaupten, Patentrechte auf die Verwendung unserer Mikrofasertechnologie im textilen Kälteschutz zu besitzen. Es klingt sehr ernst. Hast du keine Patentrecherche gemacht, Ellie?"

„Hast denn du keine gemacht, Lothar? Ich bin ja hier nicht allein verantwortlich."

„Es ist dein Projekt. Das wäre deine Aufgabe gewesen", erwiderte er scharf.

Seither lagen meine wundervolle Kampagne und die gesamte Produktion auf Eis. Jeden Tag wälzte ich Berge von Anwaltsschreiben beider Seiten. Es sah nicht vollkommen aussichtslos für uns aus, denn schließlich war die Technologie hier in den Schmidt-Werken erfunden worden. Doch die Gegenseite war offenbar so schlau gewesen, sie für den textilen Bereich weltweit patentieren zu lassen. Wie ich herausfand, war dies zwar erst vor einigen Wochen geschehen - vermutlich als Reaktion auf unsere Markteinführung -, doch zweifellos war dies eine Lücke, die wir offen gelassen hatten.

Plötzlich steckte ich mitten in einem ermüdenden Kampf um meine Ideen. Doch ich war noch nie eine gute Kämpferin gewesen. Ich fühlte mich schwach. Siegessicherheit und Gelassenheit konnte ich mir nur antrinken.

Außerdem hatte Schmidt noch ein ganz anderes Problem: den Arabischen Frühling. Rüstungsexporte in arabische Empfängerländer wurden von der Regierung streng überwacht und limitiert. Gegenüber dem Vorjahr war das Geschäft mit den Schutzwesten um fast dreißig Prozent eingebrochen. Angesichts der Tatsache, dass dies der einzige Geschäftszweig war, der ordentlich florierte, machte diese Entwicklung nun wirklich alle nervös. Die Wirtschaft war noch nicht aus der Krise und es wackelte bei Schmidt gewaltig an der Basis. Entlassungen blieben nicht aus. Alle meine Marketingprojekte wurden nur noch auf Sparflamme gekocht. Meine Budgets wurden teilweise mehr als halbiert.

Lothar selbst hatte es übernommen, die Agentur Chinz auf klägliche Honorare zu drücken. Wann immer es etwas zu bemängeln gab, auch wenn es gar nicht die Schuld der Agentur war, verlangte er Gutschriften.

Verzweifelt kämpfte ich für meine Karlsruher Kreativen und scheute mich nicht, mich dafür selbst ins Kreuzfeuer zu begeben. Auf unserer Internetseite tauchte das Foto von einem Mitarbeiter auf, der bereits entlassen worden war. Ich hatte es versäumt, mir von den abgebildeten Personen Freigaben unterschreiben zu lassen. Prompt hatten wir eine Klage von dem Mann am Hals. Es blieb bei einer Abmahnung und das Bild wurde sofort ersetzt, doch Lothar wollte die Anwaltskosten, die entstanden waren, der Agentur abziehen.

„Das war doch meine Schuld, Lothar. Ich selbst habe vergessen, mir die Unterschriften zu holen."

„Du als Marketingprofi hättest das natürlich wissen müssen, Ellie."

Und da hatte er recht.

Es war der siebte Mai 2011. Wir gehörten zu den Gästen der großen Markengala in Frankfurt. Theo und Lothar im Smoking, Iris und ich in bodenlangen Abendkleidern. Wir fuhren zusammen in Theos Auto hin und mieden die brisanten Themen. Wir waren alle ausgepowert. Jetzt war es wichtig, dass wir einfach mal Spaß hatten.

Im wunderschön dekorierten alten Opernsaal in Frankfurt angekommen, bestellten Iris und ich uns eine Flasche Prosecco und unterhielten uns ausgezeichnet. Die Kinder, ihre Schulangelegenheiten, einzelne Mitarbeiter und ihre familiären Probleme – wir genossen es beide, mal einen reinen Frauentratsch zu halten. Ab und zu schüttelte ich die Hand eines Geschäftsfreunds von Theo, der zu uns an den Tisch kam. Lothar war seit unserem

Eintreffen im Saal unterwegs, um aktive Kontaktpflege zu betreiben.

Nach einigen langatmigen Reden und noch einer Flasche Prosecco kam eine Handvoll alter Stromer-Kollegen bei mir vorbei. Ich erfuhr unglaubliche Dinge: In der zentralen Internetabteilung in Frankfurt waren jetzt an die dreißig Leute mit der Pflege von vier Websites und ihrer Länderversionen beschäftigt. Es gab sogar eine Social-Media-Division. Wie aufregend das alles klang. Daniel Schweizer war inzwischen „Head of Marketing Communications" des ganzen Konzerns und einer der erfolgreichsten Reformer. Wo wäre ich jetzt, wäre ich in seinem Team geblieben?

Iris verschwand irgendwann im Gewühl. Theo stand mit wechselnden Gesprächspartnern nicht weit von mir entfernt. Ab und zu winkte er mich herbei, um mich einem wichtigen Menschen und seiner Gattin vorzustellen.

Martin Fried, ein jovialer Mittfünfziger, den ich aus der Stuttgarter PR-Abteilung von Stromer kannte, holte mich schließlich an den Nebentisch und gab dort eine Runde Obstler aus. Mir schoben sie zwei davon rüber, weil ich gar so gierig danach griff. Als mich Theo das nächste Mal zu sich winkte, damit ich einen Redakteur der Frankfurter Allgemeinen und seine Frau kennenlernte, brauchte ich eine Weile, um in den Stand zu kommen und mein Körpergewicht auf meinen Pfennigabsätzen auszubalancieren. Bei den dreien angelangt, kicherte ich über mich selbst und quasselte etwas über alte Zeiten, denen man ein Leben lang hinterherweint.

„Ich treffe so viele alte Kollegen, dass ich furchtbar nostalgisch werde."

Theo schaute amüsiert. Wenn er da schon um meine Contenance fürchtete, ließ er es sich zumindest noch nicht anmerken.

Doch ab diesem Zeitpunkt jagte ich dem Schnaps hinterher. Ich sonnte mich in dem heiteren Klima der ständig auf mich gerichteten Aufmerksamkeit und fühlte mich so befreit von ungesunder Verklemmung, dass ich mich sogar über all die dunklen

Schatten mitteilen konnte, die noch vor ein paar Stunden bedrohlich über mir gehangen hatten. Ich machte nicht mal davor halt, mich über die Schmidts und ihre Selbstherrlichkeit zu echauffieren.

Irgendwann wankte ich an die Bar, um fremde Männer anzuhauen, ob sie mir einen ausgeben würden. Keiner von ihnen ließ sich lange bitten. Ganze Gruppen bestens gelaunter Herren nahmen mich in ihre Mitte. Einigen erzählte ich, dass ich meinem Mann davongelaufen sei, der mich nur langweiligen Zeitgenossen vorstellen wolle.

„Passen Sie auf, Frau Schmidt, Sie wurden mir heute auch schon vorgestellt", erinnerte mich da der Zeitungsredakteur.

Ich fiel ihm reumütig um den Hals und versicherte ihm, dass er der aufregendste aller langweiligen Zeitgenossen weit und breit sei.

Als ich da so an ihm hing, rückte über seine Schulter hinweg eine unscharfe Iris in mein Blickfeld, die ein paar Meter von uns entfernt mit Frau Zeitungsredakteur zusammenstand. Ich winkte den beiden ausgelassen zu. Nicht viel später tauchte rechts und links von mir jeweils ein Schmidt-Bruder auf und fasste mich um die Taille. Wie ein Sack fiel ich zwischen ihnen hin und her, als sie mich aus dem Saal bugsierten. Einmal fing mich Lothar auf und ich lallte: „Sorry, Theo, diese dämlichen Absätze bin ich einfach nicht gewohnt."

„Das sehe ich, Ellie", antwortete mein verwechselter Schwager. „Vielleicht solltest du ab und zu mal üben, dich in besseren Kreisen einigermaßen standesgemäß zu bewegen."

Ich lag in einer dumpfen, leeren Bewusstseinsblase in unserem Ehebett in Erlenbach. Nichts schien unüberwindbarer als die Schwelle in den Wachzustand. Alles, was mich dort erwartete, war unmöglich zu ertragen. Ich wusste, dass ich die tiefsten Qualen meines Vaters durchlebte. Als würden mich seine Dämonen immer wieder in den Abgrund treiben, weil sie zu mir übergesprungen und einfach noch nicht besiegt waren.

Immer hatte ich vermieden, bei meinem Vater zu sein, wenn er aufwachte. Ich wollte nicht im Raum sein, möglichst nicht mal in der Wohnung, wenn er sich zur Kaffeemaschine schleppte. Seine gebeugte Haltung und die kleinen Augen verrieten, dass er dem Anblick der Welt am liebsten ausweichen würde. Bevor er duschen ging, ließ er dann irgendwo den Satz fallen: „Ich werde ab jetzt keine harten Sachen mehr trinken". Ich hatte es bereits in meinem zarten Alter gelernt: Nicht nur das Trinken selbst ist ein Vergehen an der eigenen Psyche, sondern auch alles, was man sich im nüchternen Zustand darüber vorlügt. Um nicht mitanschauen zu müssen, wie er sich zurück ins volle Bewusstsein quälte, wo er sich selbst belügen musste, um es überhaupt darin auszuhalten, mied ich ihn wenn möglich bis zum Nachmittag.

Wie grausam das war, ging mir jetzt auf. Theo war letzte Nacht mit seinem Bettzeug ins Gästezimmer gezogen. Er war jetzt derjenige, der nicht mitanschauen wollte, wie ich wieder zu mir kam und langsam begriff, was passiert war.

Ein Mann saß auf meinem Bett. Gegen das Licht, das durch das Fenster fiel, dachte ich erst, es sei Theo. Doch dann kam sein Weckruf:

„Frau Elisabeth Becker! Schönen guten Morgen! Hier wäre dann erst mal ein Kaffee."

„Papa!"

„Oder willst du das Aspirin zuerst?" Er streckte mir beide Hände hin, als ich mich aufrichtete. Rechts den Kaffee, links die Tabletten.

Stumm sah er mir eine Weile beim schmerzvollen Erwachen zu.

Dann sagte er: „Weißt du was, Ellie, das ist eigentlich keine schlechte Idee, die du da hattest. Ich glaube, ich mach wieder mit beim Saufen. Wenn ich dich da so sehe, wie happy du bist, werde ich direkt neidisch."

Erst lachte ich, dann weinte ich. Mein Vater nahm mir die Tasse wieder ab und ließ mich meinen Kopf in seiner Brust vergraben.

„Mein Kind, ich liebe dich. Egal, was du anstellst", tröstete er seine Tochter, die fast vierzig Jahre alt, aber noch nie so dankbar gewesen war, ihn als Vater zu haben.

Nell kam zur Tür herein geschlichen. Ihr Zottelkopf hatte heute noch keine Bürste gesehen und ihr Schlafanzug mit den Feen darauf war in alle Richtungen verrutscht. Mit beiden Ärmchen drückte sie das Meerschweinchen an ihre Brust, das ihre Brüder Terminator getauft hatten.

„Wie geht's dir, Mama? Willst du Törmi mal streicheln?"

Ich ließ mir das kratzige Tier mit den Rattenfüßen auf den Bauch setzen und strich ihm mit zwei Fingern zwischen seinen angstvollen Knopfaugen über den Kopf. Nell hielt den verstörten Nager solange fest. Dann kam auch Darius und wollte wissen, ob er mir ein Spiegelei braten solle. Als ich es von unten schon brutzeln hörte, kam schließlich auch Kilian.

„Papa ist zum Wandern auf die Schwäbische Alp gefahren", klärte er mich auf. „Er hat zu Opa gesagt, dass er dich heute nicht sehen will."

„Das verstehe ich, Kilian. Ich glaub, ich will mich heute auch nicht sehen", erwiderte ich.

„Zum Glück gibt es immer ein Morgen", warf der Opa ein. „Und bis dahin gehen wir alle ins Thermalbad."

Alle Vergeblichkeit der Welt

Anna kam in der Mittagspause zu mir ins Büro. Ich saß vor meinem PC und aß einen Kartoffelsalat. Die Kantine mied ich, denn ich war sicher, dass alle Mitarbeiter über meine Eskapade Bescheid wussten.

Anna war schön geworden, gerade in letzter Zeit. Früher hatte sie immer etwas unbeholfen und schlaksig gewirkt, zu schnell gewachsen und ein bisschen zu schlank. Doch jetzt strahlte ihr Selbstbewusstsein aus ihren professionell mit dunklem Lidschatten betonten braunen Augen. Sie war die dunkelste von Charlottes Töchtern. Ihr fast schwarzes Haar war zwar nicht gelockt wie das ihrer Mutter, aber nicht weniger voluminös. In ihrem schmalen Gesicht wirkten die übervollen Lippen betörend sinnlich.

Sie lächelte verschmitzt, als sie sich mir gegenüber an meinen Schreibtisch setzte. „Na, du? Hast dich ja schön mit Ruhm bekleckert."

„Kommst du hier rein, um mich daran zu erinnern?", fragte ich sie wenig erheitert.

„Ich dachte, du brauchst vielleicht jemanden zum Reden."

„Nett von dir, Anna. Aber ich kann mich nicht beklagen. Hier reden alle mit mir. Ganz so, als wäre nichts gewesen. Nur mein Mann redet gar nicht mehr."

„Kein Wunder. Ich glaube, er fühlt sich von dir verraten. Er hat dich immer gegen alle Vorurteile verteidigt. Und jetzt passt du genau zu dem Stempel, der dir als Tochter eines Trinkers überall aufgedrückt wird."

„Wie schön, dass ihr alle so perfekt seid", entgegnete ich.

„Na klar. Ein Schmidt ist immer auf Glanz poliert. Bis man an der Oberfläche kratzt. Du musst dir nur Lothar anschauen. Seine Ehe mit Iris ist nur noch Fassade. Er lebt oben, sie unten im Haus. Jedes Wochenende ist er weg. Davids Eltern wohnen in der gleichen Siedlung, die haben mich mal aufgeklärt, was erzählt wird. Ich vermute, Lothar versucht verzweifelt, wechselnden jungen Frauen Kinder zu machen, damit er in der Betriebs-

Vererbung mitmischen kann. Und der andere, unser lieber Theo, ist einer Aufsteigerin ins Netz gelaufen. Als er merkte, dass diese ihm die Nachkommenschaft liefern konnte, die er braucht, um mindestens die Hälfte des Betriebs sicherzustellen, hat er sie gesellschaftsfähig gemacht, indem er ihr einen Titel verliehen hat. Und diesen hat sie jetzt öffentlich beschmutzt."

„Du hältst ja viel von deinen Onkeln und Tanten, Anna", warf ich ein.

„Ich find's gut, dass du bleibst, wie du bist, Ellie. Das Einzige, was ich nicht verstehe, ist, dass du dir neben diesem Greis von Ehemann nicht einen jungen Geliebten zulegst. Wie hältst du das aus?"

„Auch wenn du dir das nicht vorstellen kannst, aber unser Sexleben ist sehr ausgefüllt. Zumindest war es das bis vor Kurzem."

„Gib's einfach zu, Ellie."

„Was hat deine Mutter dir erzählt, Anna?"

„Aha. Da haben wir's also. Soll ich etwa meine Mutter fragen, was sie weiß?"

Tat sie jetzt nur so erstaunt oder war sie es wirklich?

„Warum lässt du mich nicht einfach in Ruhe, Anna? Freu dich an deinem jungen Freund und lass jedem seine Vorlieben."

„Mein junger Freund, liebe Ellie, ist nur ein Freund. Er taucht immer dann auf, wenn ich ins Bild passen will. Wenn ich so mutig wäre wie meine Tante Ellie, die sich auf der Gala unter den wichtigsten Menschen Süddeutschlands einen Zacken antrinkt und hinausposaunt, dass sie auf ihre ach so wohl situierte Unternehmerfamilie pfeift, dann wäre mit Sicherheit nicht David in der Öffentlichkeit an meiner Seite, sondern Tamara. So viel zu meinen Vorlieben."

„Oh. Bin ich jetzt die Einzige, die das weiß?"

„Meinen Eltern hab ich es vor ein paar Monaten gesagt. Wir waren uns einig, dass nach außen niemand davon erfahren sollte. Wir sind ja schließlich nicht Hinz und Kunz. Die Leute reden über uns. Außerdem wollen wir meine lieben Onkels nicht in Verlegenheit bringen."

„Wie traurig ist das", sagte ich. „Da seid ihr so eine mächtige Familie, entscheidet über Hunderte von Arbeitsplätzen, aber im Grunde seid ihr Sklaven dieser panischen Angst, jemand könnte zu viele Wahrheiten über euch erfahren. Ihr seid ein Haufen kranker Seelen, die sich selbst zersetzen im Dienste eurer Geldmaschinerie. Da geht ja selbst das englische Königshaus souveräner mit dem Menschsein um. Ich habe keinen Liebhaber, Anna. Und ich liebe einen Mann, der sehr viel älter ist als ich. Lass mich lieben, wen ich will. Okay?"

Sie stand auf.

„Ich lass dich. Ich wollte nur, dass du weißt, dass du nicht allein bist. Schönen Tag, Ellie."

An diesem Abend fuhr ich um fünf schon heim und schickte Marion nach Hause. Dann machte ich einen Kartoffelauflauf mit viel Gemüse und Tofu, eines der Gerichte, die Theo aus dem Internet ausgedruckt und für Marion an den Kühlschrank gepinnt hatte. Ich gab mir besonders viel Mühe im Kampf gegen seine Krebszellen, ließ das Gemüse bei niedriger Temperatur garen und war sparsam mit dem Käse.

Alle drei Kinder waren bei Freunden in der Nachbarschaft. In der Ruhe des Spätnachmittags und meiner meditativen Tätigkeit ging mir das Gespräch mit Anna durch den Kopf. Es wurde mir eines klar: Sie hatten sich hinter meinem Rücken getroffen, die Schmidts, und das Drama namens Ellie diskutiert. Charlotte, Anna und Theo hatten zwei Gesichter. Einerseits verteidigten sie mich gegen die Fraktion Lothar und Iris. Andererseits setzten sie sich gemeinsam mit der Schadensbegrenzung meines Benehmens auseinander. Ich fragte mich, was sie unternehmen würden. Würde ich meinen Posten abgeben müssen? Nachdem ich das Nest an derart breiter Front beschmutzt hatte, wäre das die logische Folgerung. Damit würde ich also rechnen müssen. Aber würden sie mich auch aus der Familie entfernen?

Warum sagte mir keiner, was sie besprochen hatten? Meine Abscheu gegen die drei schmeckte widerlich. Mit frischen Kräutern vom Fensterbrett, Muskat und Ingwer ging ich dagegen an. Schließlich kostete ich den Auflauf und erklärte ihn für gelungen.

Nacheinander kamen drei hungrige Kinder zur Tür herein, doch ich musste sie vertrösten. Theo war noch nicht aus Stuttgart zurück. Darius nutzte das Warten auf Papa als Übungszeit am Klavier. Kilian und Nell hüpften um mich herum und erzählten mir aufgeregt von einem Tischtennisturnier, das heute bei Kevin stattgefunden habe. Nell habe mit anderen kleinen Schwestern Cheerleader gespielt, mit bunten Putztüchern seien sie im Raum herumgetanzt. Der Stolz ihres großen Bruders ließ die Kleine glühen. Als Theo heimkam, rockte ich gerade mit ihr zum fröhlichen Stakkato von Darius' Fingerübung Wischmob und Besen schwingend durchs Wohnzimmer. Der Tisch war akkurat gedeckt und der Auflauf roch köstlich.

Theo drückte zuerst Nell, dann Kilian. Dabei sprach er kein Wort, setzte sich an den Tisch und ließ sich von mir bedienen, ohne mich ein einziges Mal anzuschauen.

Beim Essen fragte er die Kinder, wie ihr Tag gewesen sei. Mehr als das übliche „Ganz gut" brachte nur Kilian heraus, der jetzt angeblich nicht nur im Turnier gespielt, sondern es auch haushoch gewonnen hatte. Doch in seinem hastigen Blick war deutlich zu lesen, dass auch er so schnell wie möglich nach oben verschwinden wollte.

Theo aß nicht mal die Hälfte der Portion, die ich ihm auf den Teller gegeben hatte. Die Schmidt-Falte zwischen seinen Augen war tiefer als sonst. In seinen eingefallenen Wangen zeichneten sich ganz neue Linien ab. Seine Schultern wirkten schmal und fielen seltsam müde nach vorn. Er hatte die Krawatte gelockert und den obersten Hemdknopf geöffnet. Darunter sah ich die Haut unterhalb seines Halses. Hier fiel mir das leblose Grau das erste Mal auf. Als Nächstes nahm ich es auch als Unterton in seinem Gesicht wahr.

„Du siehst nicht gut aus, Theo", sagte ich, als die Kinder die Teller in die Küche räumten.

„Es geht mir nicht gut", gab er zurück. Und als die Kinder oben waren: „Es gab einen einzigen Menschen, dem ich vertraut habe. Jetzt gibt es keinen mehr." Mit dieser Grabrede erhob er sich und verschwand im Gästezimmer.

Aus reiner Erschöpfung gelang es mir, einzuschlafen, doch ich wachte mitten in der Nacht schweißgebadet wieder auf. Die Angst schoss mir wie ein Stromschlag in die Glieder. Etwas Ungreifbares drückte mir die Luft ab und ich musste mich aufsetzen, um nicht zu ersticken.

Anna wusste Bescheid über mich und Henry. Ihre Frage, warum ich keinen jungen Liebhaber hätte, war womöglich ein Wink gewesen, dass dies kein Geheimnis mehr war. Dass Theo mir all diese Demütigungen vor den Augen unserer Kinder antat allein wegen meines peinlichen Besäufnisses, kam mir plötzlich unwahrscheinlich vor. Charlotte musste ihn und Anna aufgeklärt haben. Vielleicht wollte sie es Theo leichter machen, sich von mir zu trennen, nachdem ich die Familienehre besudelt hatte. Vielleicht wollte sie aber auch einfach nicht, dass ihr Bruder wie ihr Vater ein Leben lang im Dunkeln blieb über die Untreue seiner Frau.

Ich würde mein Zuhause verlieren. Doch meine Kinder würde ich nicht hergeben. Ich sah mich schon vor Gericht im Krieg mit den Schmidts. Sie würden mich mit Schmutz bewerfen, doch sie würden mir nicht nachweisen können, dass ich meine Mutterrolle jemals vernachlässigt hatte. Diesen Kampf würde ich kämpfen bis zum Sieg. Dann würden wir alle vier vor Henrys Tür stehen und er würde uns vorübergehend irgendwie unterbringen. Von dort aus würden wir eine Wohnung finden. Der Opa könnte zu uns ziehen und ich würde wieder bei Stromer arbeiten, um uns alle zu versorgen.

Doch wahrscheinlich würde Theo verhindern, dass ich wieder bei Stromer einstieg.

Also würde ich mich bei Chinz bewerben.

Doch die hatten grade erst Personal abgebaut. Es gab momentan keine Jobs in der Werbebranche.

Ich zitterte am ganzen Körper. Im Grunde gab es nur einen logischen Ausgang meiner Lage: Mein Vater und ich würden auf der Straße landen.

Das Wechselbad aus Hitzeattacken und Knochenkälte in meinem Bett war nicht auszuhalten. Fast schon fluchtartig stürzte ich in meinen begehbaren Kleiderschrank, riss hastig Yogahose und Fleecepulli aus den von Marion so akkurat bestückten Regalen, zog mich an und stieg auf Zehenspitzen die geschwungene Holztreppe nach unten. Auf dem Sofa zusammengekauert, konnte ich in das Morgengrauen im Garten und in den sich langsam am Horizont abzeichnenden Weinbergen sehen. Alles da draußen versuchte sich mir als Weg aus der Angst zu verkaufen. Doch der Druck ließ nicht nach. Schließlich kamen die Tränen und ich gab mich ganz und gar in ihren erlösenden Strom, ohne den Blick aus der Ferne zu nehmen.

Plötzlich legte sich von hinten eine Hand auf meine Schulter. Ich zuckte zusammen und schaute sie an: Im Dämmerlicht sah ich die spitzen Knochen, die Altersflecken und die Farblosigkeit drum herum. Schon an der Art, wie Theo an mir vorbei in die Küche lief, ganz präsent und planvoll, sah ich, dass er nicht geschlafen hatte. Er brachte mir ein Papiertuch für meine laufende Nase. Dann nahm er eine meiner bunten Fleecedecken von der Sofalehne und breitete sie liebevoll über mir aus. Schließlich setzte er sich mir gegenüber ins andere Coucheck, als wäre dies wieder ein sorgfältig geplanter Schritt in einem bedeutenden Vorhaben, und hielt seinen Blick auf mich gerichtet, bis ich aufhörte zu weinen.

Dann sagte er: „Ich habe heute ab zehn Uhr Termine in der Klinik. Der Krebs ist wieder da. Möchtest du mitkommen?"

Ich wollte sagen: *Nein, Theo, das redest du dir ein. Du bist geheilt. Du hast so auf dich achtgegeben. Das kann nicht sein!* Doch es gab keinen Zweifel, dass er bereits wusste, wie es um ihn stand, und dass es vergebens war, ihm meine hoffnungsvolle Ungläubigkeit einzuflößen.

Dann sprach ich aus, was mir als Nächstes in den Kopf schoss: „Ich bin schuld."

„Du bist an vielem schuld, Ellie", sagte er in dem mutlosen Tonfall, den er mir gegenüber angenommen hatte. „Du bist manchmal meine tiefste Hölle. Aber krank gemacht habe ich mich selbst."

Darius fand uns etwa zwei Stunden später eng umschlungen schlafend unter der Decke. Er weckte die beiden Jüngeren und trieb sie an, sich für die Schule fertig zu machen. Schließlich stand er geduscht mit feuchten Locken in der Küche und schüttete Cornflakes in drei bunte Schüsseln. Dann stellte er zwei Tassen Kaffee vor uns auf den Glastisch. Wir hörten, wie Kilian ihn mit Fragen löcherte: Reden sie wieder miteinander? Seit wann liegen sie denn hier? Hast du sie gefragt, warum sie nicht aufstehen? Müssen sie nicht eigentlich in die Firma?

„Sei einfach leise, Kilian, und lass sie in Ruhe."

Nell krabbelte in ihrer Jeans-Latzhose und ihrem hellgrünen Lieblingspullover auf uns drauf, die gleiche Kombi wie gestern.

„Hast du wenigstens das Unterhemd gewechselt, Nell?", fragte ich sie.

Grinsend schüttelte sie den Krausekopf.

„Geht ihr heute nicht arbeiten?", wollte sie wissen.

„Nein, Süße. Wir gehen ins Krankenhaus", klärte Theo sie auf.

Ohne weitere Fragen zogen sich die drei ihre Schuhe an und schlichen aus dem Haus.

Warten war keine Tätigkeit, in der ich geübt war. Während in der ersten Tageshälfte die Tomografie vorgenommen wurde, beantwortete ich E-Mails auf meinem Handy und las die neuesten Anwaltsschreiben. All die Probleme darin ging ich gedanklich an wie in meinen Managementseminaren gelernt: Analyse,

Planung, Aktion, Wirkung. Genau so würden wir als tatkräftige Gestalter auch das lösen, was die Untersuchung hier zutage bringen würde. Das hatte sich ja bereits bewährt. Theo würde sich viel Zeit nehmen müssen, vermutlich mehr als letztes Mal, um den Krebs überall dort, wo er geortet wurde, zu torpedieren. Die Chemotherapie würde noch länger dauern. Ich würde ihn vermutlich über viele Monate begleiten und seine Brücke in den Betrieb darstellen, über die er seinen Einfluss nehmen konnte. Was Stromer betraf, so hatte er mir schon auf der Fahrt ins Krankenhaus eröffnet, dass er sein Engagement dort auf ein Minimum herunterfahren würde, sodass er nur noch ein bis zwei Mal im Monat an Sitzungen teilnehmen müsste.

Mittags kauften wir uns Sandwiches am Kiosk und spazierten durch den gepflegten Garten zwischen den diversen Gebäuden hin und her. Tapfer schauten wir in die Zukunft und planten ein Arrangement, in dem Theo zu Hause bleiben würde, um wieder ganz gesund zu werden. Er bereitete mich darauf vor, dass das bis zu einem Jahr dauern könne und er in dieser Zeit sicher sein müsse, dass ich die Lage bei Schmidt im Griff hätte. Das würde Kraft kosten, und damit ich die nötige Energie hätte, würden wir versuchen, meinen Vater noch mehr einzuspannen. Er würde uns helfen, dafür zu sorgen, dass unsere Kinder nicht Tag und Nacht nur mit Krankheit und Krisen konfrontiert wurden.

Voller Stolz auf meinen Vater, dem Theo eine so wichtige Rolle zusprach, und auf mich selbst, der er in neu gefasstem Vertrauen so viel Verantwortung übergab, stieg ich hoffnungsfroh auf alles ein: Genau so, wie er das mit seiner großen Erfahrung für uns strukturierte, würden wir diese Herausforderung meistern. Es war ja nicht das erste Mal, dass mein Mann uns mit seinem kühlen Kopf durch ein drohendes Chaos dirigierte.

Am Nachmittag wurden weitere Tests und Biopsien durchgeführt. Den Medizinern ausgeliefert, lag Theo auf Untersuchungstischen, während ich daneben saß. So hilflos er auch dazuliegen schien, ich wusste, er würde wieder aufstehen und regieren. Ich saß da wie der geballte, personifizierte Glaube an Theo Schmidt. Schließlich wurde ich wieder auf den Gang geschickt.

Ich überlegte kurz, ob ich mein Handy anschalten sollte, ließ es dann aber aus. Sollte der Freitag in der Firma Schmidt doch ohne mich zu Ende gehen. Ich suchte mir ein Fenster und starrte hinaus in die leise Bewegung von Ästen und Blättern in den alten Bäumen vor der Klinik. Mein Denken wehte belanglos hin und her, meine Logik verlor die Richtung im ewig stockenden Verkehr jenseits des Parks, mein Inneres klemmte gefühlsleer in den Umschaltintervallen der Ampel. So ging warten. Ich machte es zu meinem liebsten Zustand.

Ein paar Tage später stand ich wieder genau hier, während Theo beim Arztgespräch saß. Der Chefarzt war ein dunkelhäutiger Mann mit leicht angegrauten Schläfen. Seine Gegenwart war mir immer sehr angenehm, weil er so aufmerksam mit mir umging. Er hatte mich mit hineingebeten, doch Theo hatte entschieden, ich solle warten.

Wieder entglitt mir die Zeit und es kam mir vor, als wären sie nur Minuten weg gewesen, als Doktor Guha wieder hinter mir auftauchte.

„Kommen Sie mit?“, fragte er langsam und freundlich mit seinem charmanten Akzent.

Er führte mich in sein Beratungszimmer, wo Theo saß und mich ebenso freundlich anblickte. Es war plötzlich eine warme, entspannte Atmosphäre zwischen uns, in der ich mich gerne neben ihn setzte und ihm meine Hand zum Halten gab.

Doktor Guha setzte sich uns gegenüber und sprach ausschließlich zu mir: „Frau Schmidt, ich musste Ihrem Mann mitteilen, dass wir seinen Krebs nicht mehr heilen können. Er hat von den Nieren aus die Drüsen in den Leisten befallen und von dort gestreut in verschiedene Bereiche im Körper. Wir werden eine Chemotherapie und Bestrahlungen vornehmen, um seine Lebenszeit zu verlängern.“

Theo drückte meine Hand fester.

So ordentlich ausgelegt klang das erst mal nach einem nicht ungewöhnlichen Zusammenhang.

„Er gibt mir sechs Monate, Ellie."

Die Augen meines Mannes füllten sich mit Tränen, denn er wusste, dass mich in diesem Moment das große Entsetzen packte. Er erlitt ihn mit mir, den Gedanken an unsere Kinder. Die drei in ihrer blutjungen Verletzlichkeit und ihrem zauberhaften Wachsen, wie sie von uns und allem, was wir ihnen vorlebten, abhingen. Sie kannten das Leben noch nicht. Wir konnten ihnen doch nicht mit dem Tod kommen! Das Chaos durfte nicht siegen. Nicht über sie. Ihnen Stabilität zu geben, war unser gemeinsames, höchstes Ziel gewesen und genau daran würden wir scheitern.

Der Arzt ließ uns alleine und sagte, wir sollten uns Zeit nehmen. Doch irgendwann, im stummen gegenseitigen Halten und Trösten, kam der Moment, in dem wir aufstehen und gehen mussten. Ich spürte ihn kommen, wartete aber, bis mein Mann in Aktion trat. Er wusste, was zu tun war, während ich immer irgendetwas Wichtiges außer Acht ließ. Ich war ein Blatt im Wind und Theo der alte Baum, an dem ich hing.

Es war an mir, den großen Benz zu fahren. Theo war viel zu mitgenommen, um am Steuer zu sitzen.

„Komm, bieg ab, bevor die Ampel da hinten grün wird, sonst kommen wir nicht mehr raus." Theo machte genauso ungeduldig mit dem Management meiner Fahrweise weiter, wie er es heute Morgen aufgehört hatte. „Jetzt musst du die Spur wechseln, an der Ampel geht es rechts. Lass uns über Neckarsulm fahren, in der Stadt gibt es zu viele Baustellen. So sind wir schneller und du kannst gleich noch in den Betrieb fahren. Pass auf, der Passat da vorne lässt den Opel rein …"

Normalerweise wäre mir nach ein paar Kilometern der Kragen geplatzt. Er ließ mir nicht eine einzige Gelegenheit zu beweisen, dass ich imstande war, selbst an den Spurwechsel zu denken, oder zu sehen, dass da vorne gebremst wurde. Doch es war keinerlei Energie mehr für einen Kampf in mir. Stumm gehorchte ich seinen Anweisungen und Korrekturen, bis das Auto akkurat in unserer Garage geparkt war. Dann ging ich in unser Schlafzimmer und zog mir Bluse und Sakko an. Ich hörte, dass Marion in einem der Kinderzimmer zugange war. Als ich herunterkam, sah ich, dass Theo sich mit Decke und Zeitung in einen Liegestuhl auf der Terrasse gelegt hatte. Wir würden nicht mal ein paar Minuten im Haus allein sein können, bevor die Kinder heimkamen. Wollte oder konnte er nicht reden?

Ich setzte mich zu seinen Füßen auf den kalten Steinboden.

„Mach dich nicht staubig, Ellie."

„Ich kann jetzt nicht gehen, Theo. Lass uns irgendwo hinfahren."

Theo stöhnte und strich mir über den Kopf. „Ich muss erst mal einiges mit mir selbst ausmachen. Du kannst mir jetzt keinen größeren Gefallen tun, als die Routine aufrechtzuerhalten und verlässlich zu sein. Kein Alkohol, okay?"

Das würde ich für ihn tun, und Demütigungen wie diesen letzten Satz würde ich ertragen – verlässlich.

„Ich wünschte, ich könnte für dich sterben", sagte ich und ging zur Arbeit.

Erst mal sollte keiner von Theos Zustand erfahren. Er wollte selbst den Zeitpunkt bestimmen, an dem wir die Familie informieren würden. Meine verheulten Augen schrieb wohl jeder in der Firma dem Zustand meiner Ehe seit meinem Absturz auf der Frankfurter Gala zu.

„Sag mir Bescheid, wenn du mal ausgehen willst", versuchte Anna mich aufzumuntern.

„Lieb von dir, Anna, aber frag besser nicht mehr."

Sogar Lothar äußerte sich mitfühlend: „Sag deinem Mann einen Gruß von mir, er kann sich dann mal wieder abregen. Wer eine so junge Frau heiratet, muss damit rechnen, dass ihr Lebenshunger ab und zu mal mit ihr durchgeht. Wir haben's alle überlebt."

„Sieht so aus, als würde er es nicht überleben", gab ich zurück.

Daraufhin warf mir mein Schwager einen Blick zu, der vorzugeben versuchte, dass er traurig darüber wäre, wenn Theo die Scheidung einreichen würde. Doch er war ein enorm schlechter Schauspieler.

Ich verließ das Büro bereits um fünf und fuhr zu meinem Vater. Natürlich nicht, ohne Theo Bescheid zu sagen. Er sollte zu jeder Zeit wissen, wo ich war. Mein Vater war zu dünn. Krumm und irgendwie nicht ganz im Hier und Jetzt stand er in seiner Küchenzeile und brühte seinen berühmten grünen Tee aus losen, biologisch angebauten Blättern auf.

„Hast du dein Medikament abgesetzt?", wollte ich wissen.

„Schon lange."

„Hast du noch was? Ich glaube, ich brauch das Zeug."

„Mädchen, du bis zu jung für so was."

„Zu jung für was? Carola war neunundzwanzig."

Da ließ er die schwere Teekanne so auf die Herdplatte knallen, dass mir das Blut stockte.

„Was hast du schon für Sorgen, Ellie? Deine Kinder sind gesund, du hast einen Job, bist versorgt, hast mehr Geld, als du brauchst. Worüber willst du dich denn beschweren?", schimpfte er. „Red dir nicht ein, dass du depressiv bist, nur weil das plötzlich so in Mode gekommen ist. Glaub mir, du weißt gar nicht, was das ist. Reiß dich zusammen, Tochter!"

Ich stellte mir vor, dass Theo zu Hause endlich mal Einblick in den Alltag unserer Kinder nahm, dass er mit ihnen über ihre Schulfächer und Lehrer, vielleicht sogar über all das sprach, was sie umtrieb: mit Darius über die Musik, mit Kilian über sein Basketballteam und mit Nell über die Tier- und Pflanzenwelt, die sie mit unersättlicher Neugierde beobachtete, wo sie konnte. Ich hatte ja viel zu wenig Zeit, um auf die drei in ihren so aufregenden Eigenheiten und Phasen einzugehen. Doch wenn ich heimkam, saß allenfalls Marion mit den Jungs am Tisch und ging

Aufgaben durch, während Nell danebensaß und Häuser mit Gärten und Tieren drin malte. Theo lag entweder im Bett oder saß in seinem Arbeitszimmer. Auf Nachfrage erzählten mir die Kinder zwar, dass sie mit Papa draußen im Garten gewesen seien, aber das waren offenbar nur kurze Sequenzen gewesen.

„Wir sollen immer leise sein", beschwerte sich Kilian.

Mein Mann schien fieberhaft mit Dingen beschäftigt zu sein, die ihm in seinen letzten Lebensmonaten wichtiger waren, als Zeit mit seinen Kindern zu verbringen. Einmal in der Woche fuhr Marion ihn in die Klinik für die Chemotherapie. Ich holte ihn dort mittags ab und brachte ihn nach Hause zum Mittagessen. Inzwischen war er zu schwach, um sich in mein Verkehrsverhalten einzumischen. Essen wollte er schon gar nicht. Doch egal wie sehr ihn die Behandlung mitnahm, ich fand ihn abends immer am Schreibtisch oder am Telefon vor.

Einmal kam ich heim und Lothar saß dort drin mit ihm. Ich hörte die beiden Brüder in ruhigem Ton miteinander reden. Es schien, als wären sie sich einig in dem, was sie da in einem ausgesprochen wortreichen Dialog verhandelten. Durch die Tür konnte ich ihre Stimmen kaum voneinander unterscheiden. Schon das machte es mir unmöglich, den Inhalt ihres Gesprächs zu erraten.

Ich schickte Darius hinein, um die beiden zum Essen zu holen, während ich die Salatsoße anrührte. Lothar kam direkt zu mir in die Küche und umarmte mich. „Ich hatte ja keine Ahnung, Ellie", sagte er. „Sag mir, wenn du Hilfe brauchst."

Ich vermied es, ihm in die Augen zu schauen.

Beim Essen führten Theo und Lothar eine Blitzunterhaltung mit den Kindern, vielmehr war es eine Blitzbefragung. Darius und Nell hielten sich kurz in ihren Aussagen, das bevorstehende Zeugnis betreffend. Aber Kilian verfiel in einen Vortrag über die Idiotie des Dreiklassenschulsystems. Die Schüler würden hier schon mit einem Stempel versehen: Hauptschüler wären die späteren Mülleinsammler und Realschüler die Leute an den Supermarktkassen. Ein Leben lang würde man da nicht mehr rauskommen, auch wenn man noch so schlau war.

Seine Systemkritik machte mich stolz.

„Dann hoffe ich ja, dass du es aufs Gymnasium schaffst, Kilian", war alles, was Lothar dazu einfiel.

„Ehrlich gesagt, bin ich froh, wenn ich es auf die Realschule schaffe. Ich möchte unbedingt Kassierer werden. Schon als Kleinkind hab ich die Preise von Lebensmitteln verglichen, gell Mama? Hab schon aus dem Sitz im Einkaufswagen raus wie am Spieß geschrien, wenn du die falschen Nudeln gekauft hast. Die, wo man eins fünfundzwanzig mehr zahlt, nur weil Barola draufsteht. Bald werden wir ja sehen, ob meine Noten reichen, um meine Berufung eines Tages zum Beruf zu machen."

Lothar blickte seinen Neffen verdutzt an. Er kannte ihn zu wenig, um auf seinen Sarkasmus vorbereitet zu sein.

„Kluge Köpfchen wie dich brauchen wir in der Firma Schmidt, Kilian. Und ich werde höchstpersönlich dafür sorgen, dass du die entsprechende Ausbildung erhältst."

Kurz herrschte fragende Stille bei den Kindern. Warum sollte Lothar hier für irgendetwas sorgen? Theo warf seinem Bruder einen mahnenden Blick zu: Vorsicht, die Kinder wissen nichts!

Als die drei sich aus Langeweile getrollt hatten, informierten mich Theo und Lothar über ihre Entscheidung, einen Controller einzustellen, der sich um die Verschlankung des Betriebs kümmern solle. In zu vielen Bereichen sei die Effizienz mangelhaft. Lothar werde es übernehmen, den richtigen Kandidaten zu finden. Ich würde dann in puncto IT und Marketing mit dem Mann zusammenarbeiten müssen. Was mit der Isopur-Sparte passieren werde, könne man erst nach dem Prozess sagen, der in drei Wochen vor dem deutschen Patentgericht entschieden würde. Lothar werde dafür nach München fahren. Ich solle lieber in Theos Nähe bleiben.

„Wir müssen uns im Klaren sein", referierte Lothar, „dass die Folgen einer eventuellen Niederlage den schwersten Einbruch in der Geschichte Schmidts bedeuten würden. Unsere Kunden werden ihre bereits gefertigten Produkte vom Markt nehmen müssen. Sie werden uns natürlich auf Schadensersatz verklagen. Das wird in die Millionen gehen."

Als er sicher war, dass die Tragweite meiner Nachlässigkeit bei mir eingesunken war, fuhr er fort: „Auch wenn wir nicht verlieren sollten, wird das Image von Isopur für immer ruiniert sein."

In dieser Nacht lag ich mit rasendem Herzen auf der Couch und machte kein Auge zu. Neben Theo im Bett zu liegen, war mir eine Qual. Ich verfluchte ihn und sein Sterben, das es mir unmöglich machte, mich selbst aus diesem grauenvollen Dasein zu verabschieden. Ich konnte ja unsere Kinder nicht zu Vollwaisen machen und sie womöglich ihrem gestörten Onkel ausliefern.

Am nächsten Morgen im Büro machte ich einen Termin bei Frau Dr. Wagner, um mir ein Antidepressivum verschreiben zu lassen. Doch am Abend kurz vor Praxisschluss rief ich wieder an und sagte den Termin ab. Dann fuhr ich zu meinem Vater, um mir seine Ansage abzuholen, die einzig sinnvolle in dem ganzen Debakel:

„Reiß dich zusammen, Tochter!"

Liebe unter Vertrag

Im Juli wurde Theos Chemotherapie ausgesetzt und wir buchten einen Flug nach Spanien. Er wollte ein letztes Stück Sommer in unserem Paradies erleben. Mein Vater wohnte in diesen zehn Tagen bei den Kindern.

„Hier ist alles unter Kontrolle. Du musst jetzt ganz für deinen Mann da sein, Ellie", mit diesen Worten schickte mein Vater mich auf die Reise.

„Du musst jetzt ...", dieser Satzanfang wurde mir in den Monaten vor Theos Tod sehr vertraut.

„... dafür sorgen, dass er zur Ruhe kommt", sagte Charlotte.

„... meine Rolle übernehmen. Ich kann ja nicht aus dem Grab heraus regieren", sagte Theo.

„... deine Kraft für die Familie aufsparen", sagte Iris.

„... ein scharfes Auge auf die Spendings haben", sagte Lothar.

„... einfach mal raus. Ich schick meine Mutter rüber und wir beide hängen ein bisschen ab", sagte Anna.

„... den Alltag möglichst stabil halten", sagte Charlotte.

Die ersten drei Tage auf der Finca klang all das noch nach. Es gab nichts, was dem Tumult in meinem Kopf entgegenwirken konnte. Theo war sehr still. Die Zeit schleppte sich davon wie ein überladener Packesel.

Dann saßen wir das erste Mal wieder auf der Steinbank unter dem Kinderzimmerfenster. Wir hatten alle Türen und Fenster aufgemacht, damit die Abendluft die Hitze aus dem Haus vertrieb. Die kühle Brise zog von draußen herein und die Klaviermusik, die wir aufgelegt hatten, strömte von drinnen zu uns heraus. Chopin, Debussy und Beethoven tanzten verliebt mit den letzten Sonnenstrahlen um die dicken Fincamauern. All die Melodien unserer Anfänge in Mosbach. Wir hatten noch keine Kinder gehabt damals. Der kleine ungeborene Darius war uns ein großes Rätsel gewesen, die Zukunft unsere größte gemeinsame Unbekannte. Nur eines hatten wir sicher gewusst: Wir lieben uns.

Beethovens „Pathétique" wühlte jetzt unsere Trauer in Wellen auf und spülte das Glück und den Schmerz aus all den Jahren an. „Ich bin dir so dankbar, Ellie", sagte Theo und drückte meinen Kopf gegen seine Brust. „Vergiss das nie. Vergiss nie, wie sehr ich dich liebe."

Bevor ich am Nikolaustag 2011 das alte Haus wieder dichtmachte, saß ich noch einmal auf der Steinbank. Ich spürte meinen Kopf auf Theos Schulter und seine Hand auf meinem Schenkel.

Dann brach ich auf, zurück nach Deutschland, in mein Leben als Witwe. Charlotte holte mich vom Flughafen ab. Es war, als würde ich auf den Spuren unserer so qualvoll wiedergefundenen Liebe unser Haus in Erlenbach betreten. Egal wohin ich meinen Blick wandern ließ, überall erzählten Dinge aus unserem Leben: der bronzefarbene Buddha, den Theo mir aus New York mitgebracht hatte vor zwei Jahren, als er an meinem Geburtstag nicht da gewesen war. Die Orchidee, die schon in unserem Mosbacher Haus so gut gediehen war, und die tatsächlich immer noch voller Leidenschaft ihre Blütenpracht auf verschlungenen Stängeln in den Raum streckte. Die Holzscheite vorm Kamin, die ich aus dem Verschlag im Garten geholt hatte, als Theo im November unter all den Decken hier auf dieser Couch gelegen hatte. Kaum hatte das Feuer gebrannt, war er eingeschlafen. Ich hatte mich vor ihn auf den Boden gesetzt und eine Berührung gesucht. Es war schwer gewesen, an seinen Körper zu kommen unter all dem Stoff. Schließlich hatte meine Hand unter seinem T-Shirt die Wärme gefunden und die mir so vertraute, weiche Haut auf seiner Bauchdecke. Das war das einzige Mal in meinem Leben gewesen, dass ich im Sitzen eingeschlafen war.

Charlotte folgte mir ins Haus. Miriam saß auf unserer Couch, genau da, wo Theo gelegen hatte. Sie schaute in ihren Laptop und tippte hektisch auf der Tastatur herum. Von oben hörte ich die hohen, flötenden Stimmen von Nell und ihrer Freundin Gina, die wohl gerade in einem ihrer Rollenspiele aufgingen. Opa war mit Darius in der Musikschule.

„Kilian ist so gut wie nie zu Hause", sagte Charlotte. „Peter hat darauf bestanden, dass er zum Abendessen heimkommt, aber nicht mal das hat er befolgt. Der Einzige, der ihn da draußen findet, ist Darius. Der kennt seine Freunde und ihre Plätze. Ich glaube, der Junge läuft vor seiner Trauer weg. Vielleicht brauchen wir da Hilfe."

Aus dem Augenwinkel sah ich Theo in Jogginghosen und Sweatshirt aus seinem Arbeitszimmer kommen, die Zeitung unterm Arm, sein Handy in der Hand. Langsam schob er die Lesebrille von der Nase auf den Kopf und balancierte sie dort, während er auf mich zukam, die übliche Frage auf den Lippen: „Wie ist es bei dir gelaufen heute?"

Charlottes Blick war auf mich gerichtet und der eindeutige Beweis dafür, dass ich halluzinierte. Sie nahm mich in den Arm.

Als Charlotte und Miriam gegangen waren, rief ich Nell und Gina und bat sie, sich anzuziehen. Wir müssten Kilian finden. Es schien, als wäre es schlagartig dunkel geworden. Als die Mädchen schon mit ihren Bommelmützen und Fellstiefeln die Straße hinunter liefen, stand ich immer noch in unserem Hauseingang und konnte den Blick nicht vom Sofa abwenden. Ich musste an jenen grauen Novembermorgen vor drei Wochen denken, als ich zur Arbeit aufgebrochen war und er dort gelegen hatte.

„Machs gut, meine Liebe." Er hatte diese Worte mühsam herausgepresst. Wie immer in den letzten Wochen fragte ich mich unterwegs, warum ich nicht bei ihm zu Hause bleiben durfte. Alle in der Firma hielten mich für ein Problem. Warum zwang mich Theo immer noch, zu gehen?

Die Besprechung über Projektrentabilität war nicht auszuhalten. Lothar, wie er seine Allmacht herauskehrte und niemanden einen Satz beenden ließ, ohne ihn mit überartikuliertem besserem Wissen zu unterbrechen. Selbst Iris war genervt.

Ich konnte nicht aufhören, an die Wärme auf Theos Bauch zu denken, die mich am Tag zuvor so glücklich gemacht hatte, dass ich auf dem harten Boden sitzend eingeschlafen war.

Mitten in einem Vortrag von Lothar über gezielte Kundenführung, die im Tagesgeschäft verankert werden müsse, sprang ich auf, als hätte mich jemand vom Stuhl gestoßen. Ich entschuldigte mich. Mein Kopf surrte wie ein aufgescheuchtes Wespennest. In der Unordnung meines Schreibtisches konnte ich meinen Autoschlüssel nicht finden. Ich wirbelte alles auf und war dann so verzweifelt, dass ich erst mal aufräumte. Als Papiere, Aktenordner, Tischkalender, Schachteln mit Büroklammern und Stifte sauber aufgereiht vor mir lagen, ließ ich mich in meinen Stuhl fallen und weinte. Dann griff ich plötzlich geistesgegenwärtig in die Tasche meines Blazers und hielt den Schlüssel in der Hand.

In unserer Einfahrt stand Charlottes Auto. Sie selbst konnte ich erst mal nicht finden und auf mein Rufen in das stille Wohnzimmer kam keine Antwort. Dann sah ich sie eingerollt auf dem Teppich vor dem Kamin mit der kalten Asche liegen.

Theo musste sie gerufen haben, damit sie ihn ins Gästezimmer brachte. Seit ein paar Wochen hatte er dort geschlafen, weil er die Treppe nicht mehr hochgekommen war.

An ihrer eiskalten Hand führte sie mich jetzt zu ihm.

Dort im Bett sei er vor ihren Augen gestorben, sagte sie.

Es musste genau der Zeitpunkt gewesen sein, als ich wie aufgescheucht das Besprechungszimmer verlassen hatte.

„Er ist friedlich eingeschlafen", sagte sie.

„Warum hat er mich weggeschickt?" Ich stieß diese Frage in die leblose Luft über dem Bett. „Er sieht nicht friedlich aus, Charlotte."

„Er hat sich große Sorgen um euch gemacht", erklärte sie mir.

Dann ging sie aus dem Zimmer und ließ mich bei Theos erkaltetem Körper zurück. Es war mir unmöglich, ihn nochmal zu berühren.

Auf unserer Suche nach Kilian liefen die Mädchen und ich durch die abendlichen Dorfstraßen. Nell und Gina gingen zielsicher voran und klingelten an verschiedenen Haustüren, um zu erfahren, mit wem Kilian zusammen war. Vor Kevins Haus begegnete uns eine Gestalt im Nikolauskostüm: „Wart ihr auch schön brav?“ Die Stimme verriet, dass es sich um eine Frau handelte.

„Ja, ich war ganz brav“, trällerte Nell. „Wir suchen Kilian, weißt du wo er ist?“

„Nein, keine Ahnung, Nell. Aber er war in letzter Zeit viel bei den Hartmanns“, sagte der Nikolaus und stieg in ein Auto.

Wir klingelten an Silvios Tür. Ein lustloser Junge, offenbar in tiefster Pubertät, öffnete und sagte grußlos: „Die zwei sind beim Skateboarden in Neckarsulm.“ Ich staunte, denn ich wusste nicht einmal, dass Kilian ein Skateboard besaß.

Ich fuhr mit Nell und Gina nach Neckarsulm. Der Skateplatz war nicht beleuchtet, aber wir hörten schon von Weitem die rollenden Geräusche und beobachteten das schwungvolle Auf- und Abtauchen eines einsamen Skateboarders gegen den Nachthimmel. Abseits des Platzes stand eine Gruppe von Jungs. Ihre Rollbretter lagen um sie herum. Der Duft dessen, was sie rauchten, versetzte mich in meine Jugend zurück. Als wir näher kamen, sah ich, dass sie schon älter waren, dreizehn oder vierzehn. Ein Stück weiter saß Silvio auf einer Bank. Der unermüdliche Akrobat, der offenbar nicht aufhören wollte, im schwachen Schimmer der Stadtlichter über Stangen zu rutschen, über Rampen zu sausen und sein Skateboard unter seinen Füßen zu drehen, war mein Sohn.

Meine Kinder wuchsen in einer Welt heran, in der ich eine Fremde war.

Am Tiefpunkt meiner einsamen Tage in Spanien hatte ich entschieden, von nun an zu tun, was ich für richtig hielt. Richtig war: Ich musste raus aus der Firma Schmidt. Mein Job dort war wie ein Geschwür, das in mir wucherte.

Darius war mein verlässlicher Anker und der Ruhepol im Haus. Er nahm die kleine Nell in den Arm, als sie heulend auf dem Boden saß, weil ihr beim Tischdecken die Radieschen hinuntergepurzelt waren. Immer schien er sie besorgt zu beobachten. Damit ich auf dem Laufenden war, erzählte er mir, dass sie all ihre Playmobillandschaften zerstört habe, während ich in Spanien war. Doch er würde er ihr helfen, alles wieder aufzubauen, sobald sie das wollte.

Am Donnerstag, dem achten Dezember, sollte vor dem Notar in Heilbronn Theos Testament verlesen werden. Charlotte holte mich um zehn Uhr ab. Im akkuraten schwarzen Kostüm und mit seriöser Aufsteckfrisur saß sie am Steuer. Verunsichert blickte ich an mir herunter: Ich trug eine schwarze Jeans, Pulli und Anorak. Mussten wir wirklich während eines einstündigen Notartermins die Unternehmerfamilie geben?

Charlotte fragte nach den Kindern.

„Grade der Sensibelste hält sich am besten und ist mir die größte Hilfe", sagte ich.

„Noch", kommentierte sie. „Sein Einbruch wird kommen. Ich glaube, wir sollten für euch alle vier eine professionelle Trauerbegleitung organisieren."

Warum nur glaubten alle Schmidts, dass Professionalität kombiniert mit Organisation die Antwort auf alle Probleme dieser Welt war? Blind wie die Jünger einer Sekte folgten sie der Religion des kühlen Kopfs, als hätte sie nicht spätestens mit Theos Tod dramatische Lücken gezeigt.

„Alles, was ich brauche, um meine Kinder seelisch gesund durch diese Zeit zu bringen, ist ein bisschen Ruhe, Charlotte. Ein Ende des Gezeters um Erfolg und Zahlen. Ich denke, es wäre auch im Sinne von Lothar und Iris, wenn ich mich rausziehen würde bei Schmidt. Die wollen mich doch ohnehin am liebsten aus dem Weg haben."

Sie schüttelte seufzend den Kopf. „Ich fürchte, Theo hatte da andere Pläne für dich."

Andere Pläne, als jetzt für unsere Kinder da zu sein? Wie konnte sie so etwas sagen? Völlig verständnislos blickte ich sie an, hatte aber überhaupt keine Kraft für eine Diskussion und schwieg für den Rest der Fahrt.

Ein Schock ist ein Zustand, in dem das Gefühl für Raum, Zeit und Logik dem Fluchtverhalten weicht. Daher kann ich nicht mehr erklären, wie es dazu kam, dass ich die Olgastraße hinunterlief. Immer wenn von hinten ein Auto kam, lief ich schneller. Sie waren hinter mir her, das wusste ich. Doch offenbar bewegten sie sich in die falsche Richtung.

Ich passierte die alte Maschinenfabrik, das elegante, kirchenähnliche Denkmal deutschen Ingenieurwesens, das im letzten Jahr zum Mahnmal für unternehmerisches Scheitern geworden war. Es führt nicht immer in die Zukunft, das Festhalten am Wachstumsglauben. Vor allem dann nicht, wenn die humanitären Werte über Bord gehen. Dann machen die Analytiker und Planer die Rechnung ohne die wichtigste Kraft: das Wollen der Menschen.

Theo hatte mich zum willenlosen Gehorsam verdammt.

Jetzt war mir klar, was er in der monatelangen Klausur in seinem Arbeitszimmer ausgetüftelt hatte, was ihm wichtiger gewesen war, als im Hier und Jetzt zu sein, sich der Liebe seiner Familie hinzugeben, sich fallenzulassen in die tiefen Bindungen, die doch sein wichtigstes Werk gewesen waren. Mein Mann hatte meine Freiheit mit in den Tod genommen, im Dienste seines materiellen Erbes und Eigentums. Er hatte mir alle denkbaren Fesseln angelegt. Und ich hatte ihm auch noch mein Einverständnis gegeben.

Man darf zu zart sein für diese Welt, Ellie, schimpfte ich mit mir selbst. Aber blind und blöd darf man einfach nicht sein!

Ich überquerte den Neckar. Auf der Brücke wehte ein eiskalter Wind und es gab so gut wie keine Fußgänger. In der Mitte blieb ich stehen und schaute dem schmutzigen, rasenden Wasser zu. Wie oft war ich in den Wochen vor Theos Tod hier her ans

Wasser gefahren, nur um in die Strömung zu schauen. Zwischen Feierabend und Nachhausekommen hatte ich mir diese Viertelstunde für mich selbst herausgeschnitten, um mich in den Zustand zu versetzen, den ich mir in der Klinik auf dem Gang antrainiert hatte. Das absichtslose Warten auf nichts. Meine einzige Zone, in der ich ruhen konnte, abseits vom permanenten Defizit des Tuns. Hier war ich nicht die Frau, die in der Pflicht stand, alles zu geben, nur weil sie diejenige war, die nicht sterben würde. Zumindest nicht so bald. An diesen Ort des entbundenen Seins ging ich jetzt zurück und gab mich wieder hinein in das unbeirrbare Fließen.

Dann lief ich weiter in die Innenstadt, möglichst immer über Nebenstraßen, wo jemand, der suchend durch die Gegend fuhr, mich nicht aufspüren würde.

Als ich beim Wohnblock meines Vaters im Fasanenweg ankam, war es kurz nach zwölf Uhr mittags. Ich wusste, dass er auf dem Wochenmarkt war. Ich schloss mit meinem Zweitschlüssel seine Wohnungstüre auf und setzte mich auf die schwarze Designercouch, die ich vor sieben Jahren für ihn ausgesucht hatte, um ein bisschen Form und Würde in sein verwahrlostes Selbstbild zu bringen – dies gehörte zu den Dingen in meinem Leben, die mir gelungen waren.

Mein Vater war inzwischen jenseits der siebzig. Vor zwei Jahren hatten sie ihm in der Musikschule freundlich mitgeteilt, dass er für das Unterrichten der Jugend zu alt sei. Doch er war noch als Aushilfslehrer tätig und gab unbezahlte Förderstunden. Die vielen Jahre der Arbeitslosigkeit und Erwerbsunfähigkeit hatten seine Rente gemindert. Auch mit seinem kleinen Zuverdienst reichte sie nicht aus. Theo und ich hatten seine Miete bezahlt.

Die von Theo eingerichtete Schweizer Stiftung würde mir den Unterhalt für die Kinder bezahlen. Der war ordentlich, aber nicht großzügig. Mit meinem eher mittelmäßigen Gehalt von Schmidt musste ich zwei Häuser unterhalten, das in Erlenbach und das in Spanien. Beide hatte er mir noch vor seinem Tod überschrieben. Ich musste Marion bezahlen, spanische Gärtner und Handwerker, Versicherungen, Grundsteuern, Flüge nach Spanien und Peters Wohnung. Theo hatte alles so hingerechnet, dass ich keine großen Sprünge machen konnte. Einen weniger aufreibenden Job zu suchen oder gar eine Auszeit zu nehmen, war unmöglich bei den Kosten, die ich stemmen musste.

Sein größtes Misstrauen hatte Theo offenbar meinen zukünftigen Männern und möglichen weiteren Kindern gegenüber gehegt. Es gab eine Klausel, dass ein Ehemann sowie Kinder aus zukünftigen Verbindungen vom Erbe der Häuser ausgeschlossen sein würden. Bis in den Tod war ihm der Dynastiegründer Albrecht im Genick gesessen.

Die Ausbildung unserer Kinder war gewissenhaft geregelt. Sogar für den Berufsstart oder eventuelle Investitionen in eigene Unternehmungen waren Mittel vorgesehen. Allerdings würden sie erst nach eingehender Prüfung eines dreiköpfigen Konsortiums zugeteilt werden. Zu diesem zählte Charlotte, der Schweizer Anwalt, mit dem Theo die Stiftung ausgetüftelt hatte, und ein alter Freund von Theo namens Hendrik Lewitzky, den ich das erste Mal auf seiner Beerdigung getroffen hatte. Ich als Mutter hatte nichts zu sagen.

Auf meinen Anteil am Barvermögen und jegliche Besitzansprüche an der Firma Schmidt hatte ich in dem Vertrag, den wir in der Schweiz geschlossen hatten, verzichtet. Theos Firmenanteil würde von Charlotte treuhänderisch verwaltet, bis unsere Kinder volljährig waren. Das Vermögen, das Theo unter anderem durch seine Stellung bei Stromer angehäuft hatte, war zu hundert Prozent in die Stiftung geflossen. Eine Lebensversicherung gab es nicht.

Aufgrund der jämmerlichen Verhältnisse meiner Eltern war ich auf Anraten von Theo immer so arm wie möglich geblieben. Es gab keinen einzigen Fond, der auf meinen Namen lief. Ich hatte nicht mal ein eigenes Konto gehabt.

Theo war nervös gewesen am sechzehnten September, als wir mit Charlotte in die Schweiz gefahren waren. Ich erinnerte mich, dass er schon Tage vorher von diesem wichtigen Schritt gesprochen hatte. Immer wieder hatte er ihn mir als die Lösung aller finanziellen Fragen verkauft, die sich nach seinem Tod auftun würden. Ich hatte gar nicht richtig zugehört. Ich hatte nicht mal im Ansatz die Energie dafür gehabt, ein dreißigseitiges Papier, das in völlig verkopftem Rechtsdeutsch verfasst war, aufmerksam zu studieren und seine Folgen für meine zukünftige Finanzlage zu analysieren. Welche Ehefrau hätte auch ihrem Mann, der so gnadenlos dem Tode geweiht war und sich so verzweifelt an jede verbliebene Kraftreserve klammerte, nicht jeden Wunsch erfüllt? Doch jetzt ging mir auf, dass es ja hätte sein können, dass ich mich nicht kooperativ gezeigt hätte. Darum war Charlotte mitgekommen: Sie hätte ihrem Bruder geholfen, mir den Sinn dieser Aktion schönzureden.

Lothar und Iris fiel mit meiner Enterbung sicherlich ein Stein vom Herzen. Doch auch ihnen hatte Theo ein Ei ins Nest gelegt. Er hatte mir den Geschäftsführerposten bis zu meinem Rentenalter zugesichert, sogar regelmäßige Gehaltserhöhungen und Gewinnbeteiligungen. Meine Entscheidungsbefugnis war allerdings begrenzt. Die Inhaber hatten natürlich wesentlich mehr zu sagen. Und was immer ich durch meine Tätigkeit bei Schmidt an Substanz erwirtschaften würde, war allein nur an unsere gemeinsamen Kinder vererblich, nicht an zukünftige Männer und ungeborene Kinder.

Charlotte war also seine Vertraute gewesen, nachdem ich ihn enttäuscht hatte. Ich solle niemals vergessen, wie sehr er mich liebe, hatte er mich gebeten, als wolle er die Zweifel vorwegnehmen, die mich nach seinem Tod treffen würden. In seinen letzten Monaten hatte ich jede Stunde meines Tages ihm, der Firma oder unserer Familie gewidmet. Trotzdem hatte er mich beim Sterben nicht um sich haben wollen. Warum? Je länger ich darüber nachdachte, desto überzeugter war ich, dass Charlotte Theo tatsächlich von Henry erzählt hatte.

Mein Vater kam heim mit seinem gefüllten Einkaufskorb und parkte sein Fahrrad auf dem Balkon.

Charlotte hatte ihn schon angerufen und ihn gebeten, Bescheid zu sagen, wenn ich bei ihm auftauchen würde.

„Sie versucht die ganze Zeit, dich zu erreichen. Sie sagt, du wärst nach dem Notartermin einfach davongelaufen."

Ein Blick auf mein Handy bestätigte es: zwölf Anrufe.

Ich schickte ihr einen Text:

„Bleib fern von mir, meinen Kindern und meinem Haus."

Plan und Wirklichkeit

Für den Rest des Jahres ließ ich mich krankschreiben und nahm im Januar meinen Resturlaub. Sowohl Charlotte als auch Anna versuchten mich während der Weihnachtsfeiertage per E-Mail und SMS zu einem Besuch zu bewegen. Doch ich wiederholte nur meine Bitte, uns nicht mehr zu kontaktieren. Von Lothar und Iris hörte ich nichts in dieser Zeit, nicht einmal Weihnachtsgrüße.

Gemeinsam mit den Kindern suchte ich Beschäftigungen, die wenig Energie erforderten: Kinoabende, zielloses Bummeln durchs Einkaufszentrum, Würfelspiele, die simpel genug waren, dass auch Nell gewinnen konnte. Kilian wollte die Spielregeln des Baseballs verstehen. Also druckten wir sie aus dem Internet aus und stellten sie mit Mensch-ärgere-dich-nicht-Figuren auf dem Esstisch nach. Wieder war ein Nachmittag rum.

Weil es Nells sehnlichster Wunsch war, fuhren wir fast hundert Kilometer, um bei bitterer Kälte ein Wildgehege zu besuchen. Kilian hatte sich im Internet alles über Damhirsche angelesen und teilte vor dem Gatter sein Wissen mit seiner Schwester. Die Tiere waren offenbar in der Lage, durch ihre seitlich stehenden Augen in einem großen Umkreis selbst feinste Bewegungen wahrzunehmen. Nur was vor ihrer Nase passierte, das sahen sie nicht. Fasziniert erkannte ich in ihnen meine Artverwandten.

Mit riesigen Augen hing Nell am Zaun und bewunderte die stolzen Tiere aus weiter Entfernung. Wir sollten uns nicht bewegen, damit sie näher kommen würden. Das taten sie schließlich auch, doch da waren wir schon so durchgefroren, dass wir gleich im nächsten Café heiße Schokolade trinken mussten. Solange wir unterwegs waren, fehlte Theo nicht. Er war ja sowieso fast nie dabei gewesen.

Mein Vater blieb für mehrere Tage bei uns. Ich überließ ihm mein Schlafzimmer und schlief bei Nell im Bett. Trotz all der Unruhe, die sie am Leib hatte, war mein Schlaf so tief und entspannt wie seit Jahren nicht mehr. Das Gästezimmer im Erdgeschoss hatte seit Theos Tod keiner von uns mehr betreten.

Mein Vater spielte Mendelssohn auf dem Flügel, während ich stundenlang in der Badewanne und im Bett lag. Die durch das Jahrhundert fröhlich daher tanzende Schönheit menschlicher Gestaltungsfreude, die durch meinen Vater in meinen vier Wänden an Boden gewann, gab mir den Mut, in meine Wunden hinein zu spüren. Sie würden abheilen. Ob diese Heilung nun länger dauern würde aufgrund der Erniedrigung, die ich hatte einstecken müssen, oder ob sie dadurch beschleunigt würde, konnte ich noch nicht sagen. Aber mein Glaube daran, dass ich wieder ein ganzer Mensch sein würde, war so unbeirrbar wie die Melodieführung von Peters rechter Hand. Eines Tages würde niemand mehr Regie führen über mein Schicksal.

Die Stimmung war miserabel, als ich am dreiundzwanzigsten Januar wieder ins Büro kam. Lothar brachte kaum ein „Guten Morgen" über seine steifen Lippen. Die Montagsbesprechung war vertagt. Iris lief mir erst am Nachmittag über den Weg.

„Wie geht es dir, Ellie?", fragte sie mäßig interessiert.

Sie sah aus, als hätte sie nächtelang nicht geschlafen. Die Wimperntusche hing ihr unter den Augen. Die Nägel waren unlackiert und stumpf.

Um Himmels Willen, dachte ich, ist es denn so dramatisch, dass ich als Geschäftsführerin im Amt bleiben werde? Muss man deshalb gleich in Verzweiflung stürzen?

Mäßig motiviert setzte ich mich an meinen Schreibtisch und klickte auf meine neue Lieblingsplattform Facebook. Ich hatte ein Konto erstellt unter dem Namen Liz Baker. Henry, Daniel Schweizer, Anna und David, ein paar alte Studienfreunde und Kollegen bildeten meinen Freundeskreis. Henry hatte das Foto gepostet, aus dem er mir die Beileidskarte gebastelt hatte. „In the shadow of your heart", stand im Bild. Ein anderes Mal hatte er ein YouTube-Video geteilt mit dem Song „If Only" von Fink. Wäre ich nur der Mann, den du verdienst.

Schnell kehrte ich zu meinen E-Mails zurück. Die jüngste kam von unserem frischgebackenen Verkaufsleiter Felix Haas, einem Mann in meinem Alter. Ich hatte ihn bei unserem ersten Treffen vor einigen Monaten als trockenen BWLer eingestuft, denn er war von Klemm eingestellt worden. Umso erstaunter las ich nun seine Zeilen:

Liebe Frau Becker-Schmidt,

willkommen zurück! Ich hoffe, Sie konnten sich etwas erholen. Um Sie ein wenig abzulenken, habe ich gleich sehr gute Nachrichten. Nachdem wir aus dem Patentstreit um Isopur als Sieger hervorgegangen sind, habe ich meine Fühler ausgestreckt und einige Kontakte aus meiner Zeit bei Montana aufgewärmt. So konnte ich zum Beispiel die kanadische Firma Caribou für Isopur interessieren. Ich habe aber noch eine Liste weiterer potenzieller Abnehmer parat, die sich durchweg sehr positiv geäußert haben. Lassen Sie uns doch mal mit dem Team zusammensitzen und das weitere Vorgehen besprechen.

Schöne Grüße aus der zweiten Etage,

Felix Haas

Eigentlich hatten sie mich doch zum Frühstücksdirektor ohne Wirkungsfeld degradiert, deshalb hatte ich mir vorgenommen, meine Zeit mit Facebook und Rechnungsprüfung rumzukriegen. Wenn man es richtig anstellte, konnte man zwei Stunden mit einer Rechnung verbringen: Angebot raussuchen, Diskrepanzen feststellen, beim Lieferanten anrufen, Nachbesserung verlangen, und wenn die neue Rechnung kam, alles wieder von vorne. Um 16.55 Uhr wollte ich mich auf den Weg nach draußen machen und um 17.00 Uhr durchs Tor hinausmarschieren, wie in einer Haftanstalt mit abendlichem Freigang. So zumindest war mein Plan gewesen.

Doch jetzt lief ich aufgeregt zu Lothar rüber. Ich klopfte und wartete gar nicht erst auf eine Aufforderung, hereinzukommen. So platzte ich in ein ungewöhnlich besetztes Zwiegespräch:

Mein Schwager Thomas saß Lothar gegenüber. Sie schauten sich an, als würden sie sich im nächsten Schritt gegenseitig zerfleischen. Ich hatte keine lauten Stimmen gehört, aber die Gesichter sprachen Bände und die Raumluft qualmte.

„Oh. Entschuldigung. Stör ich?", fragte ich verwirrt.

Stille.

Der bärtige, kräftige Kerl, der Charlottes Mann war, reagierte schließlich und sagte: „Bleib ruhig hier. Wir waren sowieso gerade fertig."

Behäbig stand er auf und verließ das Büro. Es schien mir, als hätte ich ihm soeben geholfen, eine Ansage widerspruchslos stehen zu lassen.

„Was ist hier eigentlich los, Lothar?", fragte ich eindringlich.

„Nichts, was dich in irgendeiner Weise betrifft, Ellie. Worüber wolltest du sprechen?" Es kam wie durch eine Eisschicht, die sein Gesicht eingefroren hatte. Was in aller Welt hatte der windige Thomas dem Halbgott Lothar zu sagen?

Die Nachwirkungen, die all die längst noch nicht verwundenen Kriegszeiten in mir hinterlassen hatten, versetzten mich jetzt in einen Schwindelzustand, in dem ich nur noch hinauslaufen, in mein Büro fliehen und so schnell wie möglich die Türe hinter mir schließen konnte.

Was in aller Welt ...?

Die rätselhafte Stimmung im Büro beschäftigte mich, bis ich nach Hause kam. Dort ließ sich wieder der stickige Nebel der Trauer auf mir nieder. Er machte mich bewegungsunfähig, körperlich wie geistig. Ich wusste nicht, wie ich mit den Kindern am Tisch sitzen sollte - aufpassen, dass alle ihr Essen zu sich nahmen, Hausaufgaben durchgehen, eine Familie sein.

Jahrelang hatten wir unsere Abende zu viert verbracht, nachdem Papa abgereist war und bevor Papa wieder zurückkam. Doch jetzt rief Papa nicht mehr an, um Gute Nacht zu sagen. Er hatte keine Meinung mehr zu dem, was wir erlebt hatten. Er lachte nicht über Kilians jüngsten, abgedrehten Fantasieaufsatz, in dem er die Welt neu ordnete. Er hörte Darius' Fortschritte auf dem Klavier nicht mehr und äußerte sich nicht stolz über sein Halbjahreszeugnis. Er versprach der bettelnden Nell nicht, ihr Pettersson und Findus vorzulesen, sobald er heimkommen würde. Er trieb mich nicht an, mit meinen Projekten Gas zu geben. Ich konnte nicht abklopfen, was er zu den Neuigkeiten über Isopur sagen würde. Welchen seiner Sprüche würde er anwenden? Auf verbrannter Erde wächst nichts mehr. Oder: Jetzt einfach auf Kurs bleiben und das Tempo erhöhen. Immer hatte ich mir gewünscht, er würde mir meine Entscheidungen selbst zutrauen. Tat er das nicht hiermit? Manchmal vermisste ich ihn so sehr, dass ich ihm sogar Verständnis dafür entgegenbrachte, dass er mich aus der Erbfolge geknipst hatte. Als hätte das jeder vernünftig denkende Mensch genauso gemacht. Was für ein stolzer Charakter er gewesen war, ein sorgender Mann und liebevoller Vater. Die Erinnerung an sein machtloses Ringen mit der grausamen Krankheit schmerzte unerträglich.

Am Dienstagabend bat ich Marion, länger zu bleiben und mit den Kindern zu Abend zu essen, denn ich konnte die drei ja nicht mehr einfach zu Charlotte schicken. Ich selbst ging sofort ins Bett und erstarrte dort zu Stein. Marion ließ die Kinder nicht mehr zu mir. Ich lag kalt und steif bis zum nächsten Morgen. Dann war ich plötzlich wach, ohne aufzuwachen und ohne zu wissen, ob ich geschlafen hatte. Am nächsten Abend schickte ich Marion heim und hangelte mich durch. Doch am Donnerstag sah sie mir schon an, was mit mir los war, als ich durch die Türe kam.

„Ab mit dir, Ellie. Leg dich hin", sagte sie nur.

Mein Vater rief an und Darius brachte mir das Telefon ans Bett. Er klang besorgt: „Du meldest dich doch, wenn du mich brauchst?"

„Ich brauch dich immer, Papa."

Er blieb das ganze Wochenende und es ging mir besser. Doch mein Vater war auch nicht mehr der Alte. Es quälten ihn die Gelenke, das Kreuz und noch so manches, worüber er nicht sprach, da war ich sicher. Durch unser Haus schlich immer noch Theos Todesangst. Manchmal spürte ich, dass mein Vater froh war, wenn er wieder nach Hause gehen konnte.

Am Sonntagabend verfolgte mich ein klammes Grauen vor den Herausforderungen der nächsten Woche. Anstehende Aufgaben, Begegnungen und Gespräche waren wie Mauern, die ich unter Schmerzen würde durchbrechen müssen. Tatsächlich war es eine der härtesten Übungen, wieder eine Routine aufzubauen.

Dann traf kurz vor Mitternacht eine Nachricht über Facebook auf meinem Handy ein: „Wie gehts Dir?"

Ewig lange starrte ich die Zeile an mit pochendem Herzen, bevor ich zurückschrieb.

„Ganz schön scheiße."

„Ich schick Dir jeden Tag ein bisschen Kraft. Kommt sie an?", kam es gleich zurück.

„Ja. Nicht aufhören. Ich brauch noch viel davon. Danke Dir, Henry. Schlaf gut!"

„Du auch. Ich hör nicht auf.

Kurz durchzuckte mich der Reflex, den gesamten Nachrichtenstrang wieder zu löschen. Doch dann wurde mir bewusst: Das wachsame Auge war tot. Ich schwebte frei im endlosen Webspace und konnte mich dort verbinden, mit wem ich wollte.

Ich schickte einen Smiley zurück, tat niemandem weh dabei und schlief ein.

Lothar fehlte beim Montagsmeeting. Iris war da, schwebte aber in anderen Sphären, als wäre ihr jedes unserer Themen zu kleinteilig. Ungerührt drehte sie den Bändel ihres Projektplaners um den Finger. Ihr kurz geschnittenes, blondiertes Haar hatte sie lieblos mit Gel in einen einigermaßen dynamischen Stand gezwungen, doch es wollte sich unbedingt hinlegen. Der zu dick aufgetragene dunkelrote Lippenstift hatte auf die obere Zahnreihe abgefärbt. Iris war ein Bild des Jammers.

Felix Haas erzählte begeistert von den neuen Isopur-Kontakten. Klemm war ganz auf seiner Spur und sagte, dies seien Chancen, die man nicht vorbeiziehen lassen dürfe. Schmidt müsse endlich reaktionsfähiger werden.

Hatte ich richtig gehört? Das war doch ein eindeutiger Seitenhieb gegen Lothar und Theo!

Ich freute mich über die positive Grundstimmung in diesem Meeting, die nicht nur von Klemm und Haas, sondern auch von den Projektleitern ausging. Aufschwung lag in der Luft. Harter Einsatz ließ sich wieder in Umsatz verwandeln, in die magische Größe, hinter der sich die Teams gegenseitig auf die Schultern klopfen und zu unglaublich schlagkräftigen Geschwadern verbünden würden.

Es schien, als wollten sie alle die Begeisterung für den neuen Isopur-Angriff in mir zünden, wussten sie doch, wie sehr mein Herz an dem Projekt gehangen und wie viel Energie ich dort hineingepumpt hatte. Aber ich wurde nicht so richtig warm heute. Das Fehlen von Lothar störte mich mehr, als ich mir anfangs eingestehen wollte. Konnte er das hier wirklich mir überlassen? Sollte ich nicht immer fein die Klappe halten und an kleineren Rädchen drehen?

Am Ende stieg ich auf eine Reaktivierungsaktion der bestehenden Kunden und die Planung einer Neukundenkampagne ein, behielt mir aber vor, erst mit Lothar zu sprechen. Da wachte Iris plötzlich auf.

„In diesem Zusammenhang habe ich eine Mitteilung zu machen", ihre schwäbische Quäkstimme schwankte, war aber eiskalt. „Mein Mann ist bis auf Weiteres außer Dienst."

Der Raum stürzte in ein Klanggrab.

„Einzelheiten werden nicht bekannt gegeben. Nur so viel: Es hat eine Gesellschafterversammlung gegeben, die Lothar Schmidt seines Amtes enthoben hat. Früher oder später wird es einen Nachfolger geben. Vorerst ist die alleinige Geschäftsführerin Elisabeth Schmidt."

Ein knüppeldickes Fragezeichen stand auf einmal zwischen uns und lähmte jegliche Regung. Nur Klemm lehnte relativ entspannt in seinem Stuhl. Für ihn schien das keine Neuigkeit zu sein.

„Spannend, diese unglaubliche Sache auf diesem Wege zu erfahren", sagte ich schließlich. Und dann etwas lauter: „Die Sitzung ist beendet. Wir machen weiter wie besprochen. Nächsten Montag geht's um erste Ergebnisse. Schöne Woche Ihnen allen."

Ich blieb eisern sitzen und Iris auch. Sie wusste, dass ich sie jetzt sowieso überall hin verfolgen würde.

Sie blieb kalt, erzählte leise, konnte aber die Sehnsucht nach Trost, die aus ihren Sätzen herausklang, nicht verbergen.

Ob ich eigentlich wisse, wo sie Lothar kennengelernt habe vor fast fünfunddreißig Jahren, fragte sie.

Nein, wie sollte ich. Unser verwandtschaftliches Verhältnis war ja chronisch gestört gewesen.

Im Casino in Baden-Baden, klärte sie mich auf. Sie erzählte mir von der großen Welt, die sie dort gesucht und gefunden hatten, dem puren Leben: Einsatz, Aufstieg, Gewinn, Risiko.

Ich versuchte mir diese Kreise vorzustellen: mondäner Geldadel, Emporkömmlinge mit undurchschaubarer Vergangenheit und Industrieerben mit unverdientem Vermögen. Dazwischen Lothar und Iris? Dass sie sich dort wohlfühlten, wo sich alles um Geld und Elite drehte, konnte ich mir gut vorstellen. Aber das reine Glücksspiel war doch wohl nicht die Welt des biederen Ehepaars Schmidt!

„Ist Theo dort auch hingegangen?", fragte ich.

„Ein- oder zweimal. Aber er mochte es nicht. Weißt ja, Vergnügen fiel bei Theo unter Zeitverschwendung."

Vor ein paar Jahren habe Lothar wieder angefangen, regelmäßig seine Abende und Wochenenden im Casino zu verbringen. Sie selbst sei manchmal mitgegangen. Man habe wertvolle Kontakte knüpfen können, aber Lothar sei immer weniger an dem gesellschaftlichen Aspekt interessiert gewesen. Er habe einfach nur gespielt: Poker, Roulette, nicht mal für die Automaten sei er sich zu schade gewesen.

Ich war fassungslos. Lothar, der Pfennigfuchser?

„Ich kann mir nicht vorstellen, dass er dort viel riskiert hat", sagte ich, doch ich täuschte mich offenbar.

Während der guten Zeiten hatte Lothar die Gewinnausschüttungen aus der Firma als Spielgeld eingesetzt, denn das war Geld, das die beiden eigentlich nicht brauchten. Doch dann kam die Krise und es gab keine Ausschüttungen mehr. So hatte er das Haus beliehen. Dann auch seine Firmenanteile.

„Davon habe ich allerdings nie erfahren. Er hatte sein eigenes Konto, in das ich keinen Einblick hatte", fuhr Iris fort.

Lothar hatte Iris immer glaubhaft versichert, dass ihm beim Poker niemand etwas vormache und dass er immer mehr gewinne als verliere. Wer hätte von dem soliden Unternehmer dritter Generation auch irgendetwas anderes erwartet, als dass er seine Finanzen fest im Griff hatte?

„Bis Klemm dahinterkam, weil eine Bank, mit der die Firma nichts zu tun hat, ihn in eine Anteilsbewertung verwickelte. Das Casino hatte Lothars Suchtverhalten gemeldet und seine Banker bekamen kalte Füße."

Klemm habe sich verpflichtet gefühlt, Charlotte aufzuklären. Das war kurz vor Weihnachten gewesen. Mich habe er schlichtweg mit dem Thema verschonen wollen.

Thomas sei hier gewesen, um Lothar im Namen von Charlotte aufzufordern, seinen Geschäftsführerposten augenblicklich niederzulegen. Als Minderheitengesellschafter habe Lothar tun müssen, was die Mehrheit beschloss.

„Ich bin ja so froh, dass Theo das nicht mehr erleben musste." Selbst dieser finale Satz kam so monoton, als hätte meine Schwägerin ihn vor Wochen schon für mich auf Tonband aufgezeichnet.

An diesem Abend fuhr ich nach Hause und fühlte mich federleicht.

Hatten die Schmidt-Brüder meinen familiären Hintergrund und mein gelegentlich etwas haltloses Trinken nicht zur größten

Gefahr für den Clan hochstilisiert? Wie hatte sich Theo vor seinem Zwillingsbruder für mich geschämt, als mich die beiden aus dem Frankfurter Opernsaal hatten schleifen müssen, und wie schwer hatte mich das anschließend belastet! Dabei war mein unmögliches Benehmen aus der reinen Verzweiflung geboren, weil ich dem Beweisdruck, dass ich des Namens Schmidt würdig war, und den Erwartungen, die mir von allen Seiten die Luft abschnitten, sowieso niemals gerecht werden konnte - egal wie sittlich, fleißig, klug und konform ich mich zu verhalten bemühte. Wie unbarmherzig hatte ich mich selbst in Theos Idealbild von mir getrieben? Und doch war ich an dessen Unerreichbarkeit zerbrochen.

Ich schickte Lothar über das Universum ein großes Dankeschön für seine ruinösen Ausschweifungen. Jetzt war ich nicht mehr der dunkelste Flicken im Teppich. Und interessanterweise hing jetzt die Stabilität des Schmidt-Imperiums ausgerechnet an mir. Als ich in unsere Einfahrt einbog, hatte ich ein breites Grinsen auf dem Gesicht. Ich hatte das Bild vor Augen, wie Thomas in Lothars Büro gesessen und ihm seine Macht unter die Nase gerieben hatte. Theo musste sich im Grabe umgedreht haben. Doch er selbst hatte dieses Szenario möglich gemacht, indem er die Firma vor mir, der Tochter eines gescheiterten Spinners, hatte schützen wollen.

Mein Leben nahm Fahrt auf. Es war, als hätte man mir ein Geschwür entnommen, das mich in die Knie hatte zwingen wollen. Obwohl ich abends um fünf das Schmidt-Gebäude verließ, gelang es mir problemlos, das voranzutreiben, was jetzt wichtig war. Alle in meinem Team verstanden, dass ich mich um die Kinder kümmern musste. So einfach kann das Leben sein, dachte ich. Man muss nur seinen eigenen Plan haben. Sorry, Theo, aber der Frühling kommt, ich lebe, ich will nicht mehr kriechen, ich will aufrecht gehen, den Kopf in den sprießenden Baumkronen.

Ich hatte nicht einmal ein schlechtes Gewissen, als ich nach einem Abstimmungsgespräch bei Chinz einen wundervollen Abend mit Henry verbrachte. Mein Vater war zu Hause bei den Kindern. Henry führte mich aus, anschließend gingen wir in seine Wohnung und liebten uns. Ganz entspannt, ohne Panikattacken und ohne dass Henry beweisen musste, dass er der Liebhaber war, den ich brauchte. Er spürte, dass er es war. Doch er war nicht mein Freund, denn ich brauchte jetzt keinen Mann in meinem Leben. Ich liebte Henry auf eine Art, die mich mit dem Leben versöhnte. Auch er schien glücklich zu sein und sich an der Unverbindlichkeit unserer Liebe nicht zu stören.

Obwohl Kilian täglich seine Hausaufgaben in maximal fünfzehn Minuten aufs Papier schmierte - wenn überhaupt -, erhielt er eine Empfehlung fürs Gymnasium. „Kilian engagiert sich sehr in der Klasse und trägt mit seinem großen Wissensschatz zur aktiven Unterrichtsgestaltung bei", stand in der Mitteilung seiner Lehrerin. Ich nahm ihn stolz in den Arm, was in ein Gerangel ausartete. Seit Neuestem schien sich mein Sohn zu erwachsen zu sein, um von mir gedrückt oder auch nur berührt zu werden.

„Mein schlaues Bürschchen hat mal wieder mit großer Klappe überzeugt. Um dein späteres Berufsleben muss man sich keine Sorgen machen", lobte ich ihn.

„Mein späteres Berufsleben ist Chef!", posaunte er hinaus.

„Wo willst du denn Chef werden, Kilian. Etwa bei Schmidt? Dann musst du es aber mit mir aufnehmen."

„Niemals! Ich gründe einen Konzern für Solarenergie. Ich werde die ganze Welt umstellen. Dann wird es keine Klimakacke mehr geben!"

Sonnenenergie war derzeit sein Lieblingsthema. Er schaute sich jede Dokumentation dazu im Fernsehen an, googelte nach Solarpanels und wollte damit auch unser Haus ausstatten. Leider musste ich ihm sagen, dass wir uns große Umbauten derzeit nicht leisten konnten, versprach ihm aber, er könne, wenn er achtzehn sei, einen Antrag für ein entsprechendes Projekt bei

Papas Stiftung stellen. Er machte es zu seinem unumstößlichen Plan.

Darius bekam eine brüchige Stimme und wurde lethargisch. Manchmal machte ich mir Sorgen um seine innere Verfassung. Doch dann beobachtete ich ihn mit Nell, mit welcher Hingabe er ihr Wörter mit Umlauten diktierte, damit sie endlich lernte, Ü und Ö zu unterscheiden, und wie er sich freute, wenn sie drei Mal hintereinander ein fehlerfreies Wort geschrieben hatte. Er holte sich Seelenruhe, indem er für andere da war. Obwohl er noch so jung war, hatte er schon raus, dass das Kreisen um sich selbst nach unten führt.

Mir selbst krochen sie noch regelmäßig das Rückgrat hoch: die Selbstzweifel und die Angst, irgendetwas Wichtiges vergessen zu haben, nicht genügend Erfolgsdruck bei meinen Mitarbeitern aufzubauen, oder - noch schlimmer - bei mir selbst. Immer dann, wenn ich gerade alle viere von mir strecken wollte, erwischte es mich von links hinten. Dann machte ich es wie Darius: Ich führte ein aufmunterndes Mitarbeitergespräch, nahm mir extra viel Zeit, um mit Nell über einem Pflanzenbuch zu sitzen, oder ich rief meinen Vater an, um mit ihm Darius' Übungsplan oder Kilians plötzlich aufgetretene Schuppenflechte zu besprechen. Seine Beratung fiel immer sehr wortreich aus. Mein Vater bunkert über alles in der Welt ein Stück Fachwissen. Es dann auch anzubringen, gibt ihm Lebenssinn.

Zwei Monate nach Lothars Abgang wurde Dieter Klemm zum zweiten Geschäftsführer ernannt. Er war ein scharfer Rechner, der aber wusste, dass sich durch Zahlenschieben allein nichts bewegt.

„Ich halt dir die kleinen Quadrate vom Hals, Ellie, damit du frei denken kannst. Du bist die Kreative von uns beiden", sagte er bei unserem ersten Planungsgespräch vor versammelter Mannschaft.

Noch gut zwei Jahre, dann würde Anna als Verstärkung zu uns kommen. Sie machte gerade in Wien ihren Master in Material-

und Nanowissenschaften. Mit ihr würden wir die Führung des Bereichs Technologie und Innovation abdecken. In dieser Aufstellung würden wir alle unsere Märkte umwälzen.

Es war ein Tag Anfang Juni 2012. Ich kam bestens gelaunt ins Büro. Inzwischen war Facebook nicht mehr meine erste Adresse, wann immer ich meinen Mac hochgefahren hatte. Zuerst schaute ich mir die Klickraten unserer Online-Kampagnen an, die Views unserer Videos auf YouTube und die Analyse unserer Website-Besucher. Im zweiten Anlauf hatten wir nämlich unsere Isopur-Aktivitäten voll auf das digitale Zeitalter umgestellt. Henry und ich hatten spannende Clips gedreht, Anwender, Kunden und Entwickler interviewt. Die Isopur-Story war einzigartig und traf den Nerv der Zeit. Sie verbreitete sich viral auf der ganzen Welt. Das zu beobachten, war mein neues Hobby. Es gab mir das Gefühl, ich könnte alles reißen, wenn ich nur die richtigen Hebel in Bewegung setzte.

Nachdem ich die neuesten Statistiken gescannt hatte, klickte ich auf Facebook, um zu schauen, was sich auf unserer Seite getan hatte. Isopur näherte sich der Fünfzigtausendermarke bei der Anzahl der Follower. Die aktiven Bergsportler, die wir sponserten, fütterten unsere Chronik mit ihren Geschichten und die wurden wie verrückt geteilt.

Schließlich schaute ich, was meine Freunde so von sich gaben. Henry hatte ein Foto von einer Mountainbiketour durch den Südschwarzwald gepostet. Eine alte Mühle im Gegenlicht, dahinter plätscherte Wasser ins Tal. Die Sonnenstrahlen fingen sich im Spritzwasser. Ein echter Thiess. Ich klickte auf „gefällt mir" und browste weiter. Einige Minuten später kam die Meldung: „Joachim Färber gefällt Henry Thiess' Beitrag …" Mein Herz hüpfte vor Freude. Ich überlegte nicht lange, klickte auf seinen Namen und schickte ihm eine Freundschaftsanfrage.

Da klopfte es an der Tür und unser Empfangsmädchen Elena brachte ein großes dickes Kuvert, das per DHL eingetroffen war.

„Das hier geht an die Geschäftsführung. Möchten Sie es haben, Frau Becker-Schmidt?"

Als ich den Absender sah, setzte augenblicklich ein Alarm in meinem Kopf ein: Leroy & Pepper Law Group. Diesen Stempel kannte ich. Er hatte mich monatelang verfolgt. Beim Öffnen kam mir der gleiche gigantische Stapel an Papieren entgegen wie vor über einem Jahr, als Thermo Balance Inc. das erste Mal losgeschlagen hatte. Konnten die eigentlich nie Ruhe geben? Hatten nicht beide Seiten schon genügend Anwaltshonorare bezahlt?

Eine Stunde lang ignorierte ich mein klingelndes Telefon und all die eintreffenden E-Mails. Ich konnte nicht glauben, was ich da las. Thermo Balance versuchte uns den Vertrieb von Isopur in den USA und Kanada zu untersagen. Das Vorbenutzungsrecht, das in Europa gegriffen hatte, wurde uns auf dem Amerikanischen Kontinent streitig gemacht. Hier wollte eine Holding namens Microfibre Technologies die älteren Rechte haben. Es ging also alles wieder von vorne los.

Es war mir einfach zu gut gegangen. Der Frieden hatte zu lange gewährt. In meinem Leben war es mal wieder Zeit für einen Kampf.

Ich googelte Microfibre Technologies, um herauszufinden, mit wem ich es zu tun hatte. Die Firma saß in Seattle und hatte eine steinzeitlich gestaltete Website. Doch erstaunlicherweise stieß ich auf eine Menge Fachartikel über die herausragenden Entwicklungen von MFT. Es gab zahlreiche Sub-Marken mit professionellen Auftritten: Baustoffe, textile Membranen, Maschinenisolierung, Haushaltstücher etc. Ich staunte über die Deckungsgleichheit mit dem Schmidt-Programm. Einige Bereiche schienen mir deutlich fortschrittlicher zu sein.

Auf Seite vier bei Google fand ich einen Artikel aus dem Jahr 2008, in dem der MFT-Gründer zu brandneu entwickelten Solarenergie-Leitungen interviewt wurde, die mit einer besonders effizienten und umweltfreundlichen Isolierung ausgestattet waren. So ein geniales Produkt würde bei Schmidt wohl frühestens

Kilian einführen, wenn er sich denn herablassen würde, seine weltverändernden Ideen hier einzubringen.

Der Mikrofaser-Pionier Alex Silonka sei Anfang der Neunziger aus Deutschland eingewandert, las ich. Seine Familie war seit Generationen im Bereich der Mikrofasertechnologie führend.

Alex Silonka? Den Nachnamen hatte ich schon mal gehört. Doch mir fiel nicht mehr ein, in welchem Zusammenhang. Ich googelte immer fieberhafter, fand aber im gesamten weltweiten Netz kein Bild von ihm. Nach kurzer Überlegung rannte ich los, drei Stockwerke nach unten zum Empfang.

„Elena, ich brauche den Schlüssel zum Archiv."

In dem dunklen, verstaubten Kellerraum standen endlose Reihen mächtiger Metallschränke. Ich arbeitete mich durch Aktenordner und Hängeregister, immer weiter zurück in der Zeit. Hätte mich jemand gefragt, was ich genau suchte, hätte ich nur sagen können: Irgendetwas, worauf dieser Name steht.

Es muss gegen Mittag gewesen sein, als mir ein paar Zeitungsartikel aus den Sechzigern in die Hände fielen. Einen nach dem anderen zog ich aus der Mappe, bis ich auf einen Artikel stieß mit der Schlagzeile: „Nachwuchs im Hause Schmidt".

Albrecht und Liesel waren zu sehen, beide deutlich über vierzig. Liesel hielt ein Bündel im Arm. Die Bildunterschrift lautete:

„Heilbronner Textilunternehmer Albrecht Schmidt und Frau Elisabeth Schmidt, geborene Silonka, freuen sich über die Geburt ihres jüngsten Sohnes Matthias Alexander."

Völlig erschöpft sank ich auf den Boden. Ich hatte unseren Peiniger identifiziert.

Alex

Meine rechte Klavierhand wollte, dass ich lospreschte, Klemm informierte, die Anwälte kontaktierte, Sitzungen einberief. Aber meine Linke hielt mich davon ab. Tief in mir erklang nur ein Wunsch: mit Matthias in Verbindung zu treten.

Am Abend, als die Kinder in ihren Zimmern verschwunden waren, legte ich mich mit meinem Laptop ins Bett und schrieb an service@mft.com mit der Betreffzeile: Personal message for Mr. Alex Silonka, please forward. Dann fuhr ich in deutscher Sprache fort:

Lieber Herr Silonka,

heute erreichte mich das Schreiben Ihrer Anwälte bezüglich unserer angeblichen Patentverletzung durch Isopur auf dem nordamerikanischen Markt. Bei einer anschließenden Recherche fand ich Ihren Namen in Verbindung mit MFT. Bevor wir weiter prozessieren, sollten Sie erfahren, dass Sie mit Ihrer Klage insbesondere Ihrer Schwester Charlotte schaden werden. Wie Sie vielleicht gelesen haben, ist mein Mann, Ihr Bruder Theo, vor acht Monaten verstorben. Charlotte hält seine Anteile, bis unsere Kinder erwachsen sind, sie ist also Mehrheitsgesellschafterin.

Ehe unsere Anwälte wieder ein kleines Vermögen verdienen, könnten wir doch vielleicht persönlich verhandeln. Ich würde gerne erfahren, was Sie bewegt. Vielleicht können wir Territorien abstecken. Da ich Ihren Bruch mit Ihrer Familie respektiere, werde ich weder Ihre Schwester noch unsere Schwägerin Iris informieren. Lothar befindet sich derzeit in einer Kur. Bitte geben Sie mir Bescheid, ob Sie zu einem Gespräch bereit sind. Ich würde mich sehr freuen.

Ihre Elisabeth Becker-Schmidt

Meine Finger zitterten, als ich auf „senden“ klickte. Ich zweifelte an meinem Alleingang. Durfte ich überhaupt entscheiden, wie zu operieren war? Um Mitternacht rechnete ich aus, dass es in Seattle drei Uhr nachmittags war. Ob er meine Nachricht schon erhalten hatte? In den nächsten zwei Stunden blickte ich immer wieder auf mein Handy in den Posteingang, doch es tat sich nichts. Schließlich überließ ich die Angelegenheit dem Universum und schlief ein.

Der Morgen war hektisch. Nach nur wenigen Stunden Schlaf wachte ich viel zu spät auf. Darius war schon in der Schule. Kilian hatte die erste Stunde verpasst. Ich drückte ihm und Nell als Frühstück eine Banane und einen Riegel in die Hand und schickte sie los. Dann stürzte ich ungeduscht aus dem Haus. Ich nutzte die erste Ampel am Stadtrand von Heilbronn, um meine E-Mails zu checken. Aus den USA war nichts zurückgekommen. Bei der nächsten Ampel schaute ich auf Facebook. „Guten Morgen, meine Hübsche, wie fängt er an, dein Tag? Ich wünsch dir Spaß!", schrieb Henry. Das machte mich munter. Doch dann fiel mir Joachim ein. Er hatte meine Anfrage nicht bestätigt. Wie hatte ich auch so forsch sein können, ihn zu kontaktieren? Ich hätte ihn in Ruhe lassen sollen. Statt der Freude über Henrys lieben Gruß blieb der bittere Nachgeschmack von Joachims Zurückweisung. Als ich durch die Eingangstüre bei Schmidt raste, dachte ich immer noch daran.

„Frau Schmidt, da war grad ein Anruf für Sie aus Amerika!", empfing mich Elena in teeniehafter Aufregung. „Sie sollen aber nicht zurückrufen sagte der Mann, es ist jetzt Nacht dort. Erst in zehn Stunden."

„Wer war das?"

„Er hat nur eine Firma genannt. Außerdem hat er so was von undeutlich gesprochen!"

Sie reichte mir einen Zettel: „MFT" und eine Nummer. „In 10 Stunden anrufen", stand darunter. Elena hatte artig noch ausgerechnet „19.00 Uhr".

Was wird er wohl über mich wissen, fragte ich mich. Ich googelte meinen Namen und klickte mich durch die Suchergebnisse.

„Elisabeth Becker-Schmidt. Internationale Markensteuerung 2.0." Das war mein Vortrag auf den Medientagen 2009 in München gewesen. Ein Bild zeigte mich mit Theo, der mir die Gelegenheit verschafft hatte, mich in der Marketingwelt als Internetexpertin zu positionieren. Wir standen vor dem Veranstaltungsposter und er legte mir stolz einen Arm um die Hüfte. Ich sah gut aus in einem vanillefarbenen Kostüm mit aufgesteckten Haaren und Perlen im Ohr.

„Elisabeth Becker-Schmidt führt Traditionsunternehmen auf neues Terrain. Warum die Geschäftsführerin der Schmidt-Werke sich mit einer Produkteinführung aufs Glatteis begibt." Das war ein Interview in der Werbe-Welt aus dem Herbst 2010. Auf dem Foto war ich mit den Kapplers von Chinz zu sehen. Ich trug die sportliche Schmidt-Jacke und Jeans. Man sah, dass ich mich wohlfühlte. Im Text sprach ich von den Widerständen, die ich betriebsintern hatte überwinden müssen, von Herausforderungen, die wie eine Frischzellenkur auf die Strukturen des alteingesessenen Unternehmens gewirkt hätten. Ich erzählte, dass ich mir im Marketing meine Sporen verdient und eine Leidenschaft für digitale Medien hätte, und berichtete schließlich von meiner erfolgreichen Zusammenarbeit mit der Agentur Chinz.

Als Nächstes klickte ich auf einen Artikel der Zeitschrift „Seasons": „Patentstreit gefährdet Zukunft der Thermofaser Isopur". Lothar und ich, wie wir im August 2011 vor dem Schmidt-Gebäude standen, beide stocksteif, ich in grauer Kombi, die an mir hing wie ein Sträflingsanzug. Ich war leergelaufen und funktionierte nur noch auf Autopilot. Man konnte das aus meinen ausdruckslosen Augen lesen, die keine Richtung annehmen wollten.

Der fünfte Eintrag stammte ebenfalls aus dem letzten August und zeigte mich und den um Jahrzehnte gealterten Theo mit Darius in unserer Mitte. Unser Sohn überstrahlte uns mit Jugend und Eleganz. Er trug ein kurzärmeliges, dunkelblaues Hemd und eine weiße Fliege. So war er bei der Musikschulvorführung in der Kilianskirche aufgetreten, hatte Geiger und Trompeter begleitet und schließlich den ersten Teil von Beethovens Mondscheinsonate vorgetragen. Peter hatte Tag für Tag mit ihm am Klavier gesessen, um jede einzelne Passage auszufeilen. Er hatte ihm die Freiheit des dramatischen Punktierens gelassen, und es war gerade dieser Eigensinn, der ein passives Zuhören unmöglich gemacht hatte. Mein Mann hatte die Tränen zurückhalten können, ich nicht. Ich hatte mich von Darius' wunderschönem Anschlag zurücktragen lassen in unser Mosbacher Haus unters Dach, wo ich gespielt hatte, während Theo unten am Feuer saß. Damals hatte ich schon gespürt, dass das Kind in meinem Bauch die Musik inhalierte und in seinen wachsenden Zellen verbaute.

Das Foto war nach dem Konzert von der Lokalpresse gemacht worden. Stolz legten wir beide unserem Sohn den Arm um die Schultern. Er stand pfeilgerade da, voller Stolz und Vorfreude auf das, was ihm das Leben an solch großen Momenten noch bescheren würde. Es sah fast so aus, als würden Theo und ich uns an ihm festhalten, um dem Tod zu entrinnen. „Das Unternehmerehepaar Elisabeth Becker-Schmidt und Theo Schmidt mit ihrem Sohn Darius, der als vielversprechender Nachwuchspianist das Publikum begeisterte", stand unter dem Bild.

Ich googelte auch nach Theo und Lothar und war erleichtert, dass Lothars Rücktritt und sein Aufenthalt in einer Brandenburger Klinik auf einen Burn-out zurückgeführt wurden, was einzig und allein Klemms guter Öffentlichkeitsarbeit zu verdanken war. Theo hatte eine so reine Weste gehabt, dass es nur Gutes über ihn zu recherchieren gab. Seinen einzigen Schandfleck hatte er geheiratet.

Ich fuhr früh nach Hause und telefonierte auf der Heimfahrt mit Henry. Er wollte wissen, wann wir uns wiedersehen würden. Ich schlug vor, dass er doch mal zu mir nach Erlenbach kommen könne, doch er lehnte ab. Er wollte nicht in dem gleichen Haus mit mir zusammen sein, in dem ich mit Theo gelebt hatte. Ich bemühte mich, das zu verstehen, und musste an Charlottes Worte denken: Sie wollen dich aus deiner Vergangenheit herauslösen und dein großes, reines Herz soll mitkommen. Glaubte Henry tatsächlich, meine Jahre mit Theo von mir abziehen zu können? Wir planten, uns in der kommenden Woche beide, einen Tag freizunehmen. Wir würden in die Pfalz fahren, wandern und Wein trinken.

Die Zeit, die ich mit Henry verbrachte, war von meinem restlichen Leben völlig abgespalten. Ich merkte, dass er es nicht gut verkraften konnte, wenn ich ihm aus meiner Vergangenheit oder von meinen Kindern erzählte. Und es lag mir fern, ihm das aufzudrängen. Schließlich lag ein gewisser Trost in unserer Realitätsflucht. Wenn wir zusammen waren, erzählte Henry vom Fotografieren, von Mountainbiketouren und von Freunden und deren Beziehungen. Oft sagte er Dinge wie: „Den musst du mal kennenlernen", „So wie die werden wir das nicht machen", „Lass uns doch auch einen alten Bauernhof in der Pfalz kaufen". Doch ich kam nicht dahinter, wo in seinen Ideen er meine Kinder unterbrachte.

Wurde ich mal schwach und erzählte ihm, dass ich manchmal noch zusammenzuckte, wenn abends unser Festnetzanschluss läutete, weil ich kurz dachte, dass Theo anriefe, um mich zu fragen, wie mein Tag gelaufen sei, dann redete er mir ins Gewissen: „Du musst dich endlich von dem, was gewesen ist, lösen, Ellie. Du hast noch ein Leben vor dir."

War ihm eigentlich klar, dass ein Teil meines hoffentlich erfüllten Lebens meinen Kindern gewidmet sein und Theo immer ihr Vater bleiben würde? Mein verstorbener Mann würde aus meiner Familie niemals ganz verschwinden.

Anstatt weiter darüber nachzudenken, hielt ich die beiden Hemisphären - mein Liebesleben und mein Mutterdasein - weiterhin sauber auseinander.

Beim Abendessen erklärte ich den Kindern, dass ich um sieben Uhr ein wichtiges Gespräch mit einer Firma in Seattle führen müsse und sie deshalb das Kücheaufräumen übernehmen müssten.

„Wollen die eure Isopur-Faser kaufen?", fragte Kilian.

„Nein, Kilian, die wollen verhindern, dass wir sie verkaufen, und zwar in USA und Kanada."

„Ach, die schon wieder!"

Zum Telefonieren ging ich ins Schlafzimmer.

„Alex speaking", meldete er sich dynamisch und sehr amerikanisch.

„Ellie Becker-Schmidt calling from Germany", antwortete ich.

„Ja! Pünktlich. Wie geht es Ihnen?", fragte er vergnügt und mit deutlichem Akzent.

„Mir geht es gut. Hab mich sehr gefreut über Ihre Rückmeldung. Ist es okay, wenn wir deutsch sprechen?"

„Natürlich. Sprechen Sie los."

Verunsichert durch seine frontale Freundlichkeit wusste ich nicht mehr, wo ich anfangen sollte.

„Sie möchten verhandeln, ohne Anwalt, wenn ich das richtig verstanden habe?", half er mir auf die Sprünge.

„Eigentlich möchte ich Sie erst mal kennenlernen", gab ich zu.

„Das wird nichts ändern daran, dass wir unterschiedliche Interessen verfolgen", belehrte er mich.

„Was sind Ihre Interessen, Alex?"

„Ich möchte mein Produkt schützen. Die Thermofaser im Outdoorsektor gehört mir, und ich werde meinen Markt verteidigen, ob euch das da drüben gefällt oder nicht."

„Kann es sein, dass das ein Rachefeldzug ist gegen Ihre Familie?"

„Es ist nicht meine Familie. Ich habe da keine Gefühle."

„Ihre Schwester vermisst Sie sehr, Alex. Sie ist seit fünfundzwanzig Jahren auf der Suche nach Ihnen."

„Meine Schwester hat sich damals auf die Seite ihres Vaters gestellt – gegen mich. Ich weiß ja nicht, ob Sie die Geschichte kennen?"

„Charlotte hat sie mir erzählt."

„Ich habe das nicht verstanden, denn es ging ja um unsere Mutter. Aber sie hat sich so entschieden."

„Wir haben ganz ähnliche Schicksale", sagte ich. „Auch ich bin entrechtet worden und Charlotte hat mitgemacht."

„Aha. Da sehen Sie. Warum sind Sie noch dort? Sie sind doch eine erfolgreiche Frau, Sie könnten etwas Sinnvolleres tun."

„Das ist nicht so einfach, ich habe drei Kinder und brauche Sicherheit. Ich bin nicht entschädigt worden so wie Sie."

„Oh je. Ich ahne nichts Gutes. Hört sich an, als wären Sie einem Schlitzohr namens Schmidt ins Netz gegangen. Bestimmt haben Sie irgendeinen Vertrag unterschrieben."

Dieser Treffer verschlug mir die Sprache.

„Elizabeth, ich mache dir jetzt einen Vorschlag." Er sprach meinen Namen englisch aus und ließ eine rhetorische Pause, bevor er mit geballter Autorität anordnete: „Komm nach Seattle, dann können wir reden. So lange halte ich meine Hunde zurück."

Jetzt sagten wir erst mal beide nichts mehr. Das Tempo unseres Dialogs schien uns gleichermaßen zu überfordern.

„Ist es dir das wert?", hakte er nach.

„Okay", sagte ich vorsichtig. „Ich bringe jetzt meine Kinder ins Bett und denke darüber nach. Die Idee gefällt mir gut. Ich weiß nur noch nicht, wie ich das als alleinerziehende Mutter organisieren soll."

„Charlotte hilft dir sicher."

„Ich verkehre nicht mehr mit ihr", klärte ich ihn auf.

„Aha. Das klingt ja schon wieder vertraut."

„Pfeif deine Hunde zurück, Alex. Ich melde mich in zwei Tagen", versprach ich.

Wir legten auf und ich starrte ungläubig aus dem Fenster ins rosafarbene Dämmerlicht des Abends. Matthias war ein erstaunlich direkter, supercharmanter Typ und ein Schnelldenker dazu.

Sekunden später schlich sich Kilian herein. „Mama, du hast ja Du gesagt zu dem Mann. Kennst du ihn?"

„Nein, das machen die in Amerika so. Hast du etwa gelauscht?"

„Neee. Ich hab nur gehört: Pfeif deine Hunde zurück, Alex."

„Er will mit mir verhandeln. Ich muss nach Seattle."

„Jaa! Ich komm mit!", sagte er aufgeregt. „Papa hat gesagt, ich soll auf dich aufpassen."

„Das hat er zu dir gesagt?"

Kilian nickte und ich staunte.

Am nächsten Tag ging ich zu Klemm, brachte ihm die Anklageschrift von Leroy & Pepper und erzählte ihm von meinem Telefonat. Die verwandtschaftlichen Verhältnisse zum Inhaber der Holding MFT behielt ich für mich.

„Du meinst wirklich, du kannst verhindern, dass sie weiter in der Sache vorgehen?", fragte er kopfschüttelnd.

„Der Flug nach Seattle und ein drei- bis viertägiger Aufenthalt kosten nur einen Bruchteil dessen, was wir schon in der ersten Runde für unsere Anwälte bezahlen würden. Also lass es mich bitte versuchen, Dieter. Wir haben genügend Asse im Ärmel. Wenn MFT uns aus Nordamerika vertreibt, dann vertreiben wir sie eben aus dem Rest der Welt. Aber vielleicht muss es gar nicht derart eskalieren."

„Wenn es sich um Ausgaben über fünftausend Euro handelt, muss ich das mit den Inhabern besprechen."

„Gut, dann werde ich alles, was darüber hinausgehen sollte, aus eigener Tasche bezahlen", entgegnete ich entschlossen.

„Tut dir vielleicht auch mal gut, so eine Reise, Ellie."

„Tut mir ganz sicher gut", versicherte ich ihm.

Wenn ich schon mal im weiten Westen war, wollte ich mich dort auch umsehen, also buchte ich eine ganze Woche. Mein Vater, Marion und ich puzzelten die Kinderbetreuung zusammen. Ich wollte nicht, dass mein Vater auf seine Routine verzichten musste. Zum Glück übernahm Marion Sonderschichten. Am Sonntag, dem siebzehnten Juni, würde ich losfliegen und wäre einen Tag vor Darius' Geburtstag, am fünfundzwanzigsten, wieder da.

Den Anflug auf Seattle werde ich nie vergessen. Die späte Nachmittagssonne fing sich in den gläsernen Giganten. Mount Rainier schwebte wie ein Geisterbild am Horizont. Die Highways wanden sich mit überirdischer Eleganz um die Stadt und legten sich dann wieder schnurgerade über das funkelnde Wasser. Da mitten drin würde ich landen, in einer delikaten Offenheit der Ereignisse. Ich blickte von oben in die Straßenschluchten und wusste, dass ich dort Glück finden würde. Das Glück des am Alltagsgeschehen Unbeteiligten, des Sehnsüchtigen, der sich in das Leben der Stadt hineinprojiziert. Endlich losgelassen und weit weg von meinen eigenen Abgründen. Am liebsten hätte ich mich gleich hinuntergestürzt.

Als ich im Hotel ankam, wurde es schon dunkel und ich war hundemüde. Doch ich wollte unbedingt noch los. Ich hatte ein kleines Hotel gebucht, dessen Website versprach: Walk to everything. Also holte ich mir eine Karte an der Rezeption und drehte eine Orientierungsrunde, erst in Richtung Wasser, dann zum Public Market und durch die kleinen Gässchen mit den hübschen Cafeterias, Restaurants und Shops. Jeder Quadratmeter war bevölkert. Die Menschen hinter den Fenstern hielten Weingläser in der Hand und aßen Austern. Die Luft war leicht und salzig. Morgen würde ich einen langen, ungestörten Tag hier verbringen, das Treffen mit Alex war erst für Dienstag geplant. Durch ein Glas rubinroten Wein blickte ich auf das Riesenrad im Waterfront Park und spürte, wie mir die Jahrmarktsstimmung aus Kindertagen im Bauch kribbelte.

Zum Glück war ich zu müde, um zu denken, als ich schließlich in meinem samtig weichen Queensize-Bett lag. Ich schlief sofort ein. Doch ich wachte um drei Uhr morgens wieder auf und dann legte er los, mein Kopf.

Kurz vor meiner Abreise hatte ich Henry nach Erlenbach eingeladen. Es war unmöglich gewesen, mir in der verbleibenden Zeit bis zu meinem Aufbruch einen Tag freizunehmen. Natürlich war er enttäuscht gewesen, denn er hatte seinerseits schon alles arrangiert gehabt. Doch ich erklärte ihm die Dringlichkeit meiner Reise, es ging schließlich um mein Lebensprojekt, und ich hatte vorher einfach zu viel zu erledigen. Es gab nur eine Möglichkeit, uns noch zu sehen, nämlich bei mir zu Hause. So gelang es mir, ihn dafür zu gewinnen, einen Abend mit mir und den Kindern zu verbringen.

„Es schadet doch nichts, wenn ihr euch mal kennenlernt."

Also kam er am frühen Freitagabend. Er brachte alle Zutaten für Flammkuchen mit und nahm unsere Küche in Beschlag. Das war der beste Eisbrecher bei Nell, die ihm eifrig beim Belegen half. Darius kam nicht aus seinem Zimmer, bis wir ihn zum Essen riefen. Kilian war auf dem Skateplatz. Als er schließlich dazukam, saßen wir schon längst am Tisch. Er zeigte er sich von seiner besten Seite: „Du bist doch der Fotograf aus Karlsruhe." Sein Cap mit dem riesigen Schild hatte er tief ins Gesicht gezogen und blickte abschätzend darunter hervor. „Was bringt dich denn zu uns?"

„Eine Einladung deiner Mutter", klärte Henry ihn auf.

„Henry ist nicht nur der Fotograf, Kilian, sondern der Erfinder unserer Isopur-Kampagne. Nimm bitte die Mütze ab zum Essen", bat ich ihn.

Natürlich ließ er sie auf, aber ich wollte keinen Stress machen.

Die Unterhaltung, die vor Kilians Eintreffen gerade einigermaßen in Gang gekommen war, verstummte, bis er gegessen hatte, dann ließ er uns wissen: „Hab schon bessere Flammkuchen gegessen."

„Jetzt reicht's, Kilian, verschwinde!", platzte mir der Kragen.

„Gern", entgegnete er und machte sich ohne Eile davon in sein Zimmer.

In der ungastlichen Atmosphäre, die er zurückließ, war es klar, dass Darius sich auch nicht lange halten ließ. Wenigstens räumte er noch die Teller in die Küche. Auf meine Bitte, uns doch noch etwas auf dem Flügel vorzuspielen, schüttelte er nur unbeteiligt den Kopf.

Nell kroch auf meinen Schoß und bewegte sich dort nicht mehr von der Stelle. Henry war so feinfühlig und räumte auf, während ich meine verstörte Tochter im Arm hielt. Anschließend konnten wir sie überreden, wieder auf ihrem eigenen Stuhl Platz zu nehmen, indem wir ihr eine Kniffel-Partie vorschlugen. Wir spielten, bis sie zu müde war, um aufrecht zu sitzen, dann brachte ich sie ins Bett.

Jetzt konnten wir zwar in Ruhe ein Glas Wein trinken, doch allein die Anwesenheit meiner Kinder im Haus machte mir jegliche Intimität unmöglich. Als ich Henry nach Mitternacht zum Auto brachte, gab ich ihm einen verstohlenen Kuss und entschuldigte mich für das Debakel.

„Nell war doch ganz locker", tröstete er mich. „Das ist ja schon mal ein Anfang."

Am nächsten Tag ließ ich Kilian links liegen. Er zog weiterhin die Macho-Nummer ab. Fast so wie früher, wenn Theo mit seiner Aktentasche hinausgelaufen war und ich seinen Benz hatte davon rollen hören, atmete ich erleichtert auf, als mein Sohn mit seinem Skateboard unter dem Arm aus der Tür war. Ich hatte also immer noch so einen Apostel im Haus, der seine Vorstellungen von Richtig und Falsch über alle verhängte und sie mit seinem Missmut so lange manipulierte, bis sie es leid waren, Widerstand zu leisten.

Als ich am Samstagabend meinen Koffer packte, ging Kilians Feldzug in konkrete Aktion über. Er kam zu mir ins Schlafzimmer und setzte sich aufs Bett.

„Du wolltest mich doch mitnehmen", begann er.

„Kein einziges Mal habe ich gesagt, dass ich dich mitnehmen werde, Kilian. Das mag deine Idee gewesen sein, aber sicher nicht meine."

„Aber ich hab den Auftrag, auf dich aufzupassen", fuhr er fort.

„Nicht von mir. Ich pass am liebsten auf mich selbst auf."

„Papa hat gesagt, du wirst wahrscheinlich auf die falschen Männer reinfallen. Diesen Henry konnte er übrigens nicht leiden."

„Er kannte ihn gar nicht, Kilian."

„Nein, das nicht. Aber ich hab ihm erzählt, dass du damals in Karlsruhe die halbe Nacht mit dem Kerl verbracht hast."

„Was? Da haben wir gearbeitet!"

„Hab ja auch nichts anderes erzählt. Nur dass du bis elf dort warst."

Da setzte ich mich zu ihm aufs Bett.

„Jetzt hör mal zu, mein Kleiner. Hast du dir schon mal überlegt, in was für ein schlechtes Licht du mich da gerückt hast?"

„Warum war der Typ denn gestern da, wenn ihr nichts am Laufen habt?"

„Ich bin eine alleinstehende Frau und egal mit wem ich befreundet bin oder mich in Zukunft befreunden werde, ich werde dich nicht um deine Meinung fragen, Kilian. Und wenn hier einer in diesem Haus entscheidet, wer zum Abendessen kommt und wer nicht, dann bin ich das. Du bist hier das Kind. Ab ins Bett mit dir."

In meinem Hotelbett hämmerte mir die wummernde Klimaanlage immer wieder Kilians Sätze in den Kopf: „... die halbe Nacht mit dem Kerl verbracht ..." Diese Wortwahl klang nach Theo. Wie war es wohl zu diesem Gespräch gekommen? Hatte er Kilian etwa über mich ausgefragt? War es tatsächlich mein eigener Sohn gewesen, der Theo so misstrauisch gegen mich gestimmt hatte? Mir wurde klar, dass ich Charlotte unrecht getan haben könnte. Seit ihrer Kindheit war sie diejenige in der Familie gewesen, die immer alles getan hatte, um alle Parteien friedlich zu stimmen. Auch zwischen mir und Theo hatte sie oft vermittelt. Hätte sie wirklich jemals verraten, was ich ihr anvertraut hatte?

Den Kopf voller aufgescheuchter Ameisen schlief ich doch wieder ein und träumte von Theo. Er saß drüben auf dem bunt gemusterten Ohrensessel am Fenster und sprach in seinem pastoralen Tenor auf mich ein: „Es ist besser, du lässt ihn kommen, Ellie. Geh nicht in die Rolle des Antragstellers. Solche Leute riechen Angst. Und denk dran: Wir reden nicht darüber, dass Nell blaue Augen hat. Es ist auch besser, wenn wir nicht über Martina reden.“

Als ich aufwachte, freute ich mich, dass es acht Uhr war und ich ausgeschlafen aus dem Bett springen konnte. Mein erster Gedanke war der Coffeeshop an der Ecke mit dem wunderbaren Kaffeeduft und den leckeren Muffins in der Auslage.

Theos Worte kamen häppchenweise im Laufe des Tages zurück. Doch ich schickte die dunklen Spukgestalten auf dem Seeweg zurück nach Deutschland, auf dass sie dort niemals ankommen würden. Voller neu erwachter Lebensfreude wirbelte ich durch die Straßen und Märkte und konnte gar nicht genügend amerikanische Subkultur einatmen. Schließlich geriet ich in eine kleine Boutique und kaufte mir für meinen Tag bei MFT einen graublauen Blazer, hellbraune Wildlederstiefel mit Schaft bis übers Knie und eine enge, schwarze Samthose. Im Spiegel der Umkleidekabine fand ich mich unwiderstehlich.

Am nächsten Morgen fuhr ich mit dem Taxi in die 4th Avenue aufs Firmengelände. Es waren trotz Berufsverkehr nur knappe zwanzig Minuten Fahrt vom Hotel und ich war viel zu früh dran. Macht ja nichts, dachte ich erst, ich kann mir ja noch die Füße vertreten. Doch ich stand inmitten schmutzweißer Schachtelgebäude und riesiger Parkplätze. Außer ein paar Billboards und Fastfoodkettenlogos ragte nichts aus dem Meer von Autos und Flachdächern. Ein Spaziergang hier schien völlig absurd. Also betrat ich die Schachtel vor mir in Richtung „Front Desk“ und erklärte der stark geschminkten, alterslosen Dame hinter dem Tresen, dass ich die Fahrtzeit hierher überschätzt hätte und deshalb eine halbe Stunde zu früh dran sei. Sie überschüttete mich mit Freundlichkeit und meinte, das sei doch mal was Neues, ihr Chef komme immer nur zu spät. Sie brachte mich in einen „meeting room“, der noch liebloser eingerichtet war als die Besprechungsräume bei Schmidt in Heilbronn, und versorgte mich mit wässrigem Kaffee. Dann hörte ich fast eine Stunde lang nichts mehr.

Schließlich klopfte es kurz und heftig an der Tür und ein Herr trat ein, der nicht aussah, als wäre er Matthias Schmidt. Er war zu alt und zu gestaucht in der Gestalt. Er stellte sich als Lionel Thomiak vor. Vice President Finance stand auf seiner Karte. Mister Silonka habe noch andere Termine. Thomiak begann, mir die Entschlossenheit von MFT zu erläutern, kein Konkurrenzprodukt aus Deutschland mit der gleichen Technologie auf ihren Heimatmärkten zu dulden. Wir hätten wohl in Europa den Patentstreit gewonnen, aber den Rest der Welt gelte es noch auszukämpfen. MFT sei kein Unternehmen, das eine Auseinandersetzung verlöre. Das wäre das erste Mal.

Ich sagte ihm, ich sei nicht um den halben Globus gereist, um gleich in der ersten Gesprächsminute eine Kampfansage zu bekommen, sondern um eine Strategie in Betracht zu ziehen, bei der wir uns nicht in die Quere kommen würden. Schließlich gehe es hier nicht nur um Technologie, sondern um die Marken, die man in allen Märkten der Welt sauber nebeneinander stellen könne, sodass jede ihre Zielrichtung habe. So könne Thermo Balance vielleicht sogar in Europa vertrieben werden. Aber wir könnten natürlich auch gleich wieder die Geschütze auffahren.

„Your call", schloss ich ab.

Er wollte wissen, seit wann die Deutschen so harmoniebedürftig seien. Sein Chef sei zwar auch aus Germany, aber er glaube nicht, dass der sich auf so einen Kuschelkurs einlassen werde, vielmehr bezeichnete Thomiak meinen Vorschlag als „girly approach".

Wo war der Phantomchef überhaupt? Warum lud er mich ein und überließ mich dann seinem Executor? Ich war stinksauer, nahm meine Tasche vom Stuhl, streckte Thomiak eine Hand hin und sagte: „Nice meeting you." Dann lief ich zum „Front Desk" und bat die nette Lady, mir ein Taxi zu rufen. Draußen vor der Tür lief ich wütend hin und her, versuchte ruhig zu atmen und erklärte meinen Stiefelspitzen, dass dieses Kaspertheater hier gänzlich unter meiner Würde sei. Da fuhr eine weiße Limousine vor und aus der hinteren Tür sprang ein sportlicher Typ in Nike

Turnschuhen und mit Tweedmütze auf dem Kopf. Ich erkannte ihn nicht nur an den Augen, als er auf mich zulief, sondern auch an Theos verschmitztem Lächeln.

„Hey, Liz, sorry I'm late."

„Hey, Alex, sorry I'm leaving", gab ich zurück.

„Hat dich mein Bluthund verjagt?"

„Yep."

Da drückte er mich brüderlich, legte mir einen Arm um die Schultern, als stünde ich ab jetzt unter seinem persönlichen Schutz, und führte mich wieder ins Gebäude.

Das Glück der Blauäugigen

„Was hatten wir jetzt eigentlich besprochen bezüglich der Patente?“, warf Alex über den Tisch, auf dem die leeren Austern darauf warteten, abgeräumt zu werden, damit Platz war für den nächsten Gang. Darauf konnte ich ihm nur mein Weinglas hinhalten und antworten: „Wir kämpfen einfach, wie es sich gehört, mit den Mitteln des Marketings um Marktanteile. Cheers!“

„Aber nur unter einer Bedingung“, er kniff ein Auge zu, mit dem anderen blickte er durch sein Glas. „Dass du den Leuten in meiner Agentur mal zeigst, wie das geht. Die verbraten nämlich nur Budgets, aber von einer Wirkung spüre ich zu wenig.“

„Und im Gegenzug hilfst du unserer Entwicklungsabteilung mal auf die Füße“, schlug ich vor.

„Mann, Ellie. Wenn wir beide am gleichen Ende ziehen würden, wären wir nicht zu schlagen.“

Tatsächlich hatten wir das Thema, das unsere Anwälte beschäftige, den ganzen Tag nicht berührt. Alex hielt sich nicht mit den Problemen seiner Angestellten auf. Es schien, als wäre er immer schon ein paar Schritte voraus, während die Arbeitsbienen hinter ihm die Strukturen schufen und aufrechterhielten.

Am Morgen war ihm ein Anruf aus der Schweiz dazwischengekommen. Dort forschte ein Team für ihn an einer neuen Lycra-Faser mit Kühleffekt.

Ob ich wisse, dass Frauen in den USA im Schnitt ein Prozent ihres Nettoeinkommens für Yoga-Wear ausgäben, Tendenz steigend, hatte er mich gefragt, anstatt sich für sein Zuspätkommen zu entschuldigen. Dieser Trend werde sich bald auf der ganzen Welt ausbreiten. Und er, Alex Silonka, hätte dann das beste Material.

„Aber du bist ja meine Konkurrenz, deswegen darf ich dir das eigentlich gar nicht erzählen“, beeilte er sich anzufügen.

„Du magst vielleicht das Material haben, um die Damenwelt zu erobern. Aber die Manieren hast du nicht“, entgegnete ich.

„Jetzt hab ich den ganzen Tag Zeit für dich", schleimte er.

Die liebenswürdige Lady hinterm Counter war die erste, die in entzücktes Gesäusel ausbrach, als Alex mit mir durch ihr Revier fegte.

„Nice bra, Lynn", kommentierte er den Spitzensaum, der aus ihrer zu tief aufgeknöpften Bluse hervorblitzte. „Could you cancel all my meetings today?"

Geschmeichelt zupfte Lynn die Spitzen zurecht, lächelte ihren Chef verführerisch an und säuselte: „Will do, Alex." Die Art wie sie sich willig in die ihr zugewiesene Rolle als Sexobjekt fügte, beschämte mich stellvertretend für alle meine Geschlechtsgenossinnen.

Jedes weibliche Geschöpf, das uns auf dem Weg in sein Office begegnete oder aus einem der kahlen Büros durch die obligatorische Fensterscheibe ein „Good Morning" auf den Gang winkte, wurde mit einem Kompliment befriedigt und bedankte sich in glaszersägenden Tonfrequenzen.

„Werden Frauen hier nach Körbchengröße und Quietschkünsten eingestellt?", fragte ich, als er die Tür hinter uns schloss.

„Oh, da kommt die gute alte Spießigkeit daher. Wie ich sie vermisst hab. Willkommen in der neuen Welt, liebe Schwägerin."

„Ich hoffe, ihr habt noch andere Neuerungen auf Lager als den Machokult", entgegnete ich. „Ich muss dir sagen, der ist in meiner Welt seit Jahrzehnten überholt."

„Warum heiratet eine Frau, die den Machokult überholt hat, einen Theo Schmidt?", schoss er zurück.

Das war nur der Anfang unseres Ping-Pongs.

Ich war fasziniert von seiner raumgreifenden Präsenz. Sie erinnerte an Theo, nur war Alex viel pfiffiger und im Gegensatz zu meinem verstorbenen Mann ordnete er sich offenbar keinen Umgangsregeln unter. Sein Sarkasmus kam in einer Dynamik daher, die ich in einer unreiferen Version nur von Kilian kannte. Sein Selbstbewusstsein war Schmidt pur.

Das zentrale Element von Alex' Büro war ein überdimensionaler, flacher Fernsehbildschirm. Er klickte durch eine große Menge an Charts und Illustrationen, um mir darauf sein Firmengeflecht zu veranschaulichen. Bei meiner Internetrecherche war ich nur auf einen Bruchteil seiner Produkte und Marken gestoßen. Die Bandbreite war erschlagend. Teilweise hatte Alex Unternehmen aufgekauft und saniert. Sein Portfolio reichte vom Zulieferbetrieb für Maschinenbau bis zum trendigen Outdoorausstatter, dessen Name auch in Europa zu den ganz Großen zählte. Anders als bei Schmidt, wo jede Weiterentwicklung an einer im Inneren maroden Familie hing und jahrzehntelang von der sturen Machtverteidigung ihrer Mitglieder gebremst worden war, war Alex' Kosmos innovationsgetrieben und in all seinen Zweigen auf Wachstum ausgerichtet. Seine Firmen operierten eigenständig. Es lag ihm fern, seine Person an die Front zu drängen. Er steckte seinen Kopf lieber in die grenzenlosen Möglichkeiten des Mikrofaseraufbaus und all die bislang nur im Ansatz erschlossenen Herstellungsverfahren und Anwendungsfelder. Die Produktion der ersten Bekleidungslinie aus recycelten Plastikflaschen sei gerade erst angelaufen, erzählte er stolz. Es liege da noch ein unerschlossenes Universum an Ideen für all die Menschen, die den Planeten retten wollten – und das seien ja quasi alle Menschen.

„Ich schwöre dir, Ellie, ich hab nicht ein einziges Stück Papier aus den Schmidt-Werken mitgenommen. Ich hatte alles im Kopf, was dort fabriziert wurde. Sie haben mich nie groß beeindruckt, diese Dinosaurier. Viel mehr Neues als ihre Armeewesten ist ihnen in den letzten fünfundzwanzig Jahren ja auch nicht eingefallen. Zumindest bis zu dem Tag, als eine junge Dame in der Geschäftsleitung auftauchte, die plötzlich von der Marktseite her zu denken anfing."

Er wusste, wie er mich geschmeidig machen konnte.

Doch auch ich machte keinen Hehl aus meiner Bewunderung für ihn. „Hat der Albrecht doch seinen fähigsten Erben in die

Verbannung geschickt." Ich konnte nicht aufhören, darüber den Kopf zu schütteln.

Ohne dass ich viele Fragen stellen musste, erzählte er mir seine Geschichte.

Er war von Heilbronn nach Hamburg gegangen, damals mit achtzehn Jahren. Dort legte er den Namen Schmidt ab und nahm den Mädchennamen seiner Mutter an. Eigentlich hatte er Biologie studieren wollen, doch er fand keine Ruhe. Er wusste, dass seine Schwester am Verzweifeln war. Allein die Möglichkeit, sie jederzeit anrufen und erlösen zu können, hielt er nicht aus. Irgendwann würde er eine schwache Stunde haben und es tun. Deshalb trieb es ihn weiter fort, in eine andere Zeitzone und eine abgelegene Welt, in den kanadischen Busch. Auf seiner Fahrt durch die endlosen Weiten des Yukon fand er eine alte Goldgräbersiedlung. Es lebten dort nur ein paar hundert Seelen. Er kaufte ein Stück Land und baute ein Holzhaus. Keine Blockhütte, sondern ein edles, großes Haus. Allerlei Aussteiger kamen vorbei und bewunderten es. Sie wollten es ihm nachtun. Nach ein paar Monaten gründete er eine Firma für Holzhausbau und stellte ein paar Leute an. Im nächsten Schritt entwickelte er eine Wärmepumpe für die Energiegewinnung aus dem Erdboden.

Bei einem Ausflug nach Whitehorse, der nächstgrößeren Stadt, wurde er im Diner von einer jungen Frau bedient, die ihn mit ihrer Gewissenhaftigkeit beeindruckte. Er beobachtete, wie sie nach Feierabend die Abrechnungen der anderen Serviermädchen prüfte, das Trinkgeld nachzählte und jeder ihren Anteil gab. Da sprach er sie an und fragte sie, ob sie aus Deutschland stamme.

Eva erzählte ihm, dass sie mit dem Rucksack quer durch Kanada unterwegs gewesen sei. In Whitehorse sei sie geblieben, weil sie habe herausfinden wollen, wie dieses entlegene Nest funktioniere. Im Winter schien hier jeder nur die nötigste Denkarbeit aufzubringen und den Rest der Zeit faul in den Bars abzuhängen. „Doch die Leute haben Geld. Sie stammen wohl entweder von den Goldgräbern ab oder verdienen an den stinkreichen Menschen, die aus Europa zum Jagen kommen. Hier würde ich gern eine Bank aufmachen", scherzte sie. Eva war Bankkauffrau und wollte das Gleiche wie Alex: sich weit weg vom engstirnigen Deutschland ein Leben aufbauen. Es dauerte nur ein paar Wochen, da lebten und arbeiteten sie schon zusammen in Alex' Haus für seine Firma. Kurz bevor Evas Visum auslief, fuhren sie in die Stadt zum Heiraten.

Alex tüftelte weiter an allem, was ihm unzureichend durchdacht schien. Die Winter im Yukon waren bitterkalt, dunkel und endlos. Einige der Familien, die seine Wärmepumpe eingebaut hatten, litten unter den hohen Energiekosten, die sie bezahlen mussten, um das Haus warm zu halten. Alex entwickelte eine Holzfaserdämmplatte, die als Aufdachisolierung nachträglich aufgebracht werden konnte. Da draußen im Nirgendwo eine Fertigung auf die Beine zu stellen und die nötigen Fachkräfte auszubilden, erwies sich allerdings als enorm schwierig.

So weit kam er mit seiner Erzählung beim Mittagessen im Public Market; um uns herum das bunteste Menschengewimmel, das ich jemals gesehen hatte. Es war schwer, sich die Einsamkeit vorzustellen, in der er damals mit Eva gelebt hatte. Als wir wieder in seinem blauen Ford Mustang saßen, um unsere Besprechung in seinem Büro fortzuführen, bat ich ihn, weiterzuerzählen.

„Nach zwei Jahren fiel uns dann doch unsere Holzdecke auf den Kopf", erinnerte er sich. „Ich sehnte mich nach einer gescheiten Peripherie. Ich wollte Patente anmelden, Fertigungsstraßen aufbauen und größere Serien fahren."

Sie waren beide fünfundzwanzig, als sie sich in der Innenstadt von Vancouver ein Apartment mieteten. Eva suchte sich einen Job bei der Bank und Alex suchte Baufläche für eine Fabrik. Er hatte im Yukon ein kleines Vermögen verdient und ihn hatte der Ehrgeiz gepackt, ein namhafter Industriepionier zu werden wie sein Großvater. Als er von günstiger Gewerbefläche in Seattle hörte, fuhr er über die Grenze in die USA und schaute sich dort um. Dann schwärmte er Eva von dieser boomenden Stadt vor. Vancouver kam ihm dagegen geradezu verschlafen vor. Die Wachstumsbesessenheit der Amerikaner faszinierte ihn. So zogen die beiden weiter und wurden US-Bürger.

Eva suchte sich keinen Bankjob mehr, sondern übernahm die Verwaltung bei Microfiber Technologies. In den Augen ihrer Eltern hatte sie einen Hippie geheiratet, der unfähig war, in der Gesellschaft zu funktionieren. Jetzt wollte sie beweisen, dass man die Kleinkariertheit ablegen und trotzdem etwas erreichen konnte. Das Unternehmen legte einen Senkrechtstart hin und begann schon nach zwei Jahren, sich zu verzweigen und Ableger zu generieren.

Als sie sicher war, dass wirtschaftlich nicht mehr viel schiefgehen konnte, wurde Eva schwanger. Die beiden freuten sich wie verrückt und beschlossen, mindestens vier Kinder zu bekommen.

„Doch leider blieb Emilia unser einziges Kind. Nach ihr ging es einfach nicht weiter", erzählte Alex.

„Wie alt ist sie jetzt?", fragte ich.

„Sechzehn. Sie lebt in Deutschland. Eva hat mich vor zwei Jahren verlassen. Und sie hatte allen Grund dazu. Wären wir draußen im Yukon geblieben, wäre das nicht passiert. Aber hier siegt irgendwann der Egorausch über deinen Menschenverstand. Zumindest wenn du schwach bist, so wie ich."

Inzwischen standen wir wieder vor dem MFT-Gebäude und der Parkplatzmanager war im Anmarsch, um den Mustang in die Garage zu bringen, wo er für derlei Spritztouren bereitgehalten wurde.

„Was machen wir hier eigentlich?", wollte Alex plötzlich von mir wissen. „Du solltest ein bisschen Tourist sein, auf die Space Needle fahren und das Microsoft-Headquarter besichtigen."

„Willst du nicht mal was arbeiten? Ich kann dich auch in Ruhe lassen", bot ich an.

„Also bitte. Ich hab da drin siebenhundert Angestellte. Wahrscheinlich mehr. Warum sollte ich selbst arbeiten?"

Er ließ das Fenster heruntergleiten und rief seinem Park-Diener zu: „Sorry, Bob, we have another appointment."

Sie winkten beide und Alex fuhr wieder vom Hof. „Komm, ich zeig dir die Stadt!"

„Aber nicht mit diesen Absätzen", bat ich und streckte meine hochhackigen Stiefel in die Luft.

Daraufhin fuhr er in ein gigantisches Outlet für Sport-equipment, in dem sofort der Chef gerufen wurde. Dieser band mir die stylischsten Nike-Schuhe an die Füße, die sie im Regal hatten. Als Alex bezahlen wollte, winkte er ab.

Oben auf der Space Needle bestellten wir Café Latte. Ich blickte weit über meinen eigenen Horizont, hatte ich doch seit Stunden den Beweis vor mir, dass man trotz Freigeist und kreativem Feuer einen kometenhaften Erfolg haben konnte – wenn auch in Alex' Geschichte alle paar Minuten davon die Rede war, dass er ohne Eva im Chaos versunken wäre. Außerdem war klar, was er nicht aussprach: dass da in seinem Herzen noch ein Matthias Schmidt saß, der ihn in all den Jahren immer drangsaliert hatte, Vater und Brüdern eine Lektion zu erteilen.

„Was schaust du mich so an?", fragte er in meine Gedankenverlorenheit hinein. Tatsächlich hatte ich mich in den Vertrautheiten seiner Gesichtszüge verfangen: dieser wohlbekannte Mund, diese weichen, fröhlich blauen Augen und die leicht herausstehenden Wangenknochen. Untypisch für einen Schmidt waren die runde Kopfform und die quasi nicht mehr vorhandenen Haare. Das, was jenseits seiner ausgeprägten Geheimratsecken davon übrig war, hatte er auf die gleiche Länge rasiert wie den melierten Dreitagebart. Ich musste zugeben, der Mann war umwerfend anziehend.

„Obwohl er dir nicht sehr ähnlich sieht, sehe ich meinen Sohn in dir", sagte ich und erzählte, wie Kilian mich mit seiner Schlaumeierei zur Weißglut trieb und wie er großkotzig jedem erzählte, dass er die Welt verändern werde und dass er die Schmidt-Werke für verschnarcht hielt.

„Den musst du mir mal rüberschicken", schlug Alex vor. „Bloß nicht zu Schmidt lassen."

Er stellte Fragen über die Firma und ich ließ mich dazu verleiten, von meinen jahrelangen Kämpfen zu erzählen. Da regte er sich auf über meine labile Haltung und führte Strategien an, wie ich die jeweilige Situation damals hätte meistern müssen. Er wollte nicht akzeptieren, wie Lothar und Iris mich bei Schmidt schikaniert hatten und wie ich mich in eine ungeschriebene Hierarchie gefügt hatte, über die ich mich eigentlich hätte hinwegsetzen können. Wie Theo beim Autofahren ließ er mir einfach nicht die Zeit zu zeigen, dass ich meine Schlussfolgerungen durchaus selbst ziehen konnte. Doch ich ließ seinen Rederausch auf mich herunterrasseln und fiel in das mir wohlvertraute Muster des Empfangens von Weisheiten. Seine Augen tanzten und funkelten, sein ganzer Oberkörper machte mit und formte abwechselnd Ausrufungszeichen, Beschwörungsformeln und Witzfiguren.

Schließlich ließen wir eine beflissene Japanerin vor einer der großen Glasflächen mit Blick auf die Stadt mit meinem Handy ein Foto von uns beiden schießen. Dabei legten wir jeder einen Arm um den andern.

Dann fuhren wir ins Microsoft Visitor Center. Auf dem Weg dorthin erzählte mir Alex, dass Bill Gates gerade in einer Weltbildungsinitiative unterwegs sei, in der auch er selbst engagiert war. Schade, denn er hätte mich ihm gerne vorgestellt.

„Ist nicht schlimm, ich bin Apple-Fan", stellte ich klar.

Im Ausstellungsraum knipste ich ein paar Fotos von den Neuheiten und postete sie auf Facebook. Ich wusste, das würde Henry gefallen.

Auf der Rückfahrt in Richtung Innenstadt schlief ich ein. Die Sonne tauchte durch die Scheibe hindurch meine Träume in warmes Orange und streichelte meine Haut wie leise, wunderschöne Musik. Alex stoppte seinen fröhlichen Wortregen, schenkte uns Stille und überließ mich zauberhafte Minuten lang der Tiefschlafphase, die jetzt gerade in meiner deutschen Zeitrechnung herrschte. Ich fühlte mich so leicht, glücklich und frei wie seit meiner Jugend nicht mehr, damals, als unversehens ein Freund hinter meine Mauern gedrungen war, mit dem ich mein ganzes Leid hatte teilen können.

Jemand schneit in dein überladenes Universum und nimmt dir den Druck von den Schultern, schmiert Balsam auf deine wunden Stellen und schenkt dir den Glauben, dass er von nun an darauf achten wird, dass dir niemand je wieder so viel drauf packt. Ich spürte, wie Alex meine Hand drückte und genau diese Botschaft an mein sensibles Gewebe abgab.

Dann war ich wieder achtzehn und saß in einer meiner Karlsruher Kellerkneipen mit Christina und ein paar amerikanischen GIs. Alle unsere Freunde von der Uni waren schon heimgegangen, es war fast vier Uhr morgens. Den Jungs aus der Kaserne hatte die Nacht das Abenteuer, das sie suchten, noch nicht angetrieben. Sie gaben uns Martinis aus. Über den Punkt, an dem ich noch beschließen konnte, nach Hause zu gehen, war ich längst hinaus. Ich verlor mich in seligen Lachanfällen und wollte nur eins: noch weiter weg von meinem hoffnungslosen Selbst, das täglich um eine Daseinsberechtigung kämpfte. Irgendwann zahlten John und James – oder wie immer sie hießen – die Rechnung, stellten uns auf unsere Füße und schleiften uns hinaus in die frische Luft eines gerade erwachenden Frühsommertags. Es fuhr ein Taxi vor und ich sollte hineingeschubst werden, Christina saß schon drin. Da hörten wir schnelle Schritte von hinten. Ein Mann fasste mich am Arm, bevor ich auf dem Rücksitz landen konnte. Es gab ein Gerangel, denn John oder James wollte mich nicht loslassen. Ich spürte einen Schlag in den Magen und war weg. Als ich wieder zu mir kam, kniete ich auf einem Stück Rasen und spuckte mir die Seele aus dem Leib. Jemand hielt mich von hinten fest. Die Stimme, die mir erzählte, dass er mich jetzt ins Bett bringen würde, klang vertraut. Mein Herz machte einen Sprung, als ich sie erkannte. Er hatte mir vor ein paar Stunden mal aus einer Ecke an der Bar zugewinkt und mich wohl seither im Auge behalten.

Im Taxi lag ich in seinen Armen und zitterte trotz seiner Fleecejacke, in die er mich gepackt hatte, als wäre ich am Erfrieren. In den Fingern drehte er unaufhörlich einen Zehnmarkschein, der schließlich den Besitzer wechselte, von hinten nach vorn. Vor der Haustüre zog er mir den Schlüssel aus der Tasche, während ich an ihm lehnte. Wir hörten meinen Vater nebenan schnarchen, als Joachim mich in meinem Bett ablegte. Ich wollte ihn zu mir hineinziehen, doch er drückte mich nur mit beiden Händen in die Kissen.

„Ich bleib jetzt hier sitzen, bis du schläfst, und dann geh ich", sagte er.

Am Tag darauf wachte ich auf und noch bevor ich im Desaster meiner Erinnerung verschüttgehen konnte, hörte ich seine Stimme in der Küche. Ich sperrte mich im Bad ein und verließ es erst wieder, als ich einigermaßen appetitlich aussah. Er hatte wieder frische Brötchen vom Bäcker geholt, stand an der Kaffeemaschine und drehte an jeder Hand eine Tasse um den Zeigefinger. Auf dem Schoß meines Vaters saß ein klitzekleiner dunkelblonder Junge und hielt etwas verstört eine Brezel in der Hand.

„Morgen, Ellie. Geht's besser?", empfing mich Joachim. Kaum hatte ich die Szene erfasst, hielt er mir schon eine dampfende Tasse entgegen.

Von da an kam er jeden Sonntag, manchmal mit dem schüchternen kleinen Kerl, der fast nie ein Wort sagte, manchmal ohne ihn. Er nahm mich in den Arm, wenn wir alleine waren. Manchmal nahm er meine Hand und spielte mit meinen Fingern, drehte an meinen großen Klunkerringen, bis sie sich lösten. Dann ließ er sie in der Höhle seiner großen Handflächen tanzen. Auch wenn er nicht da war, war er der Mensch, der mich oder irgendetwas von mir festhielt. In den Vorlesungen beobachtete ich, wie meine Hände die elegante Dauerbeschäftigung seiner

Hände angenommen hatten, und verlor mich in einer Fantasie, in der sie ein Eigenleben auf meinem Körper entwickelten.

Als das Auto stehenblieb und ich die Augen öffnete, blickte Alex mich an und zwinkerte mir in der gleichen fröhlichen Art zu, wie Joachim das immer getan hatte.

Er parkte genau vor dem Eingang meines Hotels und kündigte an, dass er mich in zwei Stunden zum Abendessen wieder abholen werde. Ich nickte.

„Was ist los? Du siehst glücklich aus", stellte er fest.

„Schöne Träume", sagte ich. „See you later", und stieg aus.

Das Restaurant lag in einer der kleinen Gassen nahe dem großen Markt. Alex wusste genau, was er bestellen musste, um meinen europäischen Gaumen zu überraschen. Nach dem dritten Gang musste ich zugeben, dass ich noch nie so lecker gegessen hatte. Wenige Meter von uns entfernt auf einer winzigen Bühne mitten im Raum spielte ein Jazz-Trio lebensfrohe Zigeunermusik. Sie pumpte mir durch die Adern wie der Rosé, von dem mein neuer Lieblingsschwager schon die zweite Flasche bestellt hatte. Er erzählte und erzählte. Wie ich bereits vermutet hatte, war Eva gegangen, weil sie ihm zwar die erste Affäre verziehen hatte, die zweite und dritte aber nicht. Die Musik war schon verstummt und es leerte sich der Raum, da philosophierte er noch darüber, dass man die Muster seiner Ursprungsfamilie wohl unfreiwillig fortsetzt.

„Wie? Ist dein Vater fremdgegangen?", fragte ich.

„Beweise gibt es keine. Es hat ja auch nie jemand nachgeforscht. Aber ich habe die Studie an mir selbst betrieben. Du bist erfolgreich, wirst bewundert, bist der große Star in deinem Laden. Dann gibt es diese Frauen, die es darauf anlegen. Die wittern ihre Chance und wissen, wie sie deine Triebe triggern bis zu dem Punkt, wo du dich selbst und deine Vorsätze nicht mehr so ernst nimmst. Es ist traurig, aber ich kenne nicht einen einzigen Manager in meinen Kreisen, der nicht schon mal schwach geworden wäre. Gates vermutlich. Aber der spielt in seiner eigenen Liga.

Was meinen Vater betrifft, wenn er denn überhaupt mein Vater war, erinnere ich mich an dieses ständige Herumnörgeln an meiner Mutter. Als läge in allem, was sie tat, eine unverzeihliche Minderwertigkeit. Die Beobachtung meiner eigenen Situation lässt mich vermuten, dass er Liesel mit den Frauen verglich, die keine Gelegenheit ausließen, ihm ihre Qualitäten vorzuführen. Vielleicht lag seine Gefühlskälte aber auch daran, dass sie mit ihrem Seelsorger gevögelt hat. Wahrscheinlich wissen meine Geschwister mehr als ich."

„Sie wissen mehr als du", sagte ich und hielt den Punkt für gekommen, ihm den Abzug eines Fotos vorzulegen, den ich extra für ihn mitgebracht hatte und mit mir herumtrug. Er blickte in das Gesicht meiner Tochter und wusste sich offensichtlich keinen Reim zu machen auf die runden, blauen Augen, die er als seine erkannte.

„Wer ist das Kind?"

„Das ist Nell, meine Tochter. Theos Tochter."

„Warst du mal im Kloster und hast dich heil beten lassen?"

„Nein, niemals."

Ohne den Blick von dem Bild zu nehmen, ließ er sich in seinen Stuhl zurückfallen.

„Charlotte hat mir die Geschichte von dem Pater erst vor etwa zwei Jahren erzählt. Sie hat sich die Augen ausgeheult, Alex."

„Das will ich hoffen", erwiderte er bitter.

Wir machten uns zu Fuß auf den Weg zurück zu meinem Hotel, denn Alex hatte dort sein Auto stehen lassen.

„Erzähl mir von Theo", bat er mich. Aber mir war nicht mehr danach zumute. Wir liefen auf die Stege im Waterfront Park hinaus. Ich sank auf eine der Holzbänke und ließ die Wühlmäuse in meinem Kopf aufs offene Wasser rennen.

Natürlich hatte ich immer geglaubt, dass ich zu schwach für meinen Mann gewesen war. Doch auch er war ja ständig den

Darbietungen der Superfrauen ausgesetzt gewesen. Und die wussten, dass der Code zu knacken war, denn das junge Ding aus der Marketingabteilung hatte es ja auch geschafft. Den Zustand, in dem er seine eigenen Vorsätze plötzlich nicht mehr so ernst nahm, hatte ich live erlebt.

Es ist besser, wenn wir nicht über Martina reden. Wie war dieser Satz vor ein paar Tagen in meinen Traum gekommen? War es tatsächlich so, dass das Unterbewusstsein Dinge wusste, die im Wachzustand verschüttet blieben?

Alex legte mir den Arm fest um die Schultern und blickte mich fragend an. „Alles okay?"

„Die Frau, mit der du gerade den Abend verbringst, mein lieber Schwager, hat den Macho-Kult bestimmt nicht hinter sich gelassen. Im Gegenteil. Sie hat sich voll und ganz von ihm abdrängen lassen in den qualvollen Zustand einer ewigen Entschuldigung."

„Kann ich dich überhaupt alleine lassen?", fragte er besorgt, als wir vor meinem Hotel angekommen waren.

„Natürlich. Geh heim ins Bett und sei morgen pünktlich."

Er musste am nächsten Tag nach Toronto fliegen in der Yoga-Faser-Sache und würde erst in zwei Tagen zurück sein. Bis dahin musste ich mit meinen Geistern allein fertig werden. Aber daran war ich gewöhnt.

„Am Freitag erzähl ich dir von Theo", versprach ich ihm.

Am nächsten Morgen überraschten mich zwei Meldungen aus Deutschland. Henry hatte natürlich meinen Microsoft-Post kommentiert.

„Hast du den Religionsführer gewechselt, Ellie? Von Jobs zu Gates?"

Darunter fand sich ein Kommentar von Joachim Färber:

„Irgendwann kommen alle Abtrünnigen wieder auf den rechten Weg."

Tatsächlich hatte er auch meine Freundschaftsanfrage bestätigt.

„Ehrlich gesagt, ist mir das System egal und ich bin niemandes Apostel. War nur grade in der Gegend, wollte Gates guten Tag sagen, aber er war leider außer Haus ;-)“, schrieb ich darunter.

Dann scrollte ich mich leichten Herzens durch ein paar belanglose E-Mails bis zu dieser:

Liebe Ellie,

ich hoffe, Dein Trip verläuft erfolgreich. Eigentlich wollte ich persönlich mit Dir sprechen. Ich habe zu Ende Juni bei Schmidt gekündigt und nehme noch ein paar meiner siebzehn Resturlaubstage. Dieter hat mir das genehmigt. Wir werden uns also nicht mehr sehen, bevor ich ein neues Leben beginne. Ich habe eine Stelle im Vertrieb eines Chemiekonzerns in Kapstadt angenommen. Kurz nach Deiner Abreise kam das Visum. Die Scheidung von Lothar läuft und wird noch vor meiner Abreise vollzogen. Ich werde Dich und die Kinder sehr vermissen. Wir hatten immer zu wenig Zeit füreinander. Doch ich hoffe sehr, dass ihr mich in Kapstadt besuchen kommt. Bitte lass uns in Kontakt bleiben.

Liebe Grüße,

Deine Iris

Es war klar, dass sich Iris dem Regiment von Charlottes Mann nicht lange unterwerfen konnte. Thomas kostete die Situation aus, in der er endlich vorne mitmischen durfte. Ob Lothar jemals wieder als Geschäftsführer zugelassen werden würde, war zweifelhaft. Erst an Nells achtzehntem Geburtstag, wenn alle drei meiner Kinder einen eigenen Vertreter bestimmen konnten, bestenfalls mich, hätte Lothar wieder eine Chance, aus der Rolle des Minderheitengesellschafters herauszukommen. Auch wenn absehbar war, dass Anna von ihren Eltern die Exekutive übernehmen würde, sobald sie wieder einstieg, fragte ich mich ernsthaft, wo diese Gewichtung hinführen sollte. Schmidt stand zwar wieder besser da, war aber nicht stabil genug aufgestellt, um sich eine unerfahrene Inhaberschaft leisten zu können, die sich selbst überschätzt, so wie Autoschrauber Thomas, der sein Leben lang in der Oldtimer-Werkstatt eines Kumpels gejobbt hatte.

Mitten in meine sorgenvolle Unruhe hinein poppte eine E-Mail von Alex. „Miss your smile. Sent from my i-phone."

Hey, was war mit ihm los? War er aufgewacht mit der Idee, dass unser spontanes geschwisterliches Verhältnis mehr sein könnte?

„Hoffe, Du schreibst niemals an Deinen Freund Bill von diesem Gerät. Miss you, too", schrieb ich zurück. Das war ehrlich gemeint. Ich wäre gern bei ihm gewesen, um mich mit ihm über das Schlamassel in Deutschland aufzuregen.

Drei Tage lang erzählte ich Alex im Geiste von Lothar und Theo, während ich durch die Stadt lief. Es war angenehm, dass er mich nicht unterbrechen konnte, um die Geschichte für mich zu interpretieren. Ich erläuterte meinem Schwager die Ironie der Lage in ihrer vollen Dimension: Von den zwei vermeintlich soliden Säulen des Unternehmens hatte sich einer durch Spielexzesse in seinem eingepferchten Erbendasein Luft gemacht. Etwas Unkontrollierbares hatte ihn dazu getrieben, die heilige Kuh der Schmidts, das Vermögen, zu schlachten. Offenbar hatte das gegen die Lähmung gewirkt, in die ihn sein Bruder und Widersacher gezwungen hatte. Wie eine Katze hatte der vor seinem Mauseloch gesessen, um ihn sofort zu verspeisen, wenn er auch nur versehentlich die Nase herausstreckte. Konnte man es Lothar verdenken, dass er süchtig wurde nach einem Lebensbereich, in dem er alleine und ungestört seinen Erfolg herbeiführen konnte? Wo ihm keiner permanent auf die Finger klopfte oder ihn warnte vor möglichen Fehlern und Versäumnissen?

Währenddessen war sein Bruder Theo an den Sorgen erstickt, die ihm die Menschen, die ihn umgaben, in ihrer Mangelhaftigkeit bereitet hatten. Immer auf Empfang geschaltet, hatte Theo alles, was nicht rund lief, auf dem Radar gehabt. Mitten drin mich und mein Tun, jede Flasche Wein, jedes Vergnügen, jeden Abend, den ich ohne familiäre Aufsicht außer Haus verbracht hatte. All die kranken Gedanken hatten ihn umgebracht. Kein Organismus hält dieses Maß an Überreaktion auf jedes aufkreuzende Defizit aus. Davon war ich inzwischen überzeugt.

Doch im zweiten Kapitel meiner Schilderungen erzählte ich Alex auch von den Abenden vorm Kamin auf unserer Finca, von den frühen Morgenstunden, wenn unsere Kinder durchs Haus alberten und wir uns im warmen Bett in den Armen lagen, von den Wochenenden in unserem Mosbacher Haus, wenn er kulinarische Sensationen zauberte, während ich Beethoven spielte, von den Zeiten in Erlenbach, als sich Darius, Kilian und Nell zu solch erstaunlichen Menschen entwickelten, dass wir uns stundenlang über sie wundern und austauschen konnten. Ich saß vor einem grünen Smoothie mitten im Donnerstagnachmittags-Gewimmel eines riesigen Whole-Food-Stores und sank in mich zusammen. Wie konnte ich all das auslassen? Das böse Blut durfte doch nicht meine Seele überfluten und alles ertränken, was der Sinn meines Lebens gewesen war. Die Tage voller Liebe und Stolz waren der einzige echte Lohn gewesen für die harte Arbeit an unserer Beziehung und das Einzige, was jetzt noch zählte. Alles andere, die wirtschaftlichen Errungenschaften, die Selbstinszenierungen, die Lektionen, die wir uns gegenseitig erteilt hatten, sie alle waren nichts als verwirbelter Staub.

Am Freitag wartete ich zur verabredeten Zeit in der Hotellobby, dreißig Minuten, fünfundvierzig, sechzig. Keine Nachricht auf meinem Handy, kein Zeichen von Alex. Als ich gerade loslaufen wollte, um alleine zu Abend zu essen, fuhr sein Mustang vor. Erst weigerte ich mich, dann stieg ich doch ein und hörte mir seine Entschuldigungen an: Flugverspätung, Rushhour, Freitagabend. Innerhalb von wenigen Kurven durch die Stadt gelang es ihm, mich wieder aufzuheitern. Es war mein vorletzter Abend, ich wollte ihn genießen. Wir zogen durch ein paar Musik-Bars, hörten unglaublich guten Jazz, Bluegrass und Gitarrenpop, tanzten völlig vergessen zwischen den Tischen und tranken viel zu viel. Gegen zwei Uhr morgens rief er ein Taxi, weil er lange schon nicht mehr fahrtüchtig war. Bunte Lichter schimmerten im Lake Union, als wir an ihm entlang fuhren. Alex streichelte meinen Hals.

Da fiel ihm plötzlich ein: „Du wolltest mir noch von Theo erzählen."

„Ich werde ihn immer lieben, deinen Bruder", sagte ich nur, und ließ mich küssen.

Heimreise

Neuneinhalb Stunden Flug zurück nach Frankfurt lagen vor mir. Ich warf mich in den Sitz, als wäre ich einen Marathon gelaufen. Sofort schloss ich die Augen und nahm mir vor, sie bis zur Landung nicht wieder aufzumachen. Es gab zu viel zu verarbeiten, zurückzurufen und zu enträtseln. Das Kopfkino startete augenblicklich.

Alex' schmales, zweistöckiges Townhouse am Lake Union war innen so geradlinig gehalten wie außen. Große Fenster, Chromgeländer, dunkle, hochwertige Holzböden, außer den Einbauschränken nur die lebensnotwendigen Möbel, stylishes Ambiente, kühl und unpersönlich.

„Ich bin so gut wie nie hier", erklärte er mir.

Das Haus in Tacoma, aus dem Eva und Emilia ausgezogen waren, hatte er sofort verlassen, einem Makler übergeben und nicht mehr betreten. Das hier war eine Durchgangsbehausung. Das Schlafzimmer lag offen über dem Wohn-Ess-Bereich.

Der Rausch hatte mich im Griff. Ich wankte meinen Trieben hinterher und musste mit diesem faszinierenden, mächtigen Mann ins Bett, daran war nichts zu drehen. Der Sex war so wie das Innenleben seiner Wohnung, geradeaus, ohne Schnörkel und Schnick-Schnack, so wie er von der Schöpfung gedacht war. Es fühlte sich an wie das Beste, was wir tun konnten. Es war laut, ehrlich und dauerte ewig.

Wir schliefen in den Tag hinein. Als ich aufwachte, lag sein Blick auf mir.

„Es tut mir leid, Ellie. Du sollst nicht glauben, dass Theo dich betrogen hat; nur wegen meiner Studie."

Mein dröhnender Kopf brauchte einige Minuten, um diesen Faden wieder zu aufzunehmen. Unter Schmerzen setzte ich mich auf und lehnte mich gegen seine edlen Seidenkissen.

„Ich möchte gar nicht wissen, ob er es getan hat. Wenn, dann habe ich es verdient", entgegnete ich.

Dann erzählte ich ihm die Geschichte von Henry und mir. „Theo hat eine tolle Frau für mich aufgegeben, Chef-Controllerin in einem Weltkonzern, verlässlich, berechenbar, aufgeräumt und ihm im Alter näher. Vielleicht hat er sich weiter mit ihr getroffen. Doch selbst wenn, er hat mir immer das Gefühl gegeben, dass er mich liebt. Und er musste sterben. Ich will unsere Leiden nicht noch vermehren, indem ich in seiner Vergangenheit grabe. Es reicht, wenn ich meine kenne."

„Theo war ein schlauer Mann. Es ist ihm gelungen, dich mit dem Gefühl zurückzulassen, dass du ihm etwas schuldest. Mach dich frei von ihm. Du lebst. Und du lebst nur einmal."

Ich kannte diese Predigt schon in ähnlichem Wortlaut von Henry. Was wollten sie nur alle? Als würde ich nicht leben.

Wir schliefen nicht mehr miteinander, aber Alex setzte im Laufe des Tages unsere gemeinsame Zukunft auf: Ich solle mit Kind und Kegel einwandern. Er würde mich zur konzernweiten Marketingleiterin machen. Er bewunderte, was ich für Isopur auf die Beine gestellt hatte und kannte niemanden in seinem Umfeld, dem er das zutrauen würde. Nicht in dieser Konsequenz. Er würde meinen Kindern ein Vater sein. Eines sah sowieso schon so aus, als wäre es seins. Und Söhne wie Darius und Kilian hatte er sich immer gewünscht. Ihnen würde eines Tages sein ganzes Imperium zur Verfügung stehen. Da könnten sie ihre Talente einsetzen, sich ausleben. Wer sonst sollte sich um all das kümmern. Er selbst wolle nur maximal bis sechzig arbeiten.

„Außerdem brauche ich eine Frau, Ellie. Ich brauche dich."

„Mein Vater wird mitkommen müssen. Ich kann ihn nicht alleine lassen."

„Bring ihn mit", sagte er.

„Und mein Steinway?", war meine nächste Sorge.

„Da gibt es Transportunternehmen. Ich schau mich schon mal nach einem Haus um, in dem wir deinen Vater, deinen Flügel und alle Kinder unterbringen, einschließlich Emilia. Die kommt auch irgendwann wieder."

Das alles war zu gut, um mir zu passieren: im Land der unendlichen Freiheiten leben, einen fantastisch gut bezahlten Job haben, eine Beziehung führen, in der ich respektiert, sogar bewundert werde. Meine Kinder würden in einer Familie erwachsen werden, die offen war, ohne Hinterhältigkeit und Überwachung. Mein Mann würde mir sein Universum zu Füßen legen, und das war wahrlich gigantisch.

Als wir am Spätnachmittag noch mal in das Lokal gingen, in dem wir vor ein paar Tagen so gut gegessen hatten, zauberte er eine schwarz samtene Schmuckschachtel hervor.

„Wir kennen uns erst seit vier Tagen, liebe Elisabeth", sagte er feierlich. „Aber ich möchte nicht zu spät dran sein. Willst du mich heiraten?"

Ich war erst sprachlos. Dann ließ ich mir den brillantbesetzten Silberring an den Finger stecken und sagte: „Ja, Alex. Lass uns heiraten."

Das Glück dieses Augenblicks wirkte tief in mich hinein, als die Maschine abhob. Der Abschied in der Lobby meines Hotels am frühen Abend war schnell und schmerzlos gewesen. Wir würden uns bald wiedersehen. Sobald die Sommerferien begannen, würde ich mit den Kindern wiederkommen, und vielleicht sogar mit meinem Vater.

„Can't wait", sagte Alex.

Die vier Wochen, die bis dahin noch vergehen würden, wollte ich mir nicht vorstellen. Ich hatte Henry geschrieben, er brauche mich nicht vom Flughafen abholen, da mein Vater mit den Kindern einen Ausflug nach Frankfurt machen wolle. Ich würde dann mit ihnen im Zug nach Heilbronn fahren. Da waren sie wieder, die Lügen, und der arme, treue Henry war ihr Opfer.

Kurz bevor ich an Bord gegangen war, hatte ich mit Darius telefoniert. Auf meine Frage nach Opa hatte er gesagt, Marion sei grade bei ihnen. Ich schlussfolgerte, dass mein Vater einen Abend mit seiner Gruppe der Anonymen Alkoholiker verbrachte. Manchmal fanden am Sonntag Ausflüge statt, die mit einem

Abendessen abgeschlossen wurden. Gut, dass Marion es ihm möglich machte, daran teilzunehmen.

Darius hatte nicht begeistert geklungen, als ich ihn bat, zum Flughafen zu kommen. „Ich spreche mal mit den andern. Setz dich erst mal ins Flugzeug und schlaf ne Runde. Wirst ja dann sehen, wer da ist."

Sie würden mich für verrückt erklären. Aber es gab kein Zurück. Ich musste raus aus meinem Käfig und mein Leben von den Schmidts zurückverlangen. Im September würde ich vierzig Jahre alt werden. Es war höchste Zeit, mich zu entfalten, ohne diese Knüppel, die mir ständig zwischen die Füße geworfen wurden. Ich tastete nach dem Ring: mein Glück. Mein Ticket in die Zukunft. Meine neue Haut.

Alex' Berührungen, seine Nähe ... ich versuchte ihnen nachzuspüren. Warum hatte ich nur so viel getrunken? Die Erinnerung an vorletzte Nacht beschränkte sich auf zwei kantige, gierige Körper, die sich aneinander wund rieben.

Joachim wollte anfangs nicht mit mir schlafen, schon gar nicht wenn ich im trunkenen Zustand vor ihm lag. Wenn wir miteinander ausgingen, sorgte er dafür, dass ich heimging, solange ich noch den Willen hatte, am nächsten Tag in die Vorlesung zu gehen. Dann schoben wir gemeinsam mein Fahrrad in die Nordweststadt. Er lief rechts, seine linke Hand auf der linken Seite des Lenkers. Ich lief links und griff auf die rechte Seite. Wir übten so lange, bis unsere gekreuzten Arme die Richtung halten konnten.

Für ihn war ich nie das von der Mutter verlassene Kind eines abgebrannten Alkoholikers gewesen. Ich war die Studentin, die gerade dabei war herauszufinden, was sie drauf hatte. Er wollte nicht, dass ich das wertvolle Gebilde, das mein noch nicht ganz aus dem Ei geschlüpftes Ego war, an etwas band, das so instabil war wie die Lust.

Er erklärte mir, was Informatik ist, was sie kann, und was da in unserer Zukunft auf uns wartete.

„Das gesamte Wissen der Menschheit wird bald für alle zugänglich in einem virtuellen Datenraum liegen. Wir alle werden über kleine Computer miteinander kommunizieren. Wenn du ins Marketing willst, Ellie, musst du dich mit diesen Dingen befassen."

Ich wollte sehen, wovon er sprach. Er lud mich in sein Büro in der Karlstraße ein, das er sich mit zwei anderen Informatikern teilte. Nach einer dreijährigen Anstellung bei Siemens hatte er sich selbstständig gemacht. Er entwickelte Datenbanksysteme für die Universität und für einige Unternehmen. Ich radelte nach meinen Vorlesungen zu ihm. Ich trug einen Minirock und schoss Stoßgebete in die schwere Sommerluft, dass ich ihn alleine antreffen würde. Doch die andern beiden waren da und blickten amüsiert zu Joachims Arbeitsplatz herüber, wo wir beide eng beieinander vor seinem Bildschirm saßen und er mit hektisch auf der Tastatur tanzenden Fingern versuchte mir zu erklären, wie man eine Informationsdatenbank strukturierte. Was das mit meinem Wunschberuf als Marketingmanagerin zu tun haben sollte, wollte mir nicht einleuchten. Vielleicht wartete ich aber auch zu verzweifelt darauf, dass er nur ein einziges Mal auf meine Beine schauen würde. Mein Denkvermögen war blockiert.

Ich harrte aus, stellte schlaue Fragen, zeigte mich ungläubig angesichts dessen, was Joachim da vorhersagte, und enthusiastisch angesichts dieser Möglichkeiten. Ich dachte laut darüber nach, den Studiengang zu wechseln und ebenfalls Informatik zu studieren. Bis zu dem Zeitpunkt, als Joachims Kollegen endlich in den Feierabend gingen.

Schließlich hatte ich ihn so weit, dass er mich küsste und seine tanzende Hand unter meinen Rock fand, was ich ihr doch so leicht gemacht hatte. Unseren ersten Sex hatten wir auf seinem Bürostuhl. Ich saß auf ihm. Er legte seine Hände um mein Becken. Plötzlich waren sie ganz ruhig und führten meine Bewegungen sehr behutsam. Ich konnte nicht glauben, was passierte und wie sich alles in mir in Schönheit und Lebensliebe verwandelte. Er küsste mich, als ich kam, damit ich keinen Lärm machen würde. Lange rührte ich mich nicht vom Fleck und er hielt mich fest. Immer noch wie ein Freund, nicht wie ein Liebhaber. Das änderte sich im Laufe der folgenden Tage, als wir sein Bett quasi kaum noch verließen. Doch er hatte das Vertrauen tief in mich gepflanzt, dass er, was er für mich tat, wirklich nur für mich tat.

Mir wurde flau im Magen, als wir uns im Landeanflug befanden. Bevor ich ausstieg, nahm ich den Ring vom Finger und steckte ihn in meine Tasche. Ich fühlte mich ganz elend vor Müdigkeit, als ich durch die Flughafenhallen zum Gepäckband lief. Der Gedanke an meine Blitzverlobung jagte mir plötzlich einen kalten Schrecken durch die Glieder. Mein Mann war erst seit sieben Monaten tot. Jeden Tag gab es mindestens eine Gelegenheit, bei der ich ihn spürte, als wäre er noch da. Dann rissen die Wunden auf, alles tat weh und ich fühlte mich schwach, schuldig und schäbig. Ich konnte auswandern oder nicht, heiraten oder nicht, mit Henry oder Alex leben. Keine von meinen aktuellen Möglichkeiten würde mich zu der Frau machen, die Joachim damals in mir gesehen hatte. Ich hatte tiefes, tödliches Heimweh.

Mein Vater würde draußen stehen, da war ich mir sicher. Er würde wissen, dass ich mich bei meiner Ankunft furchtbar haltlos fühlen würde. Das Abenteuer war vorbei, ich würde mich wieder eingliedern müssen in mein gebrochenes Dasein.

Doch ich fand meinen Vater nicht, als ich in die Traube in der Ankunftshalle lief. Stattdessen stand plötzlich Charlotte vor mir. Sofort las ich in ihren Augen, dass etwas nicht in Ordnung war.

„Charlotte! Ist irgendwas passiert?"

„Dein Vater, Ellie. Er liegt im Krankenhaus."

„Seit wann? Was ist los mit ihm?"

„Seit Samstag. Er wurde mit dem Krankenwagen abgeholt. Die Kinder haben mich angerufen. Er wollte nicht, dass wir dir Bescheid sagen. Du hättest eh nichts machen können."

„Was ist es?"

„Ein Pankreaskarzinom. Ein Tumor im Dünndarm. Er wird morgen operiert."

„Krebs? Sprich's einfach aus, Charlotte!" Ohne dass ich kontrollieren konnte, was ich tat, packte ich sie am Arm und schüttelte sie. Ich wollte in die Klinik, sofort.

Charlotte fuhr mich hin.

Als ich ihn sah, war mir klar, was ich viele Wochen lang ignoriert hatte: Er war dürr, er war grau, und er war furchtbar traurig. Er hatte genau das befürchtet, sagte er. Das war der Trinkerkrebs.

„Versprich mir, dass du mich gehen lässt, bevor es unerträglich wird, Ellie", bat er mich.

Ich sprach mit dem Arzt. Er sagte mir, es sei ein frühes Stadium, durchaus operabel, aber mein Vater werde starke Schmerzmittel nehmen müssen. Achtzig würde er wohl nicht werden, aber ein paar Jahre könnte er schon noch haben, wenn er wollte.

Als mein Vater am nächsten Tag operiert wurde, saß ich draußen auf dem Gang. Kein einziges Mal kam ich auf die Idee, meine E-Mails anzuschauen. Ich driftete auch nicht davon in mein antrainiertes Warte-Delirium. Ich betete nur unaufhörlich zu ihm hinein: Wir brauchen dich, Papa. Du darfst nicht gehen. Das wäre das Ende. Mein Ende.

Charlotte brachte die Kinder und wir hielten uns alle eine Weile an den Händen. Nell weinte. Darius schaute mich besorgt an. Kilian zappelte auf seinem Stuhl. Als es überstanden war, schickten sie uns heim. Wir sollten uns jetzt ausruhen.

Am nächsten Morgen erwachte ich aus einem flachen, nervösen Schlaf und schaute meine E-Mails an.

„Hab unser Haus gefunden!", schrieb Alex und schickte mir das Bild von einem riesigen Anwesen mit Meerblick.

„Wow!", schrieb ich ihm zurück. „Da werden wir wohl einen Platz für den Steinway finden."

Dann schrieb ich was passiert war, und dass ich nicht wisse, wie es weitergehen werde. „Es kann sein, dass ich meinen Vater auch noch verliere."

„Dein Vater ist ein alter Mann. Er hatte ein langes Leben. Du wirst darüber hinwegkommen." Das konnte nur ein Mensch sagen, der nie einen echten Vater gehabt hatte.

Henry kam mich spät abends besuchen. Er fragte mich: „Warum hast du mir geschrieben, dass dein Vater und die Kinder dich abholen kommen, wenn er doch im Krankenhaus lag?"

Ich konnte nur hilflose Gesten machen. „Ich wusste doch nichts davon. Das hat mir ja niemand gesagt."

Er fuhr wieder davon, ohne dass wir uns auch nur berührt hatten.

Mein Leben außerhalb vom Krankenzimmer meines Vaters versank in Bedeutungslosigkeit. Es enthielt keine Antworten mehr für mich, nur Chaos.

Am dritten Tag nach der OP war mein Vater an einem Tiefpunkt seiner Kräfte. Die hohe Schmerzmitteldosis setzte seiner Hirnleistung zu. Er fragte mich, wie es Theo gehe.

„Es geht uns allen gut, Papa. Wir vermissen dich. Werd gesund."

„Ich werd nicht mehr, mein Kind."

Dann dämmerte er wieder weg und ich rief verzweifelt den Arzt. Dieser beruhigte mich und versicherte mir, dass mein Vater nicht im Sterben liege.

Schließlich kam die Schwester und sagte: „Draußen ist ein Herr, der sagt, er sei ein alter Freund Ihres Vaters. Wollen Sie mal rausgehen?"

Ich sah die hohe, schmale Gestalt im halblangen Mantel im Gegenlicht am Fenster stehen. Ich glaubte zu träumen, als ich auf ihn zuging. Mitten im dunklen Teich meiner Angst, in dem ich mich gerade so über Wasser hielt, sah ich ein Ufer. Die Ahnung eines Punktes, an dem man ankommen könnte. Erst da traute ich mich, hinunterzuschauen in die Tiefen. Ich sackte in Joachims Arme.

Mein Vater war wieder wach, als ich mit Joachim zurückkam. Seine Augen leuchteten auf. „Junge, dass ich dich noch mal zu

Gesicht kriege. Komm her, alter Freund!", sagte er und drückte ihn an sich.

Fast war es, als würden wir wieder in Peters winziger Küche in der Karlsruher Südstadt sitzen. Joachim erzählte stolz von seinen Jungs. Lorenz war frisch gebackener Diplom-Informatiker und zahlreiche Unternehmen bemühten sich bereits um ihn. Der kleine Oscar war drei Monate jünger als Nell, ebenso still wie sein großer Bruder und ebenso sensibel und schlau. Joachim zeigte uns ein Foto von den beiden auf seinem Smartphone. Sie trugen große Brillen und saßen gemeinsam vor einem Bildschirm.

Dann kam mein Vater ins Reden über seine Enkel. Die Kraft, die er dafür aufbrachte, war erstaunlich. Er schien seinen Zustand völlig zu vergessen. „Du musst die drei unbedingt treffen, Joachim. Ich weiß ja nicht, wie sie das geschafft haben, Theo und Ellie. Sie haben ja immer zu viel gearbeitet. Aber das sind ganz wunderbare Kinder."

„Das verdanken wir dir", warf ich ein. „Und die drei warten jetzt so verzweifelt, dass du gesund wirst, Papa."

Als wir aus der Klinik kamen, schlug ich Joachim vor, dass er doch mit nach Erlenbach kommen solle, um Peters Enkelschar kennenzulernen. Nach kurzem Zögern stimmte er zu.

Charlotte hatte Hühnchen und Reis gekocht. Wir alle stürzten uns regelrecht darauf. Darius erinnerte sich an Joachim. „Der große Mann mit der schwarzen Brille, der mir gezeigt hat, was ein Computerspiel ist. Wie alt war ich?"

„Du warst vier", sagte ich. Dann erhob ich mein Apfelsaftglas. „Und jetzt trinken wir endlich darauf, dass du dreizehn bist, Darius!"

Sein Geburtstag war wegen Opas Operation völlig untergegangen, doch er hatte sich nicht beschwert. Es war ja schon seit Monaten nichts mehr normal zugegangen.

„Wie war Seattle eigentlich sonst?", fragte Joachim und alle schauten mich fragend an.

„Ja, genau, Mama. Du hast noch gar nichts erzählt!", beschwerte sich Kilian. „Hast du den Thermo-Balance-Leuten gezeigt, wo der Hammer hängt?"

Charlotte blickte ebenso neugierig wie die andern. Sie hatte die Wahrheit verdient, beschloss ich. Zumindest den wichtigsten Teil davon.

Also begann ich von meiner Verabredung mit dem großen Konzernchef zu erzählen, der vor Jahren aus Deutschland eingewandert war, und dem nun die halbe Mikrofaserindustrie in den USA gehört. Ich flocht ein, dass ich ihn für furchtbar arrogant gehalten hatte, weil er mich über eine Stunde hatte warten lassen. Ich berichtete, wie die weiße Limo vorgefahren war und dieser Kerl in Turnschuhen herausgesprungen kam, als ich gerade gehen wollte.

„Ich werde nie vergessen, wie er auf mich zulief. Ein Blick in seine Augen und ich wusste, wer er ist", sagte ich.

Alle Augen bombardierten mich mit Fragezeichen.

„Noch jemand hier am Tisch kennt ihn", steigerte ich die Spannung.

Ich holte mein Handy aus meiner Tasche, öffnete das Bild, das die Japanerin von Alex und mir auf der Space Needle gemacht hatte, vergrößerte unsere Gesichter und reichte es rüber zu Charlotte.

Ihr Aufschrei fuhr uns allen durch Mark und Bein.

„Du hast ihn gefunden, Ellie!"

Erst hielt sie stocksteif ihre Hand vor den Mund, dann strömten ihr die Tränen aus den Augen. Die Kinder plapperten verwirrt auf mich ein, bis ich sie aufklärte über Matthias Schmidt alias Alex Silonka, den Onkel, den sie noch nie gesehen hatten, weil er nach einem großen Streit in der Familie nach Amerika ausgewandert war.

„Alle hielten ihn für ein Weichei", erzählte ich. „Albrecht, Lothar und Theo hatten mit ihm gebrochen, weil er sich nichts vorschreiben ließ. Ich wünschte, wir könnten Albrecht und Theo sein Firmenimperium noch unter die Nase reiben."

Die Kinder drängelten sich um Tante Charlotte, um mit auf das Foto zu schauen und ihre in ungläubigen Ausrufen aus ihr herausbrechende Freude mit ihr zu teilen.

Joachim machte mir Zeichen, dass er jetzt lieber gehen würde. Ich brachte ihn vors Haus. Es war ein wunderschön lauer Abend. Ich roch den reifenden Wein in der sommersüßen Luft und spürte eine Sehnsucht nach Zukunft wie seit gefühlten hundert Jahren nicht mehr.

Joachim sah mich amüsiert an. „Du hast also grade ein altes Familiengeheimnis gelüftet, wenn ich das richtig verstehe", sagte er. „Und wie geht's jetzt weiter?"

„Mir jetzt diese Frage zu stellen, ist absolut vergebens", sagte ich. „Bis ich sicher weiß, dass Peter übern Berg ist, interessiert mich nichts anderes. Auch nicht, wie diese oder sonst eine Geschichte weitergeht."

„Wie läuft's mit Henry?", wollte er wissen.

Ich zuckte mit den Schultern. „Er meldet sich nicht mehr."

„Henry und ich haben einen gemeinsamen Kunden, da läuft er mir manchmal über den Weg. Daher wusste ich auch von Peter", erklärte er.

„Und seit wann weißt du von ihm und mir?", fragte ich.

„Seit ich ihm mal im Biergarten ein paar Halbe spendiert hab. Da hat Theo noch gelebt. Und ich dachte mir: Oh je, meine arme Ellie, musst du wieder Unfrieden über dich bringen?"

„Als hätte ich jemals Frieden gehabt." Ich schwieg einen Moment. „Es war sehr schön, dass du heute da warst. Ich weiß gar nicht, womit ich das verdient hab."

„Du hast keine Ahnung, wie oft ich an dich denke, Ellie."

„Doch, das hab ich. Ich denke nämlich genau so oft an dich. Wenn nicht öfter", gab ich zurück.

Mit seinem triumphierenden Lachen wischte er alles Gesagte aus der Luft. Dann wickelte er um jeden seiner Finger einen Bändel meines Kapuzenpullis und zog mich daran ein Stück näher zu sich, sodass ich meinen Kopf in den Nacken legen musste, um ihm ins Gesicht zu sehen.

„Mach einfach keinen Blödsinn mehr, Ellie."

„Ich werd's versuchen."

„Kann ich mich darauf verlassen?"

Ich sagte nichts mehr, sondern wartete auf eine Umarmung. Aber er stieg in seinen Kombi und fuhr davon.

Charlotte saß mit Nell auf dem Schoß auf der Couch, die beiden Jungs rechts und links von ihr, und erzählte von Matthias. Kilian hatte einen Laptop auf den Knien.

„Wie heißt noch mal seine Firma, Mama?", wollte er wissen. Ich buchstabierte die Internetadresse. Dann zeigte ich Kilian das Interview über Solartechnik.

„Das ist ja so ein cooler Typ!", staunte mein Sohn.

Darius war schon in seinem Zimmer verschwunden und Nell wurde von Charlotte ins Bett gebracht, da saß ich noch mit Kilian und dem Laptop auf der Couch. Er wehrte sich nicht mal gegen den Arm, den ich um ihn gelegt hatte.

„Du musst mir noch etwas versprechen, Kilian", begann ich eine seit Langem geplante Unterredung. Er reagierte nicht, sondern tippte weiter wie besessen auf der Tastatur herum, um mehr Infos über MFT zu finden.

„Ich möchte, dass du dir immer deine eigene Meinung bildest. Wenn dir irgendwer weismacht zu wissen, was recht und was schlecht ist, dann glaub ihm einfach nicht. Wenn man so schlau ist wie du, muss man seinen Geist einschalten, anstatt Dinge hinzunehmen, wie sie sind oder wie andere sie erklären. Alex hatte niemanden in seinem Betrieb, der gesagt hätte: Ich weiß, was richtig ist, denn ich bin hier seit Jahrzehnten der Vollchecker. Er musste seine eigene Denkarbeit machen, und das war sein Glück. Ich möchte, dass meine Kinder das auch tun."

Da drückte er sich an mich und sagte: „Das verspreche ich dir, Mama. Wenn einer der Vollchecker ist, dann ich!" Wir lachten und rangelten miteinander, als Charlotte wiederkam.

Dann schickten wir den Knaben schlafen.

Es wurde eine lange Nacht mit Rosenblütentee und Popcorn. Ich ging nur so weit, Charlotte zu erzählen, dass Alex mir die konzernweite Marketingleitung angeboten hatte. Ich schwärmte von ihm, seinem Charisma und seinem Unternehmergeist.

„Meinst du, er möchte mit mir sprechen?", fragte Charlotte.

Ich versicherte ihr, dass er das wolle, und gab ihr seine persönliche E-Mail-Adresse und Handy-Nummer.

Um die Lage zwischen uns endgültig zu bereinigen, kam Charlotte noch mal vorsichtig auf Theos Testament zu sprechen.

„Ich hätte nie gedacht, dass dich das so verletzen würde. Ich dachte immer, es liegt dir nichts an Firmenanteilen. Das wäre doch nur eine lebenslange Belastung für dich gewesen."

„Theo hat mich entmündigt, Charlotte. Er hat mir nicht mal zugesprochen, über die Ausbildung meiner Kinder zu entscheiden. Er hat meinen völlig kraftlosen Zustand ausgenutzt, um mich zu berauben. Schließlich habe ich all meine Pläne aufgegeben und jahrelang um eine Familienbasis gekämpft, während er dauerabwesend war."

„Mir hat Theo gesagt, dass es eine bewusste Entscheidung von euch beiden war, deinen Namen vom Vermögen zu trennen, damit deine Mutter nicht dran kommt."

„Theo hat für sich, uns und andere immer alles so zurechtgelegt, dass es seine Absichten stützte. Wäre ich zu seinen Lebzeiten dahintergekommen, hätte ich mich wahrscheinlich von ihm getrennt."

„Warum wusste er eigentlich von Henry?", wollte Charlotte wissen.

„Erst dachte ich von dir. Aber es war ein anderer Kanal", sagte ich.

„Ich hab das Gelübde nie gebrochen."

„Ich weiß." Ich erzählte ihr, was Kilian seinem Vater gesteckt hatte. „Es war ja eigentlich noch lange kein Beweis dafür, dass ich ihn betrogen hatte. Aber er hielt es wohl für gesetzt. Hat er mit dir darüber gesprochen?", wollte ich wissen.

„Er sagte nur, dass du dich mit zweitklassigen Künstlertypen triffst und er verhindern wollte, dass diese deine Situation ausnutzen, wenn er nicht mehr ist."

Oh, Theo, dachte ich. Wie warst du gefangen in deinem Kopf. Warum konnten wir nicht miteinander reden?

„Lassen wir ihn ruhen, Charlotte. Ich will ihm meine Wut nicht hinterherschicken. Ich will mich an das erinnern, was ich an ihm geliebt habe."

Als Charlotte gegangen war, wählte ich Alex' Nummer. Seine Mailbox ging dran. Ich hinterließ ihm eine Nachricht, dass Charlotte vermutlich schon am folgenden Tag versuchen würde, mit ihm in Verbindung zu treten und dass ich vorher unbedingt mit ihm sprechen müsste. Dann ging ich ins Bett und legte das Telefon neben mich. Morgens um drei Uhr klingelte es.

„Hi Baby", begrüßte er mich, er klang gehetzt. „Ich bin grad zwischen zwei Meetings, sorry. Hab nicht viel Zeit."

Ich berichtete ihm, wie aufgeregt und glücklich seine Schwester sei und dass sie es nicht erwarten konnte, mit ihm zu sprechen.

„Ich hab ihr nichts von uns beiden erzählt. Sie war sowieso schon so durch den Wind. Denk bitte dran, wenn ihr telefoniert."

„Warum hast du das nicht mit mir abgesprochen? Ich werde nicht gern so überrumpelt."

„Sorry, Alex. Hatten wir gesagt, dass ich unsere Begegnung geheim halten soll?"

„Nein. Schon gut. Was macht deine Reiseplanung? Ich hab ein paar Termine für Hausbesichtigungen."

„Ich kann noch nicht planen, Alex. Mein Vater steht auf der Kippe."

„Ach ja richtig, dein Vater. Sorry to hear. Okay, ich muss los. I love you, honey. Take care."

Ich konnte nicht mehr einschlafen. Es war, als hätte sich ein Wurm unter meine Haut gebohrt, der sich jetzt durch mein Nervenkostüm fraß. Um mich in einen hoffnungsfrohen Zustand zu versetzen, flüchtete ich mich in Träume von ihm und mir. Ich sah uns in unserem pompösen Haus, in unserem ausgefüllten Leben mit großen Aufgaben und Auftritten. Ich würde alles geben, um ihm große Ehre zu machen.

Mit meinem Vater ging es kontinuierlich bergauf und bald schon kam er wieder auf die Füße. Er wurde für acht Wochen in die onkologische Reha nach Prien an den Chiemsee geschickt. Doch als die Sorge um ihn von mir abfiel, traf mich der Druck umso härter. Alex schickte immer mehr Links zu immer spektakuläreren Anwesen. „Ich muss noch abwarten", schrieb ich zurück. Eines Nachts scrollte ich mich durch Facebook auf der Suche nach Ablenkung. Jeder postete plötzlich illustrierte Weisheiten. Von Henry kam ein gebrochenes Herz mit dem Spruch: „If you are giving your all and it is not enough, you are giving it to the wrong person." Christina teilte einen Sonnenaufgang, in dem stand: „New beginnings are often disguised as painful endings." Es ging um die Veränderung, die man willkommen heißen muss, nur nicht an Dingen festhalten, die unfrei machen. Dem eigenen Weg folgen. Ich konnte nicht genug kriegen von den seichten Heilsversprechen. Aufgeladen mit Aufbruchsmotivation ging ich auf die Webseite von Lufthansa und begann unsere Flüge zu buchen: Hinflug in zwei Wochen, der Rückflug sollte flexibel umbuchbar sein, so konnten wir nach sechs Wochen entweder bleiben und meinen Vater nachholen oder wieder heimfliegen. Über fünftausend Euro wollten sie im letzten Schritt von mir haben. Ich würde kein Gehalt von Schmidt mehr bekommen - painful endings - müsste also sofort bei MFT anfangen, um die ganze Aktion zu finanzieren, oder mich auf Alex' Unterstützung verlassen. Das wäre also mein „new beginning": Ich gab das Schicksal meiner Familie in die Hand des nächsten Superhelden.

Letztendlich drückte ich ihn doch nicht, den „Buchen"-Button.

Am nächsten Tag besuchte mich Charlotte im Büro. Sie trug eine weiße, frisch gebügelte Bluse mit buntem Seidenschal und hatte den grauen Haaransatz nachgefärbt. Es wehte ihr ein verheißungsvoller Glanz voraus.

„Du siehst toll aus, Charlotte“, stellte ich bewundernd fest.

„Es geht mir auch gut“, sagte sie. „Stell dir vor, er kommt.“

„Wer?“

„Matthias. Er hat gestern gleich nach unserem Telefonat den Flug gebucht. Am achtundzwanzigsten Juli ist er hier. Ich möchte, dass wir ihm gemeinsam die Firma zeigen. Ich kann es immer noch nicht glauben, Ellie. Es war, als hätten wir erst kürzlich miteinander gesprochen. Keine Vorwürfe, keine alten Geschichten. Er will mich einfach nur sehen. Und dich natürlich. Das Ganze müssen wir jetzt noch Lothar beibringen. Weiß Matthias von Lothars Absetzung?“

„Nein, noch nicht. Aber das wird er ja dann alles mitkriegen.“

In diesem Moment kam mir zum ersten Mal der Gedanke, dass Alex und sein amerikanischer Konzern eine Lösung für die Zukunft von Schmidt sein könnten. Es war, als hörte ich ein „Klickklick“ in meinem Kopf. Ich hatte meinen Absprung seit Seattle hundert Mal durchgespielt. Er hatte immer den „Nach mir die Sintflut“-Beigeschmack gehabt. Aber vielleicht könnte ja sogar ein besseres Zeitalter für das Unternehmen Schmidt anbrechen.

Abends schlenderte ich mit Nell durch die Weinberge zum Waldrand. Wir pflückten einen wunderschönen bunten Wiesenblumenstrauß: Hahnenfuß, Flockenblume, Winterkresse. Ich staunte, mit welcher Sicherheit Nell die Namen aufsagte.

„Fliegen wir zur Finca in den Ferien?“, fragte sie mich, als wir Kopf an Kopf auf einem Baumstamm lagen.

„Würdest du gerne?“, wollte ich wissen.

„Ich möchte nur, dass wir alle zusammen sind. Opa soll wieder heimkommen und gesund sein, und du sollst nicht ins Büro gehen müssen. Dann wären es Lieblingsferien. Mir egal wo.“

„Okay. Dann machen wir Lieblingsferien, Nell. Versprochen."

Als die Kinder im Bett waren, klappte ich meinen Laptop auf, fand aber keine Nachricht von Alex. Hätte ich gestern den Flug gebucht, hätte ich ihn jetzt wieder stornieren müssen. Dennoch hielt er es nicht für nötig, mir mitzuteilen, dass er demnächst nach Deutschland reisen würde.

Was war das nur mit meinem Leben? Frei und aufrecht hatte ich meinen Weg gehen wollen. Doch das Bild war ein anderes. Alle paar Meter warf einer ein Fangnetz über mich und wenn ich mich ordentlich darin verheddert hatte, ließ er die Enden los. Die Einsamkeit, die über mich kam, war ein Raum von großer Klarheit.

Seitenwind

Der Modus, in dem ich schnell, entschlossen und unaufhaltsam einen Schritt vor den anderen setzte in Richtung eines Ziels, das eher ein Gefühl ist als eine konkrete Vorstellung, war mir vertraut. Ich kannte ihn aus den Zeiten, als ich Karlsruhe verlassen hatte, als ich die Stromer-Webwelt aufgesetzt und als ich Isopur ins Leben gerufen hatte: Nichts brachte mich von meinem Kurs ab, nichts bremste mein Tempo. Angst und Bedenken, die aufkamen, waren wie ein Sturm im großen weiten Wald. Man hört ihn, aber man bleibt auf seinem Weg.

Charlotte wunderte sich, dass ich Urlaub nahm, obwohl die Kinder noch in der Schule waren, und rief an, um zu erfahren, was ich vorhatte. Ich klärte sie darüber auf, dass ich gerade meine Kündigung geschrieben hätte und sie per Post schicken würde.

Was ich denn um Himmels Willen tun wolle, fragte sie entsetzt.

„Gib mir ein bisschen Zeit, Charlotte, dann erzähle ich dir davon", versprach ich ihr.

Marion hatte ich in Sonderurlaub geschickt. In zwei Wochen würde ich mich mit ihr treffen, ihr für ihre Treue danken und ihr kündigen.

Ich hatte vollkommene Ruhe. In einer systematisch angelegten Aktion putzte ich das ganze Haus und räumte altes Zeug aus den Schränken und Kellern. Zur Klarheit in meinem Inneren kamen jetzt Reinheit und wunderbare Leere.

Henry war der Nächste, mit dem ich telefonierte. Es gelang mir, ihn aus seiner Reserve zu locken. Er beschwerte sich darüber, wie ich ihn am langen Arm verhungern ließ. Es tat mir weh. Ich wusste ja, wie tief er leiden konnte.

„Du bleibst immer in meinem Herzen, Henry. Du bist einer der Menschen, für die ich alles tun will, damit sie glücklich werden. Und genau deshalb schicke ich dich wieder auf deinen eigenen Weg. Ich glaube fest daran, dass du eines Tages sehr froh darüber sein wirst. Auf dich wartet irgendwo eine wunderbare Frau. Ihr werdet ein spannendes, gemeinsames Leben vor euch haben. Das kann ich dir niemals geben, Henry."

Auf meine Bitte hin kam er vorbei, brachte Kamera und Lampen mit und fotografierte alle Räume sowie das Haus von außen aus verschiedenen Perspektiven. Als die Kinder aus der Schule kamen, machten wir ein Picknick im Garten. Keiner durfte drinnen Unordnung verbreiten, bis Henry fertig war. Darius erklärte sich bereit zu assistieren und Henry gab ihm einen Schnellkurs im Setzen von Licht und Wählen von Winkeln. Als ich ein paar Tage später die Aufnahmen durchging, war ich begeistert von dem hochwertigen Ambiente. Doch es lockte mich nicht mehr. Hier war meine Seele nicht mehr zu Hause. Ich speiste den Immobilieneintrag in alle relevanten Portale ein mit dem Vermerk: Keine Maklerprovision!

Dann rief ich in Frankfurt bei Stromer an und bat um einen persönlichen Termin bei Daniel Schweizer. Keine dreißig Minuten später hatte ich seine Assistentin am Ohr, die mich bat, morgen um zehn Uhr vorbeizukommen.

Er saß immer noch im gleichen Gebäude, nur einen Stock höher, in einem großen hellen Büro mit Parkettboden. Vor zwölf Jahren, einige Wochen vor Kilians Geburt, hatte ich meinen Arbeitsplatz im Erdgeschoss geräumt. Daniel hatte weiterhin jeden Tag hier auf der Matte gestanden. Ich versuchte mir das vorzustellen. Sicherlich war hier bei all den Kommunikationsplattformen, die es zu betreuen gab, mehr Dynamik drin als bei Schmidt. Aber allein der Gedanke an diese Raum- und Zeitfesseln, die hier wie dort jedem angelegt wurden, schnürte mir plötzlich die Luft hab.

Daniel gehört zu den Männern, die mit dem Alter attraktiver werden. Das Beflissene und Angepasste, das ihm früher in Form leichter Anspannung im Gesicht gestanden hatte, war Reife und Herzlichkeit gewichen, untermalt von grauen Schläfen und Lachfalten. Auf seinem Schreibtisch stand – von Kirschholz gerahmt – das Bild zweier umwerfend hübscher junger Damen, die das schimmernde Haar und den honigfarbenen Teint ihrer Mutter geerbt hatten. Julia und Johanna studierten beide im Ausland, erzählte er.

Dann blickte er mich fragend an.

Ich rückte gerade heraus damit: „Ich brauche Hilfe."

Daniel wusste Bescheid über den Vertrag, den mir Theo untergeschoben hatte. Das wunderte mich nicht. Schließlich wusste die gesamte Führungsetage von Schmidt davon.

„Du weißt, dass du das anfechten kannst, Ellie. Die Situation, in der du warst, als du unterschrieben hast, wird dir jeder Richter zugutehalten. Eheverträge mit dieser Tragweite sind in der Regel haltlos. Das, was Theo verdient hat, seit ihr zusammen gelebt habt, steht dir zu."

„Das mag sein, aber es wäre keine Lösung für mich, all dieses Geld zu haben."

„Du könntest dir einfach mal Ruhe gönnen", schlug er vor.

„Hm. Das Problem wird sein, Ruhe zu finden", warf ich ein. „Nein, Daniel, ich möchte nicht da ansetzen, wo ich überrannt worden bin, sondern da, wo ich aus meinem eigenen Plan herausgerissen wurde, damals als mich meine erste Schwangerschaft traf wie ein Blitzschlag."

„Du warst eine sehr ambitionierte junge Frau. Aber was genau war denn dein Plan?"

„Ich wollte diejenige sein, die sagt, wo's langgeht. Ich wollte dort hinkommen, wo du jetzt bist."

Er lachte. „Denkst du, ich bin weniger Diener als damals, nur weil ich ein Stockwerk weiter oben sitze und Theo Schmidt ein paar weiter unten? Theo hat einen sehr hitzigen Nachfolger. Ich bin nicht mal sicher, ob ich ihm überhaupt in den Kram passe."

Daniel erzählte mir, dass er dringenden Bedarf an innovativen Köpfen habe und erst kürzlich wieder mit Joachim in Verbindung getreten sei. Keiner kannte mehr dessen frühere Verbindung zu Stromer und den Boykott, den Theo über ihn verhängt hatte.

„Ich suche Leute, die mir bei der Weiterentwicklung unserer Onlineshops helfen, die neue Ideen haben. Außerdem brauche ich ein Konzept für Onlinemagazine. Ich brauche ein Filmproduktionsteam, das mir unsere Gartentipps ohne riesigen Aufwand in kleine Clips umsetzt. All diese Talente finde ich nicht hier in diesem Gebäude."

Seine Worte hatten eine verheißungsvolle Schwingung. Was war die Sicherheit eines Arbeitsvertrages gegen ein solches Spielfeld? Ich würde mich mitten in den Wind stellen müssen, aber genau dort winkte die Freiheit.

Das Interesse an meinem Haus war enorm. Innerhalb von zehn Tagen hatte ich mich für eine sympathische junge Familie mit Zwillingssöhnen im Grundschulalter entschieden, die sogar den Flügel kaufen wollten. Das war eine weitere dramatische Trennung, aber ich schlug ein.

Wohin jetzt?

Dem ersten Impuls folgend, setzte ich einen Post auf meine Facebookseite: *Suche 4- bis 5-Zimmer-Wohnung in Karlsruhe zur Miete. Bitte teilen.*

„Back to the roots?", schrieb Joachim innerhalb von 30 Sekunden als Nachricht und ich sandte einen Smiley zurück.

Den Kindern erklärte ich, dass dies eine Übergangslösung sein würde, bis wir wieder ein Haus gefunden hätten.

„Warum willst du weg von Schmidt?", fragte mich Darius.

„Bei Schmidt werde ich immer Sklave bleiben", erklärte ich ihm.

Dann erzählte ich ihm von meinem Plan, mich mit einer Agentur für Internetmarketing selbstständig zu machen.

„Ich bin vierzig Jahre alt, Darius. Wenn ich das jetzt nicht mache, dann krieg ich die Kurve nicht mehr."

Wir fuhren an den Chiemsee, um Opa zu besuchen. Das Wetter war fantastisch. Wir machten eine kleine Dampferrundfahrt vor der gigantischen Alpenkulisse. Man muss gar nicht um die halbe

Welt fliegen, um ein Abenteuer zu erleben, dachte ich mir. Alle drei Kinder waren fröhlich und ausgelassen, ihr Opa war wieder der Alte und allerbester Laune.

„Du schaust super aus, Papa", schwärmte ich.

Daraufhin hielt er mir einen Vortrag über die vitalisierende Wirkung einer kohlenhydratarmen Ernährung, in der unverarbeitete pflanzliche Nahrungsmittel überwiegen.

„Auch ihr solltet euren Speiseplan überdenken, Ellie. Nur zur Vorbeugung."

„Das machen wir, Papa, alle zusammen. Wir ziehen wieder nach Karlsruhe und ich hoffe, du kommst mit. Wir gründen eine WG. Dann können wir aufeinander aufpassen."

„Mädchen, Mädchen", er schüttelte den Kopf, als ich meinen gesamten Plan vor ihm ausbreitete. „Ich hoffe, du verrennst dich nicht, so wie ich damals."

„Keine Sorge. Ich tu genau das Richtige. Du wirst sehen."

Ich wusste, wenn ich mich jetzt wieder vor lauter Angst vor dem Scheitern in ein System eingliedern lassen würde, dann würden meine Ideen einen langsamen Erstickungstod sterben.

Jetzt war die Zeit.

Meine Kündigung war akzeptiert worden und ich hatte noch Resturlaub. Es gab viel zu tun. Anfang August wollte ich umziehen. Die Jungs waren beide auf meinem alten Gymnasium angemeldet. Die Wahl der Grundschule für Nell wollte ich noch offenlassen, bis wir wussten, wo wir landen würden. Alle drei Kinder waren in freudiger Aufregung. Karlsruhe war immer die Stadt der Abenteuer gewesen. Die Skateplätze waren „hundertmal geiler" als in Neckarsulm oder Heilbronn und Nell würde vielleicht sogar zu Fuß zum Zoo laufen können. Das Beste aber war: Opa würde bei uns wohnen.

In einer stillen Stunde setzte ich mich an meinen Laptop und schrieb Alex, von dem ich nun schon seit Tagen kein Wort mehr gehört hatte:

Mein lieber Schwager, ich kann dich nicht heiraten. Du hast mich tief beeindruckt, so tief, dass ich meine Gefühle für dich wohl fehlinterpretiert habe. Ich habe neue Pläne und wünsche Dir von ganzem Herzen alles Gute! Vielleicht finden wir ja doch mal Zeit zum Reden. Deine Ellie.

An einem sonnigen Samstag gingen Joachim und der kleine Oscar mit uns auf Wohnungstour. Um meine Kinder an den Stadtverkehr zu gewöhnen, radelten wir mit geliehenen Fahrrädern von einer Besichtigung zur anderen. Am Abend hatten wir zwar noch nichts Passendes gefunden, aber wir waren wunderbar ausgepowert.

Joachim und ich saßen auf der Terrasse des Tiergarten-Cafés. Darius und Kilian, unermüdlich wie sie waren, drehten eine letzte Erkundungsrunde mit den Rädern. Oscar und Nell bestaunten die Flamingos ein paar Meter von uns entfernt. Da erzählte mir Joachim, dass Moni mit einem Musikerkollegen zusammen sei, schon seit einigen Monaten, wenn nicht sogar Jahren, das wisse er nicht genau.

Joachim war in der Wohnung in der Lessingstraße geblieben, um bei Oscar zu sein. Moni war meistens bei ihrem Freund. Beide Eltern hatten Angst, den nachdenklichen kleinen Oscar mit der Trennung zu belasten, und versuchten, eine Familienkonstellation aufrechtzuerhalten.

„Ich glaube, ich war ihr einfach kein guter Mann“, gab er zu. „Ohne dich war ich immer nur ein halber Mensch.“

Keines der Kinder schaute besonders erstaunt, als Joachim und ich Arm in Arm zu meinem Wagen zurückgingen.

Als ich in meinem leer geräumten Schlafzimmer im Bett lag, spürte ich das Glück bis in den kleinen Zeh.

Geradeheraus schickte ich Joachim die Frage: „Nimmst du mich zurück?“

„Das macht die Wohnungssuche nicht einfacher “, antwortete er und schickte einen Smiley hinterher.

„Ein Haus?“

„Suchaktion startet morgen."
„Yippiyeeh!!"

Der Tag vor unserem Auszug war der erste Ferientag. Ich ließ die Kinder lange schlafen und saß am Flügel, ohne zu spielen. Es war ein Moment frei von jeglicher Angst, etwas vergessen zu haben. Es war alles getan, alles gedacht, alles geleistet. Wir hatten eine zentrumsnahe Wohnung gefunden, für den Übergang. Für die Haussuche würden wir uns mehr Zeit nehmen. Ich vertraute darauf, dass sich die Dinge von alleine weiterentwickeln würden und entließ mich selbst aus der Sklaverei. Seither spürte ich ein unglaubliches Volumen an Freiheit in meinem Leben und einen stetigen Rückenwind.

Die Kinder und ich verbrachten den Tag zwischen gepackten Kisten, ernährten uns viel zu kohlenhydratreich aus Einkaufstüten und erzählten uns Geschichten aus unserem Leben in diesem Haus. Unsere letzte Nacht verbrachten wir im Wohnzimmer auf einem großen Matratzenlager. Um acht Uhr morgens stand der Möbelwagen vor der Tür. Kurz hintereinander trafen Joachim und Henry ein. Am späten Vormittag war alles verladen.

Aus dem geräumigen Wohnbereich würde jetzt gleich unser Familienleben weichen, bevor sich ein gänzlich anderes darin ausbreiten würde. Ich belegte ein paar Brote und wir setzten uns auf den Parkettboden. Da saßen wir in staubigen Jeans und verschwitzten T-Shirts, meine drei Kinder, mein alter und neuer Freund, mein ehemaliger junger Liebhaber und ich, als Charlotte mit Alex zur Tür hereinkam.

„Sieht aus, als wäre hier jemand auf der Flucht", hallte es von den Wänden wider. Im nächsten Moment gehörte ihm die gesammelte Aufmerksamkeit. Jede Regung und jeder Gedanke im Raum waren ab jetzt eine Reaktion auf ihn. Charlottes sonst so einnehmendes Wesen, von dem wir es gewohnt waren, dass es uns immer einlud, näher zu rücken und uns bei ihr wohlzufühlen, war plötzlich nur noch Projektionsfläche für die Herrlichkeit ihres Bruders.

Ich schnellte hoch und musste erst mal den Schwindel besiegen, bevor ich auf die beiden zulaufen konnte. Er umarmte mich zu lange, fasste mich zu intim um die Hüften und ergriff zu galant meine Hände. Es war unmöglich, mich dem zu entziehen. Charlotte blickte mich wissend an. Der Rest der Gesellschaft ließ Denkblasen aufsteigen, in denen sich das Rätseln um dieses kleine Schauspiel zu Ungläubigkeit zusammenbraute.

Ich stellte ihn den Kindern vor: „Das ist euer Onkel Alex aus den USA."

Selbst Kilian starrte sprachlos in seine Richtung.

Alex drehte sich um die eigene Achse und schaute sich um.

„Freut mich, dass ihr die Zelte schon abgebrochen habt. Dann können wir ja jetzt endlich eure Flüge buchen."

„Du hättest mir ja was sagen können, Ellie." Charlotte schüttelte den Kopf und nahm mich in den Arm.

„Hast du meine E-Mail nicht bekommen, Alex?", fragte ich.

In diesem Moment stand Joachim auf und verließ den Raum. Ich hörte sein Auto davon fahren.

Henry blieb ruhig. „Der Möbelwagen ist unterwegs nach Karlsruhe, Ellie. Jemand sollte ihn dort in Empfang nehmen und das Entladen organisieren."

„Würdest du das für uns tun, Henry? Nimm bitte die Kinder mit. Ich muss hier was regeln."

„Na dann viel Glück", sagte er.

Ich brachte ihn und die Kinder nach draußen zu seinem VW-Bus.

„Wie viele Männer hältst du dir eigentlich immer gleichzeitig warm?", fragte er, als wir draußen waren.

„Mama, will uns der Alex mit nach Amerika nehmen?", bohrte Kilian nach. „Das wäre ja noch geiler. Komm, wir gehen nach Seattle!" Er zerrte an meinem Arm, doch ich schob ihn ins Auto. Dann versuchte ich mich durch die Beifahrertür an einer gefassten Ansage, aber meine Stimme war ganz kurz vorm Kippen:

„Ihr helft Henry bitte beim Ausladen. Ich komme in einer halben Stunde nach. Nein Kilian, wir gehen nicht nach Seattle."

Als sie davon gefahren waren, stahl ich mir noch eine Sekunde, bevor ich mich dem Löwen zum Fraß vorwarf, und schrieb auf meinem Handy eine Nachricht an Joachim: „Bitte melde dich!"

Es war, wie vor Gericht anzutreten und zu wissen, dass man schuldig ist.

Alex und Charlotte saßen auf dem Steinsims vor dem Kamin. Ich setzte mich im Schneidersitz vor ihre Füße.

„Es ist schön, dich zu sehen, Alex. Aber das war echt ein Überfall. Hättest du vielleicht in den letzten Wochen mal anrufen können? Oder auf meine E-Mail reagieren?"

„Ich wollte dich überraschen", erklärte er.

„Na super. Weißt du, dass ich grade einen Flug buchen wollte, als ich von Charlotte erfahren habe, dass du hierherkommst? Warum hast du mir das nicht selbst gesagt?"

„Wie soll ich die Situation verstehen, Ellie? Offenbar läufst du davon, aber nicht mit mir. Richtig?" Sein Tonfall erinnerte mich an Theos Predigten darüber, was in sein Leben passte und was nicht. „Ich serviere dir alles auf dem silbernen Tablett: einen Job, ein Haus, eine Zukunft. Du sagst mir, dass du mich heiraten willst, und dann drehst du dich um und überlegst es dir anders? Offen gestanden, habe ich deine E-Mail einfach nicht ernst genommen."

„Hör mal, Alex. Seit ich wieder hier bin, hast du mich bei jedem Telefonat abgewürgt und mich nicht mal darüber informiert, dass du zur vereinbarten Zeit, wenn ich mit Kind und Kegel in Seattle landen sollte, gar nicht zu Hause sein würdest. Ehrlich gesagt, hab ich *dich* nicht mehr ganz ernst genommen."

Ich stand auf, holte die schwarze Schachtel aus meiner Tasche und gab ihm seinen Ring zurück. Er nahm ihn entgegen und blickte an mir vorbei aus dem Fenster.

Charlotte versuchte mir zu schildern, wie sich das alles aus ihrer Sicht darstellte: „Als Alex mir erzählte, dass ihr beide ein

Paar seid, dachte ich, das sei die Erklärung für deine plötzliche Kündigung und den Hausverkauf. Endlich war da eine Logik zu erkennen. Aber offen gestanden, verstehe ich jetzt gar nichts mehr, Ellie."

„Im Grunde ist es ganz einfach", sagte ich. „Ich möchte meinen eigenen Weg gehen."

„Und was möchtest du tun?", fragte sie.

„Einfach nur spüren, dass ich ein fähiger Mensch bin, wenn man die Schmidts von mir abzieht. Es gibt Leute, die einmal an Elisabeth Becker geglaubt haben, bevor sie Theos Frau wurde. Diese Menschen will ich um mich haben."

„Du erinnerst dich, dass ich es war, der dich ermutigt hat, dein Leben nicht mehr bei der Firma Schmidt zu fristen", warf Alex ein.

„Dafür bin ich dir für immer dankbar. Andererseits brauche ich jetzt wirklich keinen Mann mehr, der nicht mal eine Minute Zeit hat, um mit mir zu telefonieren. Das hatte ich dreizehn Jahre lang, Alex. Da können der Job, das Haus und die Zukunft meiner Kinder noch so rosig sein. Nichts davon ersetzt das Gefühl, es Wert zu sein, dass sich einer Zeit für dich nimmt, obwohl das nächste Meeting wieder so dermaßen kriegsentscheidend ist."

„Aha. Das heißt, du schiebst mir die Schuld zu. Du machst es dir ja einfach", entgegnete er.

„Nein. Wir haben es beide überstürzt", sagte ich.

Es herrschte Stille. Verzweifelt schielte ich auf mein Handy. Kein Zeichen von Joachim. Mein Krampf im Magen wurde unerträglich.

„Wir haben heute von einer Übernahme gesprochen, Ellie", erklärte mir Charlotte vorsichtig. „Ich habe Alex meine Anteile an Schmidt angeboten. Nur Anna möchte ihren Teil behalten. Morgen sprechen wir mit Lothar."

Diese Neuigkeit überraschte mich nicht. Ich wusste, dass Alex die Schmidt-Anteile aus der Kaffeekasse zahlen würde.

„Was machen wir mit den Shares von deinen Kindern?", wollte er wissen. Er schaute immer noch aus dem Fenster.

„Das muss Charlotte entscheiden. Da habe ich nichts zu sagen“, gab ich zu bedenken.

Charlotte schlug vor, die Anteile bei meinen Kindern zu belassen, bis sie selbst darüber verfügen könnten.

„Wenn ich dir anbieten würde, Geschäftsführerin zu bleiben, zu besseren Bedingungen, würdest du das tun?“, wollte Alex wissen.

„Nein, Alex.“ Da musste ich nicht lange überlegen.

„Auch nicht für deine Kinder?“

„Meine Kinder sollen frei sein. Wenn sie sich mal entscheiden, bei Schmidt oder - wer weiß - bei MFT zu arbeiten, dann soll ihnen das offenstehen. Aber ich werde sicherlich keinen Druck auf sie ausüben, indem ich meine eigenen Träume dem Familienplan unterordne. Ich hab das all die Jahre getan, nur um dann ohne alles dazustehen.“

„Das war aber nicht unverschuldet, Ellie“, erinnerte mich Charlotte. „Vergiss nicht, dass Theo Gründe hatte, dir nicht mehr zu trauen.“

Das war ein gut platzierter Schlag.

„Du siehst, Alex, du kannst froh sein, dass ich dir eine Ehe mit mir erspare“, sagte ich.

Endlich drehte er sich zu mir. „Wir müssen in Verbindung bleiben, schon allein wegen der Kinder“, sagte er. „Daher möchte ich keinen Groll zwischen uns.“

„Das ganze Konzept Groll ist endgültig vorbei“, stellte ich klar. „Ich hege keinen mehr. Auch nicht gegen mich selbst.“

Ich stand auf und umarmte sie beide. „Ihr glaubt nicht, wie glücklich es mich macht, dass ihr euch wiedergefunden habt. Aber ich muss euch jetzt rausschmeißen.“

Als sie davon gefahren waren, ging ich nach oben und ließ mich auf den Klavierstuhl sinken. Immer noch keine Nachricht von Joachim.

Ich spielte eine letzte Arabeske von Debussy. Die Trennung von meinem Haus und meinem Instrument war nichts gegen den Schmerz, dem Mann, den ich liebte, wehgetan zu haben.

Zum wievielten Mal schon? Würde er jetzt endgültig genug von mir haben?

Schließlich holte ich meine Tasche aus der Küche, ging nach draußen und schloss das Haus ab.

Henry, die Kinder und die zwei Möbelpacker hatten fast alles schon in der Wohnung verteilt, als ich in der Moltkestraße ankam. Ich lud Henry in den nächsten Biergarten ein. Er und die Kinder aßen Schnitzel und Kartoffelsalat. Ich selbst bekam keinen Bissen hinunter.

„Der kommt schon wieder", tröstete mich Henry. „Er liebt dich, soviel weiß ich. Ich beneide ihn nicht darum."

Am Abend schoss ich ein Foto vom rosaroten Abendhimmel über der Stadt von unserem Balkon aus und stellte es auf meine Facebookseite. „Back in town", schrieb ich dazu.

Nell zog Kreise durch die Wohnung und versuchte sich vorzustellen, wie wir hier leben würden, wenn Opa da war. Damit er sein eigenes Zimmer bekäme, würde ich im Wohnzimmer auf einer Ausziehcouch schlafen. Darius und Kilian arbeiteten fieberhaft daran, ihren Krempel aus Erlenbach in ihrem gemeinsamen Zimmer unterzubringen. Ich hatte sie schon lange nicht mehr in solch brüderlicher Einigkeit erlebt. Nells Zimmer war so groß wie mein Kleiderschrank im alten Haus. Sie dekorierte das Fensterbrett liebevoll mit Barbiemöbeln. Ich wäre gerne mit ihr durch die Räume gestreift, um Plunder zu verteilen. Aber ich konnte mich nicht rühren. Ich saß auf dem Balkon auf einem der rostigen Eisenstühle, die wir vom Vormieter geerbt hatten, und war verloren in meiner alten Stadt, in der mich niemand erwartete.

Die Jungs riefen von drinnen, sie würden noch mal losgehen, um das Umfeld zu erkunden. Nell wollte unbedingt mit. Ich ermahnte die drei, in einer Stunde wieder da zu sein.

Doch sie kamen schneller wieder, und sie hatten Oscar im Schlepptau.

„Wusstest du, dass man von hier aus in zehn Minuten zu Fuß in der Lessingstraße ist?", fragte Kilian.

„Wir passen auf Oscar auf und du gehst rüber zu Joachim, Mama", ordnete Nell mit erwachsener Entschlossenheit an.

„Möchte er das?", fragte ich.

„Wir glauben schon, aber wissen tun wir es nicht", sagte Darius.

Ich nahm das Fahrrad und war in drei Minuten dort. Verschwitzt von der schwülen Abendluft drückte ich auf die Klingel mit der Aufschrift „Ellwanger/Färber". Der Öffner surrte. Er stand in seiner Wohnungstür, sah eingefallen aus und roch nach Nikotin, obwohl er das Rauchen schon lange aufgegeben hatte. Tiefe Furchen zogen sich durch sein Gesicht. Seine Haare schienen blitzergraut zu sein.

„Komm rein", sagte er und ging voraus in die Küche. Dort lehnte er sich an den Schrank, nahm einen Playmobilmann von der Ablage und warf ihn von einer Hand in die andere. Ich setzte mich auf den Tisch.

„Ich kann das nicht mehr, Ellie. Ich kann nicht mehr den Tröster spielen, wenn dir die Egozentrik der Schmidts mal wieder über den Kopf wächst. Ich brauche eine Frau und keine Drama-Queen." Tiefe Enttäuschung und Wut schwangen in seiner Stimme mit.

„Es gibt gar keine Dramen, Joachim. Als ich in Seattle war und mich mit Alex eingelassen habe, hatte ich dich acht Jahre lang nicht mehr gesehen, vergiss das nicht."

„Da warst du aber mit Henry zusammen."

„Ja, das ist wahr, und das tut mir leid. Aber Henry war kein Teil meines Lebens. Er lebt in seiner eigenen Sphäre. Ich brauche einen Mann, Joachim, kein viertes Kind - und übrigens auch keinen Moralprediger. Den habe ich hinter mir." Ich versuchte ihm ein Lächeln zu entlocken und es funktionierte tatsächlich nach einer Weile.

„Ich wusste, es ist ganz egal, was ich tue, ich würde sowieso nie wirklich glücklich sein", fuhr ich fort. „Also konnte ich genau so gut nach Amerika auswandern und einen Multimilliardär heiraten, der angeblich mit Bill Gates verkehrt. Das schien keine schlechte Wahl, solange ich noch glaubte, dass ich dich für immer verloren hätte."

„Ich könnte dir ja eine Chance geben, Ellie", quälte er mich. „Aber ich weiß genau, wenn ich mich nur einmal mit dir einlasse, hänge ich wieder am Haken. Du bist der verdammte Suchtstoff, von dem ich nicht loskomme. Fast so wie die Glimmstengel."

Jetzt grinsten wir beide.

„Können wir die Kinder so lange da drüben alleine lassen?"

Sein Bett war eine aufgeklappte Couch mitten im Wohnzimmer, so wie meines. Gelegenheiten wie diese würden rar sein. Es war heiß. Wir mussten unsere klebrigen Kleider regelrecht von uns schälen. Doch jedes Streicheln, jedes Greifen und Führen seiner langen, aktiven Hände war mir sofort vertraut. Im alten Stil feierten wir eine neue Einheit. All die leeren Gräben, die Trauer, Kampf, Trennung und Bangen in uns gegraben hatten, wurden zum Fangbecken für spiegelblankes Glück.

Später schoben wir gemeinsam mein Fahrrad durch die Stadt, zurück zu unseren Kindern. Unsere Arme kreuzten sich über dem Lenker und wir spielten fröhlich mit der Schwierigkeit der gemeinsamen Steuerung. Doch obwohl es über zwanzig Jahre her war, dass wir diese Technik verfeinert hatten, fanden wir die Balance innerhalb von nur wenigen Sekunden.

Danke euch:
Michael, für deine Kunst, deine Ausdauer und für alles.
Meinen Kindern und meinen Eltern
für Liebe, Freundschaft, Zeit und Raum.

Susanne Zeyse, fürs Lektorieren, Coachen
und fürs Nichtlockerlassen.
www.lektorat-zeyse.de

Christiane Saathoff, fürs Korrigieren,
Lenken und Motivieren.
www.lektorat-saathoff.de

Thank you:
Dana, for guiding me beyond my limitations.

Anita, for sharing your strength and
for solving my web issues.
www.blimco.ca

Pam, for giving me that essential push while
we met only once in a magical place.

Danke an alle, die lesen, Feedback geben und
online vorbeischauen:

www.karineger.com

CPSIA information can be obtained
at www.ICGtesting.com
Printed in the USA
BVHW070830120120
569277BV00001B/26/P

9 783734 570193